MIASTO SZPIEGÓW

MAREK KRAJEWSKI

MIASTO SZPIEGÓW

Wydawnictwo Znak
Kraków 2021

Projekt okładki i mapy
Michał Pawłowski
www.kreskaikropka.pl

Opieka redakcyjna
Dorota Gruszka

Redakcja
Karolina Macios

Adiustacja
Katarzyna Mach

Korekta
Barbara Gąsiorowska
Beata Trebel-Bednarz

Łamanie
Dariusz Ziach

ISBN 978-83-240-6231-7 (oprawa twarda)
ISBN 978-83-240-6230-0 (oprawa broszurowa)

znak

Książki z dobrej strony: www.znak.com.pl
Więcej o naszych autorach i książkach: www.wydawnictwoznak.pl
Społeczny Instytut Wydawniczy Znak, 30-105 Kraków, ul. Kościuszki 37
Dział sprzedaży: tel. (12) 61 99 569, e-mail: czytelnicy@znak.com.pl
Wydanie I, Kraków 2021. Printed in EU

†

PIIS MANIBVS
CARISSIMI PATRIS
EDVARDI KRAJEWSKI

THEODOR ACHSEL – wachmistrz policyjny z posterunku w Gdańsku-Brzeźnie.

OTTO ADELHARDT – komisarz policji kryminalnej Wolnego Miasta Gdańska (WMG), funkcjonariusz Abwehry, podwładny Oskara Reilego.

SZYMON AJZENFISZ – księgowy w firmie Luzerius w WMG, agent Żychonia.

IRENA ARENDARSKA – żona Mieczysława Arendarskiego.

BOLESŁAW ARENDARSKI – bratanek Mieczysława Arendarskiego, znany w WMG *bon vivant*.

MIECZYSŁAW ARENDARSKI – właściciel firmy spedycyjnej w WMG oraz szef prywatnej agencji wywiadu gospodarczego tamże.

IWAN BURYJ – bojowiec Organizacji Ukraińskich Nacjonalistów (OUN).

WANDA DARGACZ – uczennica polskiego gimnazjum w WMG.

TEODOR FURGALSKI – pułkownik, szef II Oddziału Sztabu Głównego (Dwójki).

JAN GRZENC – współpracownik Popielskiego w WMG.

ANDREAS HOPPE – komisarz kryminalny z Okręgu Kryminalnego Śródmieście WMG.

MAJER LIFSCHÜTZ – współpracownik lwowskiej policji, właściciel pralni wykorzystywanej jako tajne więzienie.

Mieczysław Lissowski – naczelnik Wydziału Bezpieczeństwa Publicznego w Komisariacie Rządu na Miasto Stołeczne Warszawę.

Mykoła Łopatiuk – współpracownik lwowskiej policji, strażnik w tajnym więzieniu.

Perla Milchman – działaczka komunistyczna.

Leo Mlynski – dyrektor Miejskiej Szkoły Rejonowej w Gdańsku- Brzeźnie.

Josef Nagel – strażnik w więzieniu w Sztumie.

Leon Nagler – doktor prawa, adwokat, naczelnik Wydziału IV Komendy Głównej Policji Państwowej.

Erich von der Nieeuwe – senator WMG.

Paula von der Nieeuwe – córka Ericha von der Nieeuwego.

Franciszek Pirożek – oficer lwowskiego oddziału policji politycznej, przyjaciel Popielskiego.

Oskar Reile – szef policji kryminalnej WMG, szef gdańskiej Abwehry.

Heinrich Ruhmberger – dyrektor więzienia w Sztumie.

Florian Szultka – współpracownik Popielskiego w WMG.

Izydor Sigman – przemysłowiec z Gnaszyna, przebywający we Lwowie na Targach Wschodnich.

Erich Suckau – nauczyciel w więzieniu w Sztumie.

Reginald Vierk – SS-Untersturmführer z WMG, przyjaciel Reilego.

Paul Wiegratz – bandyta z WMG.

WILHELM ZAREMBA – lwowski policjant, przyjaciel Popielskiego z ławy szkolnej.

CECYLIA ZIELIŃSKA – uczennica polskiego gimnazjum w WMG.

JAN HENRYK ŻYCHOŃ – kapitan, szef Ekspozytury nr 3 Oddziału II Sztabu Głównego Wojska Polskiego (Dwójki), odpowiedzialnej za działania wywiadowcze i kontrwywiadowcze przeciwko państwu niemieckiemu.

PROLOG

ZA ŚCIANĄ APARTAMENTU W HOTELU GEORGE'A ROZLEGŁ SIĘ przeraźliwy kobiecy krzyk. Nie był to już typowy zmysłowy jęk – nieco chrapliwy i gardłowy, taki jak te, które przed kilkoma godzinami kobieta wydawała z siebie kilkakrotnie, kiedy ekstaza rozrywała jej krtań. Teraz jej okrzyk stał się wibrujący, wysoki i jasny – jakby się składał wyłącznie z samogłosek „e" oraz „i". Uchodził bez przeszkód przez rozwarte usta i oznajmiał zgoła inne uczucia niż wcześniej – był to dźwięk zwierzęcego cierpienia, *crescendo* strachu. Wydostał się przez otwarte okno i rozszedł szeroko nad placem Mariackim. Policjant, idący do Rynku, by stamtąd rozpocząć nocny obchód miasta, zatrzymał się gwałtownie pod kolumną Mickiewicza. Odwrócił się, zlustrował najpierw potężną secesyjną bryłę słynnego „Żorża", a potem spojrzał w stronę poety, jak gdyby go chciał zapytać o radę, co należy czynić. Po sekundzie na trzecim piętrze trzasnęło zamykane hotelowe okno, wróciła dawna cisza i stróż prawa lekko pokiwał głową, jakby usłyszał od wieszcza polecenie nieprzejmowania się nocnymi hałasami. Surowym spojrzeniem obrzucił batiara, który nagle zatrzymał przed nim swój zdezelowany rower i wygłosił taki oto komentarz:

– Ali tam chruma jakiś gościuniu, pani władza, aż dziunia pokrzykuji!

Policjant w głębi ducha zgadzał się z takim rozpoznaniem. Lekkim ruchem dłoni pokazał nocnemu markowi, aby zszedł mu z oczu, a sam, uroczystym gestem poprawiwszy pasek czapki pod brodą, udał się w stronę Rynku, by dołączyć do czekającego tam na niego kolegi.

Z opinią lwowskiego ulicznika nie zgodziłby się na pewno pan Izydor Sigman, wynajmujący numer w Hotelu George'a na tymże trzecim piętrze, skąd dobiegł krzyk. Ten zamożny przemysłowiec, prezes podczęstochowskiej Spółki Akcyjnej Manufaktury Gnaszyńskiej produkującej przędzę lnianą i konopną, był prawie pewien, że o ile wcześniej, owszem, pani za ścianą była w siódmym niebie, to teraz zstępuje chyba do piekielnej otchłani.

Nie ruszał się jednak z wyściełanego aksamitem fotela i wpatrywał z najwyższą uwagą w kwadratową przezroczystą filiżankę, jakby ten świetny produkt nowoczesnego wzornictwa był kryształową kulą, w której odbijają się zdarzenia zza ściany.

Bał się. Jeśli po sąsiedzku rzeczywiście rozgrywa się jakiś dramat okrucieństwa i przemocy, to owo zło może się zaraz rozlać i dotknąć jego samego. A on nie chciał się w nic mieszać, chciał tylko sprzedawać swoje produkty i zawierać na odbywających się właśnie Targach Wschodnich kontrakty ze słynnymi kresowymi producentami kilimów.

Uznał, że najlepszym wyjściem z tej sytuacji będzie samooszukiwanie się.

– „*Amantium irae integratio amoris* – pomyślał, przypominając sobie jedną z łacińskich sentencji. – Swary kochanków wzmocnieniem miłości".

Pogłaskał pikowane klapy bonżurki i pogładził zasłaniającą mu pół oblicza przezroczystą bindę, która przyciskała do policzków przyczernione szuwaksem wąsy. Dzięki niej ozdoba jego twarzy jest zawsze sprężysta i nienagannie podkręcona – a tak właśnie powinno być przez cały jutrzejszy dzień, gdy będzie witał klientów na swoim stoisku w pawilonie targowym.

Zwiększył głośność radioaparatu nadającego audycje lwowskiej rozgłośni Polskiego Radia. Teraz – po zakończeniu koncertu życzeń – z eteru popłynęła pierwsza pieśń Schuberta z cyklu *Podróż zimowa* w wykonaniu George'a Henschela, który sam sobie akompaniował na fortepianie. Przedsiębiorca podniósł do swych oczu krótkowidza miesięcznik „Przegląd Lniarski" i powrócił do przerwanej lektury artykułu pod tytułem *Dlaczego musimy walczyć o własne surowce włókiennicze*.

I oto powstaje taki stan rzeczy, że w Polsce, kraju wybitnie rolniczem, miliony ludzi wegetuje i nie dojada, a jednocześnie Polska wywozi ze stratą za setki miljonów żywności, aby móc sprowadzać potrzebne jej surowce włókiennicze, któreby mogła przy możliwej dziś intensyfikacji swej gospodarki rolnej na pewno sama produkować.

Nagle przerwał czytanie nudnego tekstu. Ściana oddzielająca pokoje zaczęła znów przewodzić złowrogie dźwięki. Zduszony bulgot, głuche walenie – jakby kto trzepał dywan lub poduszkę. Do uszu Sigmana doleciał wyraźny męski ryk i zduszony kobiecy jęk – żałosny i cichszy niż poprzednie.

– A co ty myślałaś?! Spójrz na siebie! Za taką łanię się niby uważasz, co?! Mnie się nie porzuca jak zużytej serwety! A teraz ci zamknę mordę na amen, żebyś mi się tu nie darła!

Tego już było za wiele. Pan Sigman zerwał się z fotela i ruszył ku wyjściu. Jego niepewne ruchy, wciąż blokowane wewnętrznym oporem, sprawiły, że potknął się o dywan i zahaczył ramieniem o parawan z japońskimi pejzażami, który stał obok umywalki. Ten się zachwiał i runął na ziemię, mocno uderzając po drodze o kaflowy piec w kącie. Za ścianą zaległa cisza. Ale przedsiębiorca już się nie wahał, choć, otworzywszy drzwi na korytarz, czuł zimny powiew strachu.

„Może powinienem jednak zbiec na dół, albo lepiej zadzwonić i powiedzieć wszystko recepcjoniście" – taka myśl przeszła mu przez głowę. Portier mógł być, jak wielu ludzi jego profesji, policyjnym agentem. A teraz przydałaby się szybka interwencja stróżów prawa!

Potem Sigman już nie myślał. Działał. Załomotał w drzwi. Otworzyły się gwałtownie i stanął w nich mężczyzna w smokingu i zakrwawionej, podartej koszuli ze sztywnym kołnierzykiem, pod którym zwisała poszarpana, rozwiązana muszka. Widząc przybysza, wykonał szybki ruch ramieniem.

Ten nie zdążył powiedzieć ani słowa. Poczuł, że jego broda eksploduje. Po policzkach, skroniach i czaszce rozeszły się jakby elektryczne fale. Padł na miękki czerwony chodnik korytarza – tuż obok swoich trzewików, które mu starannie był dzisiaj odczyścił hotelowy boy.

Ostatnią rzeczą, jaką przemysłowiec widział w otwartym na oścież pokoju, były kobiece stopy w jedwabnych pończochach ze szwem. Łydki, wystające spod niebieskiej sukienki, drgały i klaskały o parkiet w przedśmiertnych paroksyzmach.

Ostatnie, co zarejestrował jego mózg, to błysk.

Błysk przypomnienia.

Przedsiębiorca poznał damskiego boksera, a może raczej – damskiego mordercę.

Ten nawet nie rzucił okiem na powalonego przez siebie mężczyznę. Runął w stronę schodów ciężkim kłusem. Ale nawet gdyby się przyjrzał uważnie interweniującemu sąsiadowi, nie rozpoznałby go. Binda opinająca twarz Sigmana całkiem zniekształciła jego rysy.

Radio wciąż grało w pokoju obok, gdy jego lokator leżał bez życia i w swym omdleniu wdychał woń pasty do butów. Piękny, miękki baryton Henschela śpiewał: *Gute Nacht!* Dobranoc.

CZĘŚĆ I

LIPIEC 1933
AKCJA „PRALNIA"

I

EDWARD POPIELSKI PODZIWIAŁ WEWNĘTRZNĄ SIŁĘ, wręcz hart ducha, aktorów i piosenkarzy, którzy tego letniego wieczoru występowali w rewii *Za rok, za dzień, za chwilę* na deskach lwowskiego kinoteatru Colosseum. Gdyby był na ich miejscu, uczyniłby coś gwałtownego; w najlepszym razie przerwałby spektakl, w najgorszym – wulgarnymi słowy ubliżyłby widzom, zwłaszcza tym stojącym na „jaskółce", czyli pod samym sufitem, oraz tym siedzącym na parterze przy stolikach. Jedna i druga grupa bardziej niż występem interesowała się jadłem i alkoholem. Widzowie na drugim piętrze wnieśli własne wiktuały i raczyli się nimi ukradkiem, ci z parteru – czynili to oficjalnie i odpłatnie. Oprócz foteli skierowanych w stronę sceny gros parterowej powierzchni zajmowały przykryte obrusami stoliki, dokąd co chwila wzywano któregoś z licznych kelnerów. Dochodziły stamtąd wesołe okrzyki i stukot kufli. Nad wszystkim rozpościerała się szara mgła papierosowego dymu. Oprócz tego – jakby kto zapomniał – od kwadransa odbywało się tu przedstawienie, a aktorzy i piosenkarze z zaangażowaniem odgrywali swoje role, udając, że widzą przed sobą wyrobionych teatromanów, nie zaś coraz bardziej pijaną tłuszczę.

Tak na ogół świętowano w Colosseum nadejście cotygodniowego fajrantu. Dzisiejszy sobotni wieczór – pierwszy dzień lipca – nie był tu wyjątkiem. Wydarzenia w wielkiej sali też były typowe. Hałas, wódka, biesiada – tak zawsze wyglądało pierwsze pół godziny spektaklu. Potem bywało jeszcze gorzej – publiczność zaczynała śpiewać wspólnie z aktorami.

Co zamożniejsi bywalcy kinoteatru siedzieli w lożach z udrapowanymi po bokach zasłonami. Na parterze było ich osiem, na pierwszym piętrze – dwanaście. Jedną z nich – ostatnią, właśnie z numerem 12, położoną tuż przy scenie – zajmował Edward Popielski.

Cieszył się w duchu, że wybrał to dyskretne miejsce. Nie powinien się zbytnio rzucać w oczy – a to byłoby nieuniknione, gdyby zasiadł na parterze przy jakimś stoliku. Wyróżniałby się wśród rozbawionych widzów jak – podobało mu się to porównanie, chętnie używane przez jego kuzynkę Leokadię – tygrys na śniegu. Nad większością z nich górowałby wzrostem i masywną sylwetką. Odróżniałby się też łysą głową ze starannie ogolonymi włosami na skroniach i potylicy. Jego jasny letni garnitur, szyty u mistrza Michalewskiego z Rynku, kontrastowałby z niedopasowanymi ubraniami konfekcyjnymi, brązowy krawat w beżowe paski – z rozpiętymi pod szyją koszulami, a złote spinki i takiż sygnet z onyksem i wygrawerowanym znakiem labiryntu – z tanią srebrną i pozłacaną biżuterią kupioną na Krakidałach, czyli słynnym lwowskim bazarze.

Za zasuniętymi prawie całkowicie zasłonkami loży nie musiał się obawiać, iż ktoś nieodpowiedni go wypatrzy albo jakiś żulik będzie się gapił na jego eleganckie ubranie i gustowne dodatki. W lożach siedzieli ludzie jemu podobni i wpatrywanie się w sąsiada nie było *comme il faut**.

---

* Jak należy (fr.).

Palił papierosa i z głębi swego lokum patrzył z niesmakiem już to na zachowanie publiczności, już to na kiepskie popisy aktorskie. Gdyby chciał dokładnie widzieć, co się dzieje i tu, i tam, musiałby się pochylić do przodu, a najlepiej oprzeć się ramieniem o pokrytą aksamitem barierkę. Nie zamierzał tego robić. Po pierwsze, zupełnie go nie interesowały losy odgrywanych w rewii postaci, po drugie – i najistotniejsze – był tutaj służbowo.

Popielski czekał na jednego z najważniejszych ludzi polskiego wywiadu i kontrwywiadu wojskowego.

O tym, że kapitan Jan Henryk Żychoń, szef Ekspozytury nr 3 Oddziału II Sztabu Głównego, chce się do niego zwrócić w jakiejś pilnej sprawie, został powiadomiony przedwczoraj przez swojego bezpośredniego zwierzchnika, podinspektora Mariana Zubika. Naczelnik policyjnego Urzędu Śledczego nakazał komisarzowi, by pojutrze się udał na rewię do Colosseum, gdzie przyjdzie do niego do loży „as polskiego wywiadu, odpowiedzialny za szpiegowskie zmagania z Niemcami". Złośliwa mina Zubika mówiła wyraźnie, iż cieszy on się w duchu na popsucie swemu podwładnemu letniego wieczoru. Powiedzieć, że obaj panowie za sobą nie przepadali, to powiedzieć zbyt mało.

Popielski nie lubił być zaskakiwany i tego samego dnia, kiedy dostał polecenie tajnego spotkania, zaprosił swojego kolegę z policji politycznej komisarza Franciszka Pirożka do restauracji Markusa Laufera przy Sobieskiego. Tam przy kieliszku, studzieninie i innych specjałach Pirożek chętnie sięgnął do swej pamięci i w krótkich zdaniach scharakteryzował Żychonia dosadnie i precyzyjnie, począwszy od wyglądu i bujnego życia erotycznego, a na trzęsieniach ziemi, jakie działalność kapitana wywołuje na szczytach Abwehry, skończywszy.

– Oni by każdą nagrodę za jego łeb wypłacili, Edziu – mówił Pirożek, zagryzając zimną wódkę naczosnkowaną słoninką, zwaną z ukraińska sałem. – Tak go nienawidzą. Kilka razy już chcieli go porwać, wydali na niego nawet wyrok. Wyobraź sobie, że nie ma w wierchuszce wywiadowczej naszych kochanych sąsiadów z zachodu nikogo, kto by nie umiał prawidłowo wymówić nazwiska „Żychoń". Tak często się tam o nim mówi. Swoją drogą, to kapitan potrafi ich nieźle rozwścieczyć. Niedawno po pijanemu poszedł wraz z towarzyszącą mu orkiestrą pod prezydium policji w Gdańsku, naszpikowane agentami Abwehry jak, nie przymierzając – spojrzał na swoją zakąskę – to sało czosnkiem. I grał tam przez kwadrans nasz hymn! Ale to wszystko nic… Jego nienawidzą przede wszystkim za to, że jest po prostu skuteczny. Za to samo zresztą nie lubią go nasi z Dwójki. Nie muszę ci mówić o tarciach pomiędzy referatami Wschód i Zachód. No, napijmy się, Edziu, i zmieńmy temat. Już i tak za dużo ci wypaplałem…

Tematu nie zmienili i Popielski miał po tym spotkaniu z Pirożkiem nie tylko lekkiego kaca, ale i głowę pełną plotek oraz sporą wiedzę na temat człowieka, który miał dla niego jakieś zadanie.

Kiedy Żychoń wszedł teraz do loży i podał rękę Edwardowi, ten pochwalił w myślach zmysł obserwacyjny kolegi i jego umiejętność opisu ludzkich fizjognomii. Wszystko się zgadzało z jego relacją. Kapitan był trzydziestoletnim szatynem średniego wzrostu, postury mocnej, o włosach gęstych, zaczesanych do góry. Ciemne, głęboko osadzone oczy, duży nos i cienkie, mocno zaciśnięte usta – wszystko się zgadzało z opisem, nawet letni garnitur z kortu oraz dwa sygnety. Żychoń wyglądał tak, jakby właśnie wyszedł z opowieści Pirożka.

– Uch... Omal nie zabłądziłem. – Uścisnął mocno dłoń Edwarda i sapnął z lekką irytacją: – Cóż za zakamarki w tej żydowskiej dziurze. I jeszcze jaka szumna nazwa! Colosseum! Gdzie Rzym, gdzie Krym, a gdzie Lwów!

– A kino Cristal w pańskim mieście, kapitanie, ma wiele wspólnego z londyńskim Crystal Palace? – W komisarzu obudził się lokalny patriotyzm. – Gdzie Londyn, a gdzie Bydgoszcz, co? A poza tym bardzom ciekaw, u pana jakby mniej naszych współobywateli wyznania mojżeszowego niż tutaj?

Żychoń usiadł ciężko i szybko spojrzał na swego rozmówcę. W jego wzroku błysnęło coś, co Edward uznał za zdziwienie. Równie dobrze mogło to być zapowiedzią późniejszych komplikacji. Nagle przybysz roześmiał się głośno i wyciągnął ku swemu rozmówcy papierośnicę.

– W Gdańsku, gdzie przebywam częściej niż w Bydgoszczy, jest ich rzeczywiście mniej – mruknął i zapytał z lekkim uśmiechem: – Co? Fajka pokoju na początek?

– Przecież nie ma żadnej wojny. – Popielski również się uśmiechnął i wyciągnął zza gumki papierosa, co było odpowiedzią twierdzącą na to pytanie.

Zapalili.

– Powinienem był bardziej docenić człowieka, który rozwiązał sprawę „Dziewczyna o czterech palcach". – Żychoń wypuścił kłąb dymu. – Nie przypuszczałem, że się pan tak dobrze przygotuje do dzisiejszej rozmowy, poruczniku. Nie jest pan chyba zadowolony z miejsca naszego spotkania, prawda? Z tego, co o panu poruczniku wiem – i tu podzielam pański gust – to woli pan Chopina w wykonaniu swej pięknej kuzynki panny Leokadii...

Edward ucieszył się w duchu, słysząc swoją wojskową szarżę, komplement pod adresem Lodzi oraz zaklasyfikowanie ich obu do tej samej grupy koneserów odstających od pospólstwa, które teraz nagradzało potężnym aplauzem pierwsze takty szlagieru *Za rok, za dzień, za chwilę.* Ich gusta muzyczne, podobnie jak świetnie skrojone jasne garnitury, były znacznie wyższej jakości niż wszystkie elementy otaczającego ich sobotniego ubawu.

– Po prostu dowiedziałem się o panu, kapitanie, tego i owego... – rzekł skromnie. – Podobnie jak pan o mnie. I tyle.

– To dobrze – rzekł przybysz. – W ten sposób oszczędzimy sobie wzajemnych prezentacyj i przejdziemy od razu *ad rem.*

Wstał i zasunął do końca zasłony loży. Byli niewidoczni z zewnątrz.

– Dwa tygodnie temu policja warszawska zrobiła nalot na melinę jakichś żydowskich bukmacherów. – Rzeczywiście przeszedł od razu do rzeczy. – Mieściła się ona na zapleczu pewnej podłej knajpy na Woli. Oprócz licznych zeszytów z zapisami konnych gonitw na Służewcu znaleziono tam dziwne matryce i dziwne bilety na zawody sportowe, które już dawno za nami albo jeszcze się nie odbyły. Na przykład na jutrzejszy mecz Pogoni Lwów *contra* Gedania Gdańsk. Wśród zatrzymanych był ktoś, kto pasował do tej całej żydowskiej ferajny jak wół do karety... Pewien Niemiec z Gdańska, nazwiskiem Hans Schadetzky, który bawiąc w naszej stolicy przejazdem, wybierał się, jak twierdził, do Lwowa. Do knajpy i meliny bukmacherów trafił przypadkiem, bo szukał tam, jak się upierał, damskiego towarzystwa. – Zmrużył oczy i pokiwał głową, jakby wykazywał całkowite zrozumienie dla tych zainteresowań. – Nieufni warszawscy koledzy zatrzymali go na jedną noc na dołku – kontynuował – ponieważ owe dziwne bilety wyglądały na klucz do szyfru, a dowodzący całą akcją komisarz był uczulony na sprawy szpiegowskie. Kiedyś współpracował z Dwójką. Zawiadomiono mnie niezwłocznie. Sprawdziłem. W księdze adresowej Gdańska był jeden Hans Schadetzky. Zatelefonowałem pod ten numer. Odezwał się właściciel nazwiska. Okazało się, że niedawno ukradziono mu paszport. Poprosiłem komisarza z Warszawy o zdjęcie zatrzymanego Niemca. Dostałem je nazajutrz, rozpoznałem natychmiast i kazałem wypuścić, by spokojnie pojechał do pańskiego miasta. Rzekomy Schadetzky spędził jeszcze jedną noc na dołku, a potem przyjechał tutaj.

W kinoteatrze atmosfera stawała się gorąca. Ludzie coraz głośniej śpiewali, wydzielając z każdą chwilą intensywniejszą woń. Banalne słowa o przemijaniu odbijały się od sufitu.

Za rok, za dzień, za chwilę
Nie będzie może nas.
Żyjemy jak motyle,
Więc żyjmy, póki czas.
Być może jutro już

Z trzaskiem zawali się świat.

Być może jeszcze dziś

Wojnę obwieści nam P.A.T.

– To niejaki Otto Adelhardt, komisarz z gdańskiego prezydium policji – ciągnął Żychoń. – Agent wywiadu, bliski współpracownik tajnego szefa Abwehry w Gdańsku Oskara Reilego. – Zaciągnął się głęboko papierosem i zgasił go w popielniczce. – Mojego osobistego wroga, dodajmy – sapnął. – Mógłby pan teraz zapytać: po co Niemiec z Gdańska jedzie do Lwowa?

Edward milczał przez chwilę, a potem rzekł w zamyśleniu:

– Co tu robi agent Abwehry? – I natychmiast sobie odpowiedział: – Niemcy finansują i wspierają radykałów ukraińskich, których naturalnym centrum jest właśnie moje miasto.

– Otóż to! – Żychoń spojrzał z uznaniem na rozmówcę. – W Gdańsku mam Adelhardta pod nieustanną obserwacją. Wiem, że spotykał się w pewnej portowej piwiarni z niejakim Olegiem Sawczukiem. Pod takim nazwiskiem działa na moim podwórku Ołeksandr Zhorlakiewicz. Mówi coś panu to nazwisko?

– Nie.

– Zhorlakiewicz to gdański rezydent, czy lepiej: przedstawiciel, Organizacji Ukraińskich Nacjonalistów, która to grupa sieje tu, u was, spory niepokój. Może nie w samym mieście, ale na prowincji to nieźle się wam dają we znaki, nieprawdaż?

Popielski w milczeniu potaknął.

– Z tego, co wiemy – kapitan otarł pot z czoła – ów Zhorlakiewicz wciąż błaga Niemców o jedno: o pieniądze. Niemcy ich oczywiście wspierają, ale dwa tygodnie temu usztywnili swoje stanowisko i nie wysłali im kolejnej finansowej transzy. Jak pan myśli dlaczego? Co się ostatnio zmieniło w OUN?

Popielski prychnął:

– Egzaminowany nie ma pojęcia!

– Dwa tygodnie temu Zarząd Krajowej Egzekutywy OUN przeszedł w ręce Stepana Bandery. – Żychoń zdawał się nie zwracać uwagi na kąśliwą odpowiedź. – U Niemców ma on opinię człowieka nieprzewidywalnego. Wahają się, czy go wspierać. Dlatego wstrzymali pieniądze.

– I co? Chcą go sprawdzić? – Edward uderzył się dłonią w czoło. – Chcą z nim porozmawiać? Tu, we Lwowie, gdzie się pewnie ukrywa? I dlatego właśnie przysłali tego Adelhardta?

Żychoń odpowiedział krótko, jednak było to niesłyszalne z powodu huku braw, jakie się zerwały po wykonaniu tytułowego szlagieru rewii. Po minucie kurtyna zapadła, a konferansjer ogłosił przerwę. Na dole i na górze wzmogła się wrzawa rozmów i śmiechów. Tu i ówdzie ludzie, nie mogąc wyrzucić z pamięci śpiewanej przed chwilą piosenki, wśród stukotu kufli wciąż do niej wracali w mniejszych lub większych chórkach.

– Obserwuje go pan we Lwowie? – Popielski poczuł dreszcz podniecenia. – Jeśli tak, to on nas doprowadzi do najbardziej poszukiwanego Ukraińca w Polsce!

Żychoń poluzował krawat, a na jego twarzy pojawił się grymas złości. Zbyt łatwo – zdaniem Edwarda – dawał upust swym emocjom, chyba że była to tylko gra. Jeśli tak, to grał o wiele lepiej niż schodzący ze sceny aktorzy.

– Jakimś szóstym zmysłem wyczuł, że mam go na celowniku – powiedział wolno przybysz. – Może zauważył moich tajniaków na lwowskim dworcu? A może sam siebie zapytał, dlaczego w Warszawie go tak łatwo wypuszczono? Dość, że po przybyciu do Lwowa nic innego nie robi, jak tylko pije i ugania się za dziewczynkami. Z nikim nie miał kontaktu oprócz kilku alfonsów, restauratorów i sklepikarzy. Wszystkich zresztą sprawdziliśmy, nie ma o nich słowa w żadnych aktach politycznych ni kryminalnych. A czasu mamy niewiele... Tylko do jutrzejszego wieczoru. Wtedy on wraca do Gdańska, z przesiadką w Warszawie.

Do loży lekko zapukała, a potem weszła dziewczyna ubrana w kusą sukienkę i biały fartuszek. Na wysokości talii trzymała tackę pełną papierosów i słodyczy. Jej bystre oczy patrzyły wesoło spod niewielkiego czepka, który jak koronkowy płotek sterczał nad falującą grzywką.

– Może coś słodkiego dla szanownych panów? – Uśmiechnęła się zachęcająco.

– Nic się nie równa, moja panno, ze słodyczą pani ust i rumieńców. – Żychoń aż podskoczył na jej widok.

Panna ponowiła swą propozycję, kapitan kupił papierową torebkę z napisem „Lwowskie makagigi", wciąż emablując dziewczynę. Popielski nie śledził jego umizgów. Myślał nad czymś intensywnie.

„Franek Pirożek pewnie dla niego sprawdził tych wszystkich alfonsów – przyszło mu do głowy. – To właśnie tego dnia, kiedyśmy poszli na wódkę do Laufera, widziałem go wcześniej, jak wychodził z naszego archiwum!"

– Pierwsza klasa! – mruknął kapitan, patrząc na biodra i na obleczone w pończochy ze szwem zgrabne łydki znikającej dziewczyny.

Z dołu doszły odgłosy strojenia instrumentów, a potem konferansjer zapowiedział drugi akt rewii.

– W Adelhardcie obudził się chyba jakiś dziwny gdański patriotyzm. – Żychoń otworzył torebkę i podsunął ją komisarzowi. – Bo jutro wybiera się na mecz Pogoni Lwów z Gedanią Gdańsk. Mówię „dziwny", bo przecież Gedania to klub polski. Jeśli na meczu nie spotka Bandery albo kogoś od niego, to...

Zamyślił się, szukając odpowiedniego słowa. Popielski rozgryzł migdał zalany czekoladą.

– To co? To klapa całej akcji? – zapytał, zasłaniając usta.

– Wręcz przeciwnie – syknął Żychoń. – Wtedy go porwę. O, *pardon*! Porwiemy go. Obaj! Po to się z panem spotkałem w tym tingel-tanglu. No, co pan tak patrzy? Czyżby ta akcja przerastała pańskie możliwości?

Popielski milczał.

– Słyszałem, że tu, we Lwowie, może pan wszystko... – ciągnął kapitan. – Że ma pan tajny areszt, do którego trafiają komunistyczni agenci. Nazywacie go Pralnią, prawda? Jeśli Adelhardt nie spotka się jutro z Banderą, chcę, aby nocą nie trafił do pociągu do Warszawy, lecz do pańskiej Pralni...

Popielski wstał, podobnie jak Żychoń. Patrzyli sobie w oczy. Było w nich po równo zdecydowania i niepewności. Przybysz z Gdańska ustępował wzrostem lwowianinowi, ale miał silniejsze wejrzenie. Po prawie trzydziestu sekundach jednocześnie odwrócili wzrok. Ten pojedynek pozostał nie-rozstrzygnięty.

– Tylko po co miałbym to robić? – Popielski sięgnął po papierosa, lecz naraz zrezygnował z palenia i cofnął się o krok. – Bo co? Bo pan kapitan tak po prostu tego chce?

– Zastanawia się pan: „Co z tego będę miał?" – odparł Żychoń. – Odpowiadam. Chwałę człowieka, który ujął ukraińskiego terrorystę poszukiwanego przez...

– Nie jestem zainteresowany taką chwałą! – przerwał mu policjant. – Pozostawiam to innym. Z Banderą i z jego ludźmi lepiej by było usiąść do stołu i porozmawiać. Posłuchać, czego oni właściwie chcą. A zapewniam pana, że wiele ich żądań jest słusznych. I wiele krzywd prawdziwych. W kwestii ukraińskiej popieram stanowisko Henryka Józewskiego. Pragnę porozumienia z naszymi braćmi i współobywatelami...

– A wie pan, że ten przyjaciel Ukraińców wojewoda Józewski jest od dawna na celowniku ich radykalnych ugrupowań?

Popielski o tym wiedział. Milczeli przez chwilę. Nagle Żychoń chwycił Edwarda za ramiona. Miał teraz proste, szczere wejrzenie, pełne zimnej kamiennej siły.

– Zostawmy kwestię ukraińską na boku i wróćmy do naszej sprawy – mówił cicho, lecz dobitnie. – Zamknięcie Adelhardta w pańskiej Pralni to nie jest działanie na zasadzie „coś za coś", nie ubijamy teraz osobistych interesów. Coś panu wyjaśnię, panie poruczniku. Musimy tu pojąć oddzielnie przyczynę i cel. Pyta pan: „Po co mamy porwać Adelhardta?". To jest pytanie o cel. Odpowiadam: po to, aby go wymienić na jednego z naszych agentów, który jest teraz katowany przez Abwehrę w więzieniu w Sztumie. Pyta pan: „Dlaczego?". To już jest pytanie o przyczynę. Odpowiadam: bo sobie na to zasłużył. A co takiego uczynił? To jest dłuższa opowieść, na jaką nie ma warunków w tym rwetesie.

– Rzeczywiście – przyznał Popielski. – Tu trochę za głośno...

– Porwanie Adelhardta to będzie prosta akcja typu „wódka-dziewczynki-pobudka w nieznanym miejscu". – Żychoń napiął mięśnie, jakby właśnie ruszał do akcji. – Owo nieznane miejsce to pańska Pralnia. Wódkę znajdziemy w jakiejś knajpie. Zna pan takową niedaleko stadionu?

– Tak, jest taka jedna – odparł Edward po namyśle. – Bardzo dyskretna. Niedaleko stamtąd, właściwie to już poza miastem...

– A drugi element tej układanki? Jakieś ładne dziewczynki?

– O to nie musi się pan martwić, panie kapitanie.

– Ja się wcale nie martwię, bo znam pańskie zainteresowania, poruczniku, i wiem, że pański wybór będzie wyborem konesera. – Żychoń uśmiechnął się przyjaźnie. – Ale mimo to... tak między nami... przed tak ważną akcją wolałbym upewnić się osobiście i – by tak rzec – namacalnie, czy wszystko dobrze działa, rozumiemy się, panie poruczniku?

II

– NIESPEŁNA TRZY MIESIĄCE TEMU w pewnej pięknej willi w Sopotach dokonano strasznego czynu... – zaczął Żychoń, kiedy już był zakończył dokładną lustrację Pralni.

Po takim początku Popielski zamienił się w słuch.

* * *

PIĘKNA KLASYCYSTYCZNA WILLA BERGERA W SOPOTACH przy Rickertstrasse* 24 miała niezwykłą historię. Mimo że zbudował ją fabrykant Johann Immanuel Berger, który – jak każdy zamożny mieszczanin – uchodził za filistra, to jednak jego rezydencja szybko nabrała zgoła niefilisterskiego rozgłosu. Plotki, mające zgodnie ze starą zasadą wiele wspólnego z prawdą, zaczęły się rozchodzić jak fale, kiedy wrzucony kamień wzburzy gładką powierzchnię morza. Opowiadano sobie o masońskich rytuałach, które – a jakże! – przyjmowały postać krwawych jatek. Zarumienione z podniecenia kumoszki na odległym targu rybnym pod basztą Łabędź szeptały sobie na ucho o alkoholowych i erotycznych orgiach godnych starożytnych bachanaliów, a nieliczni spośród ludu, którzy bywali w willi jako inkasenci czy listonosze, dodawali nieprawdopodobne szczegóły, chcąc nabrać w oczach bliźnich ważności.

Pogłoski owe nie ustały, a nawet się wzmogły, gdy pod koniec lat dwudziestych willę wynajął od bankrutujących

---

* Obecnie ul. Obrońców Westerplatte.

potomków Bergera zamożny polski przedsiębiorca spedycyjny, sześćdziesięcioletni pan Mieczysław Arendarski, i zamieszkał tam wraz z żoną Ireną – piękną blondynką, młodszą od niego o trzydzieści lat.

Polak zdawał się odporny na kryzys gospodarczy rujnujący świat, a jego wyraźne finansowe sukcesy, stojące w jaskrawym kontraście z biedą wokół oraz z upadkiem innych firm, stały się szybko obiektem zainteresowania zawistników. Lud doszukiwał się wpływu nieczystych sił na pomyślność obojga państwa Arendarskich. Mówiono o satanistycznych rytuałach odprawianych w willi i o cyrografach zamkniętych w ognioszczelnych sejfach, do których szyfrem były rozmaite kombinacje matematyczne liczby Bestii, czyli 666. Szeptano o zboczonym odnawianiu zaślubin, które rzekomo połączyły z piękną panią Arendarską samego księcia ciemności.

Gdańscy policjanci, a zwłaszcza ulokowani w niej agenci Abwehry, odnosili się lekceważąco do okultystycznych tropów. Oni powodów zamożności Arendarskiego szukali w jakimś bardziej realnym źródle – czyli w dotowaniu przez polską Dwójkę. Nie znaleziono żadnych dowodów potwierdzających te przypuszczenia, lecz funkcjonariusze niemieckiego wywiadu nie spuszczali czujnych oczu z bogatego spedytora, zwłaszcza gdy uzyskali informacje, iż firma pana Arendarskiego to nic innego jak prywatna agencja wywiadu gospodarczego.

Od tego typu firm wywiadowczo-detektywistycznych – i tych zarejestrowanych oficjalnie pod różnymi szyldami, i tych działających nielegalnie – w Gdańsku aż się roiło. W mieście, które wciąż było obiektem sporu pomiędzy Polską a Niemcami i którego status nieustannie kwestionowano, panoszyli się – prawie że jawnie – rezydenci i polskiej Dwójki, i sowieckiego OGPU. W sposób o wiele bardziej zawoalowany – z powodu zakazu traktatu wersalskiego – działali tu także agenci Abwehry. Wszyscy oni potrzebowali jednego – informacji – i za ten towar dobrze płacili. Bywały to na ogół wiadomości finansowe, gospodarcze, rzadko militarne. Te były najlepiej płatne.

Deficyt informacji doskwierał wszystkim. Nic zatem dziwnego, że prywatne firmy wywiadowcze prześcigały się w ich zdobywaniu. Mieczysław Arendarski nie tylko je uzyskiwał, ale specjalizował się również w wymyślaniu metod ich zdobywania. Największym atutem jego firmy – dzięki któremu odstawił konkurencję na kilka długości – było sprzedawanie samych pomysłów na wywiadowcze działania i akcje. Zła sława owiewająca sopocką rezydencję Arendarskiego w najmniejszym stopniu nie przeszkadzała jego interesantom, spragnionym wywiadowczej wiedzy.

Satanistyczna fama nie powstrzymała również pięciu mężczyzn, którzy w ten późny wiosenny wieczór zamierzali złożyć państwu Arendarskim nie zapowiedzianą i niemiłą wizytę. Przyjechali oni dwoma adlerami. Jeden z nich zatrzymał się przy Rickertstrasse* pod żelaznym parkanem ogrodu, kilkanaście metrów od bramy prowadzącej z ulicy na podjazd, drugi stanął na jego tyłach, przy Benzlerstrasse**, pod zadrzewionym wzgórkiem przeciętym

* Obecnie ul. Obrońców Westerplatte.
** Obecnie ul. Winieckiego.

u podnóża małym tunelem prowadzącym do posesji. Zakratowane wejście było zaopatrzone w solidną kłódkę na łańcuchu. Otwierano ją tylko w soboty – kiedy zajeżdżał tam furgon z rybami, mięsem, serami i butelkami wina. Tunelem od strony ogrodu wytaczano wtedy na ulicę dwa wózki, na które ładowano wszystkie zakupione produkty. Potem służba popychała je z powrotem w stronę rezydencji i zamykała kratę. Zaopatrzeniowcy nigdy ogrodu nie widzieli.

Tego dnia było całkiem inaczej niż zwykle. Poniedziałek Wielkanocny siedemnastego kwietnia – *ex definitione* – nie był sobotą, trzej mężczyźni, którzy wysiedli z adlera, nie pracowali jako dostarczyciele żywności, a służba miała wolne. Łańcuch na kracie odpadł po uderzeniu pięścią. Mężczyźni weszli do tunelu i naciągnęli na twarze marynarskie golfy. Minionej nocy wszystkie sztaby, kłódki i łańcuchy zostały przez nich otwarte, a potem zamaskowane tak, by wyglądały na zamknięte. Wczoraj nie mogliby przeprowadzić swej akcji, bo dom był pełen ludzi, a dwaj kamerdynerzy, kierowca i dwie kucharki – bardzo zajęci. Dzisiaj natomiast nic im nie przeszkadzało.

Do ogrodu trzej zamaskowani ludzie wbiegli w tym samym czasie, kiedy od frontu ich dwaj koledzy włamali się z hukiem do hallu rezydencji. Tamci rozbili szklane wysokie drzwi ogrodowe i wbiegli na wysokie schody, skąd rozpierzchli się po pomieszczeniach na piętrze. Poszarpali przy tym bordowe pluszowe zasłony, które osłaniały wejście na schody i ciągnęły się w malowniczych udrapowaniach – podobne do trenu kobiecej sukni – aż do wyjścia do ogrodu.

Ci na parterze zapalili światło w hallu i wtargnęli do salonu. Pan Arendarski, siedzący tam przy kawie, cygarze i koniaku, drgnął, gdy usłyszał huk włamania i ujrzał, jak kwadratowe kolorowe szybki w drzwiach rozbłysły światłem z hallu. Napastnicy działali bardzo szybko. Przedsiębiorca ledwo zdążył był wstać, kiedy ci już go dopadli. Popchnęli go z powrotem na osiemnastowieczny fotel, po czym przewrócili na ziemię wraz z tym zabytkowym sprzętem. Zanim poczuł smród chloroformu, zanim wilgotna szmata została mu narzucona na głowę, widział jeszcze, jak bandyta podchodzi do jednej z dwóch przepięknych kolumn, które w spiralnych wężowych splotach podtrzymywały kasetonowy sufit. Poklepał lubieżnie zaokrąglenie jednej z nich – jakby głaskał kobiece udo.

Jego kolega na parterze właśnie robił to samo. Kiedy wtargnął do nowoczesnej kuchni, pani Arendarska stała na taborecie przy długich białych szafkach, które ciągnęły się od sufitu po czarno-białą szachownicę podłogowych płytek. Na suficie na długich ozdobnych kablach wisiało sześć lamp – każda w kształcie okrętu. Zanim kobieta zeszła na podłogę i otworzyła usta do krzyku, zaczął ją bić. Walił kułakami i kopał, kiedy klęczała, a potem leżała na podłodze. Chwycił ją za dekolt sukni i szarpnął. Materiał pękł z trzaskiem. Napastnik wsadził jej dłoń pod spódnicę, chwycił za pas od pończoch i brutalnie rzucił kobietę na stół, twarzą do blatu. Zdarł z niej majtki i kopnął w stopy, rozsuwając jej nogi. Jeden z kolegów wszedł wtedy do kuchni i dla hecy rozkołysał wszystkie żyrandole.

Mężczyzna gwałcił ją bardzo długo. Długo i boleśnie. Wypił wcześniej sporo alkoholu i nie mógł teraz osiągnąć satysfakcji. Irena Arendarska leżała z policzkiem przyklejonym do stołu. Gwałciciel patrzył na jej duży pieprzyk nad górną wargą i czuł się coraz bardziej upokorzony przez tę sukę. Nieważne, że nie może jej dogodzić – ale nie może dogodzić sobie samemu!

– Dość! – krzyknął jego kompan. – Idziemy!

Gwałciciel spojrzał na zmaltretowaną kobietę.

– Przyjdę tu jeszcze – powiedział. – I cię, macioro, wydupczę jak nikt do tej pory!

Wtedy Arendarska przekręciła się na plecy i zerwała mu z twarzy zaśliniony golf.

Sześć podsufitowych okrętów poruszało się w tę i z powrotem, oświetlając miejsce jej pohańbienia.

Dwie godziny później w bydgoskim mieszkaniu kapitana Jana Henryka Żychonia rozdzwonił się telefon. Północ w Poniedziałek Wielkanocny to nie była pora, kiedy by ktoś dzwonił w błahej sprawie.

Wstał z łóżka. Przebudzonej i poirytowanej małżonce, która wciąż – nie bez podstaw – podejrzewała go o kolejne zdrady, rzucił:

– Odbiorę w gabinecie. Jeszcze chwilę podzwoni i ci poprzeszkadza, ale nie podnoś słuchawki!

Włożył szlafrok, pobiegł na drugi koniec mieszkania i wszedł do wspomnianego pomieszczenia. Usiadł przy biurku i odebrał. Długo słuchał kobiety, która wielkim wysiłkiem woli tłumiła ból i przerażenie w swym głosie.

– To był Otto Adelhardt, Janku – szepnęła. – On mnie nie zna, ale ja go znam. On porwał mojego męża...

Kapitan Żychoń, wysłuchawszy wszystkiego, bardzo powoli odłożył słuchawkę na widełki. Uczynił to tak starannie i z taką delikatnością, jakby oba elementy aparatu były zbudowane z najdrogocenniejszego kryształu, który w wyniku jakiegoś nieprzemyślanego ruchu mógłby zostać roztrzaskany w drobny mak. Kiedy już to uczynił, wzniósł szeroką, mięsistą dłoń i z całej siły klasnął nią w gładki blat biurka. Podskoczyły dwa stojące na nim kałamarze.

– Zniszczyć skurwysyna! – wrzasnął. – Zniszczyć!

* * *

POTĘŻNA DŁOŃ KAPITANA walnęła teraz w stolik zajmujący środek Pralni. W kubku stojącym na nie oheblowanym blacie poruszyła się aluminiowa łyżeczka i cicho zabrzęczała.

– Zniszczyć skurwysyna! – Żychoń spojrzał na Popielskiego. – Czy już pan wie, dlaczego chcę go zmiażdżyć, poruczniku?

– Solidaryzuję się z panem – powiedział krótko.

Gdańskie wypadki, tak sugestywnie przedstawione przez Żychonia, poruszyły go dogłębnie. W ciągu kilku lat wojowania – a to na Wielkiej Wojnie, a to podczas bolszewickiego najazdu – przyzwyczaił się do wszelkiego okrucieństwa. Leokadia w stanie wzburzenia nazywała go niekiedy „zimnym, nieczułym draniem, co nie okazuje emocyj". Nie oponował wtedy, przyjmował te oskarżenia ze stoickim spokojem. Na pewne tematy z kuzynką nigdy nie rozmawiał, toteż nie dane mu było wyznać, że istniał jeden rodzaj bestialstwa, który nieodmiennie budził w nim gwałtowny sprzeciw i potrzebę odwetu – gwałt, maltretowanie kobiet i dzieci dla spełnienia zwierzęcych potrzeb.

– Tak, to wystarczający powód, by mu zafundować tutaj kilka noclegów! – mruknął. – Może lokum niezbyt wykwintne, ale za to darmowe...

Nad ich głowami rozległ się hałas i usłyszeli stłumione męskie głosy. Jeden z nich, podniesiony i nieco bełkotliwy, trącił ukraińskim akcentem. Żychoń spojrzał pytająco na Popielskiego.

– To Mykoła Łopatiuk, kierownik tego przybytku – odpowiedział na to nieme pytanie Edward. – A z nim mój najzaufańszy współpracownik, komisarz Wilhelm Zaremba, kolega ze szkolnej ławy. To do niego dzwoniłem, gdyśmy się zatrzymali po drodze na jednego. Zaremba musiał przywieźć Łopatiuka, bo ten był na jakiejś uroczystości pod Lwowem. Pewnie pijany, jak to przy sobocie...

W życiu człowieka zarządzającego tym tajnym policyjnym obiektem nie występowała jednak aż tak oczywista regularność: „jest sobota – jest wypitka”. Co do Łopatiuka, choć rzeczywiście wódki nie odmawiał, to tej soboty do alkoholu skłoniła go okazja uświęcona odwiecznym ojczystym zwyczajem. W rodzinnej wsi Lesienice, oddalonej od Lwowa o jakieś dziesięć kilometrów, pełnił bowiem dzisiaj nader poważną funkcję – był przywódcą grupy drużbów, zwanych bojarami. Ci młodzi mężczyźni stanowili nieodzowny element ukraińskich obrzędów weselnych, a właśnie następnego dnia, w niedzielę, miało się tam odbyć wesele córki sołtysa. Pod przywództwem Łopatiuka wesoła gromada udała się zatem tego popołudnia do domu narzeczonej, by w imieniu jej wybranka złożyć rodzinie stosowne dary. Dla uzyskania przedsmaku hucznego niedzielnego weseliska Łopatiuk *et consortes* zostali ugoszczeni pierogami, mięsem w galarecie oraz syrnycją, czyli serem ze śmietaną. Nie brakowało i horiłki, toteż kiedy Zaremba wieczorem przyjechał do wsi, aby zabrać Łopatiuka ze sobą do Lwowa, ten chwiał się lekko na nogach.

Mykoła, okłamawszy swych kolegów, że w pralni, którą zawiaduje, jest jakaś awaria, a „Mazur", który go od nich odrywa, to sam jej właściciel, pożegnał ich, obiecując, iż niedługo powróci, aby kontynuować zabawę.

Niestety, ten sprytny kamuflaż na niewiele się zdał. Wśród weselnych bojarów był bojowiec OUN Iwan Buryj. Mimo lekkiego zamroczenia alkoholowego coś sobie przypomniał. Kilka lat wcześniej Mykoła przechwalał się wobec wioskowych dziewczyn, iż jest kierownikiem pralni, a jej właściciel, Żyd, tańczy tak, jak on sam mu zagra. Tymczasem tęgi pan, który wyciągnął Łopatiuka z domu narzeczonej, nie tylko że nie wyglądał na Żyda, ale sam Mykoła określił go niezbyt chlubnym dla Polaków określeniem „Mazur". Buryj dobrze zapamiętał to dzisiejsze kłamstwo.

Tymczasem Mykoła, wytrzeźwiawszy nieco w czasie jazdy odkrytym automobilem, dotarł w końcu do swej pralni przy ulicy Żółkiewskiej 73. Komisarz Zaremba, posadziwszy go przy biurku właściciela, pana Majera Lifschütza, zszedł do podziemia. Nie zamknął dokładnie klapy w podłodze, przez co Łopatiuk słyszał wszystko bardzo dobrze:

bas komisarza Popielskiego oraz nieco wyższy, nie znany mu męski głos.

– To dobre miejsce, panie kapitanie – mówił znajomy policjant. – Długo go szukaliśmy. Bardzo blisko torów kolejowych i dworca Lwów-Podzamcze. Pociągi często tędy jeżdżą, toteż ich stukot tłumi wszelkie odgłosy.

– Tak – wtrącił Zaremba. – Miało być dyskretne, gdyby jakiś tajny więzień, komunista albo inny diabeł, zbyt głośno darł mordę... Piwnica nawet za dnia jest tak wytłumiona, że praczki i prasowaczki niczego nie usłyszą, zwłaszcza że dziewczyny te lubią głośno grać na radio w czasie pracy. Nad więźniem siedzi zaś sam właściciel, który nawet jeśliby coś usłyszał, jest przecież naszym człowiekiem od wielu, wielu lat. To zresztą tylko figurant, więźniami tak naprawdę zajmuje się jego i nasz zaufany człowiek, ów Mykoła, którego tu przywiozłem z wesela.

Łopatiuk, przeglądając machinalnie rachunki rozłożone na biurku pana Lifschütza, uśmiechnął się w duchu złośliwie.

– „Te Lachy to nawet nie potrafią odróżnić! – pomyślał. – Gdzie zapoiny, a gdzie wesele!"

Nie był jednak zły na swoich policyjnych pracodawców za ich butę i za nieznajomość jego ojczystych obyczajów. Dzięki ich pieniądzom mógł wynająć sobie ładny, jasny pokój w eleganckim mieszkaniu na Bajkach. Jego formalny szef, właściciel pralni chemicznej stary pan Majer Lifschütz, również płacił uczciwie i Mykoła, żyjąc dość skromnie, odkładał całą „policyjną" pensję na lepszą przyszłość.

Przed laty właściciel pralni zatrudniał dorywczo ojca Mykoły do drobnych prac mechanicznych i naprawczych, po czym po jego śmierci zatrudnił i syna. Ten po skończeniu kursów księgowych został nawet prawą ręką szefa obdarzony dumnym tytułem kierownika.

Łopatiuk znał swego pryncypała i ufał mu całkowicie. Gdy zatem pewnego dnia stary Żyd – po wizycie dwóch „pulicajów", w tym osławionego Łyssego – zaproponował mu nowy zakres obowiązków, Ukrainiec zgodził się bez wahania. Wiedział, że Lifschütz, przyjąwszy stałe zlecenie policji, uratuje zakład, który w czasie kryzysu już znalazł się nad przepaścią. Zdawał sobie też sprawę, że on sam, zgadzając się na nowe zadania, nie tylko nie utraci posady, ale zacznie pomnażać oszczędności, zwłaszcza że przekroczył już trzydziestkę i szykował się do ożenku.

Jego zadania były bardzo proste: pilnować złych ludzi, którzy w piwnicy pod kantorem właściciela mieli chwilowo pokutować za swoje niegodziwości. Nie wnikał i nie pytał, kto jaką zbrodnię popełnił. Wiedział jedno: na każde wezwanie Łyssego lub Spuchlaka, jak w duchu nazywał komisarza Zarembę, ma przyjechać do pralni, kupić żywność na określony przez jego mocodawców czas, przygotować siennik, miednicę i wiadro, po czym już po zapuszkowaniu więźnia mieć na niego oko, sprzątać po nim i pilnować, aby nie próbował się stąd oddalić.

Czasami – tak jak dzisiaj, niestety – służba wypadała nieoczekiwanie. Niekiedy trzeba było pilnować braci Ukraińców, ale Łopatiuk się nie żalił ani nie miał wyrzutów sumienia. Kiedy nachodziła go złość na mocodawców, porównywał swój los z życiem dziadka, który umarł z głodu podczas zarazy ziemniaczanej za cesarza Ferdynanda, albo z losem ojca, któremu jakieś trujące opary w fabryce konserw Ruckera wypaliły płuca. On sam jest kierownikiem pralni i może i czasami robi jakieś rzeczy, których powinien się wstydzić, ale kto jest bez winy w tych trudnych czasach?

Jeśli już coś niepokoiło Mykołę, to tylko to, że o jego związkach z policją dowiedzą się ludzie z OUN. Zdawał sobie sprawę, że wtedy czeka go los nie do pozazdroszczenia. Los zdrajcy. Dlatego starał się asekurować przed takim spodziewanym nieszczęściem. Wiedział, jak to robić. Wystarczyło – tak jak teraz – mieć oczy i uszy szeroko otwarte oraz sporządzać notatki. Gdyby wydano na niego wyrok jako na zdrajcę, chciał mieć cień nadziei na ocalenie. Owa nadzieja wyrażałaby się w błaganiu: „Nie zabijajcie mnie, mogę wam się przydać, bo niejedno wiem!".

Ocknął się z zamyślenia. Trzej mężczyźni wyszli z piwnicy. Pierwszy z nich – ten nie znany mu – przemknął przez kantor tak szybko, że kierownik nie zdążył mu się przyjrzeć.

– Jutro, panie Łopatiuk, przygotuje pan wszystko na przyjęcie nowego gościa... – usłyszał nad sobą głos Popielskiego. – Na razie jedzenia na tydzień.

– Ma być wszystko jak u mamy – dodał Zaremba. – Cacy-cacy! To znamienity gość.

– Jutro ja mam weseli, panie kumisarzu, gdzie ja szef drużby, starosta znaczy! – wykrzyknął kierownik pralni, zwracając się do Łyssego.

– No to trudno! – wesoło zawołał Spuchlak. – Najwyżej zaliczysz tylko poprawiny!

Wódka wciąż szumiała w żyłach Mykoły, przez co – a było to dość niezwykłe – stał się zadziorny i nieustępliwy. Miał w gruncie rzeczy silne poczucie godności i nie znosił, jak Zaremba – w odróżnieniu od Popielskiego – zwraca się do niego *per ty*.

– Nie, nie mogi, to moja chrześnica wychodzi za mąż! – skłamał i brnął dalej w kłamstwo. – Ja miał piętnaści lat, kiedym ją do chrztu trzymał!

Mężczyzna, który opuścił kantor, wrócił do środka, chwycił za wiszącą lampę i skierował strumień światła wprost na twarz siedzącego. Łopatiuk usiłował mu się przyjrzeć, ale nic nie widział oprócz ostrego blasku.

– Dacie sobie z nim radę, panowie? – usłyszał głos mężczyzny. – Czy ja mam wam pokazać, jak to się robi?

Popielski przycupnął na brzegu biurka zajmowanego przez Ukraińca.

– Wesele to ważna rzecz, panie Łopatiuk – powiedział spokojnie. – Zastąpię pana jutro, ale na poprawiny to niech się pan już nie wybiera, dobrze? Ma się pan zameldować w pracy w poniedziałek rano, trzeźwy, choćby wesele się przeciągało do środy, jak to u was często bywa!

– Tak jest, panie kumisarzu! – wykrzyknął rozradowany Mykoła. – Przyniosę panu kumisarzowi drahli, albo studzieniny, jak to wy mówici, na spróbowani! I horiłki też!

Kwadrans później jechali we czterech automobilem, którym kierował Zaremba. Łopatiuk siedział obok kierowcy i lekko przysypiał, nie zwracając uwagi na grupki młodzieży zataczające się w stronę Wysokiego Zamku. Z tyłu rozpierał się Popielski i ów nieznajomy. Wszyscy trzej rozmawiali po niemiecku, aby Mykoła ich nie rozumiał.

– Szkoda! – mówił kierowca. – Tak się nastawiałem na tego jutrzejszego bridża!

– Nie martw się, Wilek – mówił Łyssy. – Rano pojadę na stary uniwersytet i osobiście dostarczę profesorowi Weiglowi list z przeprosinami za moją nieobecność! Tak będzie elegancko! Weź sobie za partnera któregoś z naszych! I tak ogracie Weiglów!

– Służba to służba, moi panowie – podsumował ten wątek tonem lekkiej reprymendy nieznajomy. – Najważniejsze jest teraz to, aby nasz gość nieszybko ujrzał Gdańsk.

Łopatiuk rzeczywiście niewiele rozumiał. Wpadło mu jednak w ucho pięć słów. Wśród nich było jedno nazwisko – Weigl, i jedna nazwa miasta – Gdańsk. Oprócz tego usłyszał inne wyrazy, które we wszystkich trzech językach: po polsku, ukraińsku i niemiecku, brzmią podobnie: profesor – uniwersytet – bridż.

Ukrainiec zarejestrował wszystkie pięć słów, jakby wiedział, że one – wraz z tym, co był słyszał wcześniej po polsku – niedługo uratują mu życie.

III

WE LWOWSKIM ŚWIECIE SPORTOWYM – jak to wszędzie w Polsce – antagonizmy wybuchały najsilniej na gruncie narodowościowym. Kiedy zatem zrzeszające głównie polskich graczy lwowskie kluby Pogoń czy Czarni stawiały czoła żydowskiej Hasmonei Lwów, wzmagał się wśród kibiców boiskowy antysemityzm, tudzież antypolonizm i dochodziło czasami do bójek na noże, pałki i kastety, co bywało tłumione przez szturmy konnej policji, niekiedy nawet dobywającej szabel przeciwko agresywnym kibicom. Niesnasek narodowościowych pomiędzy kibicami polskimi czy żydowskimi z jednej a ukraińskimi z drugiej strony było znacznie mniej. Drużyna piłkarska Ukraina Lwów, grająca w niższych rozgrywkach ligowych, rzadko miała bowiem okazję gościć polskich i żydowskich przeciwników na swym lwowskim stadionie Bat'ki Sokoła. Mimo wszystko zbrojne starcia kibiców w mieście nad Pełtwią były wielką rzadkością, a względnie pokojową koegzystencję klubu ukraińskiego i obu klubów polskich symbolizowało bliskie względem siebie położenie przy tej samej ulicy Stryjskiej.

Tej niedzieli na nowoczesnej żelbetowej trybunie Czarnych na Stadionie im. Marszałka Józefa Piłsudskiego w najlepszej zgodzie siedzieli – w niewielkiej zresztą liczbie – polscy kibice i jednej, i drugiej drużyny, a Ukraińców i Żydów też nie brakowało. Wobec nieznośnego letniego skwaru widzowie tłoczyli się pod dachem trybuny, a kasztanowce, zwykle oblepione gapiami, stały puste, prażąc w słońcu swe zakurzone liście.

W turnieju piłkarskim zorganizowanym z okazji jubileuszu trzydziestolecia Czarnych brały udział trzy jeszcze zespoły: sąsiedzka Pogoń, ŁKS Łódź oraz Gedania Gdańsk. Dzisiejszy mecz – Pogoni z gdańskimi Polakami – miał zdecydować o tym, która z lwowskich drużyn odniesie triumf w całym turnieju. Po pierwszych meczach łodzianie i gdańszczanie już nie liczyli się w tej rywalizacji.

O czwartej po południu rozpoczął się – po wygłoszeniu zwyczajowych mów i po wymianie proporczyków – mecz Pogoni z Gedanią. Wynik był dla wszystkich jasny już w szesnastej minucie. Wtedy to bowiem napastnik Pogoni, zadomowiony we Lwowie Ślązak Edmund Niechcioł, zdobył piękną bramkę, a gdańszczanie stracili wszelką chęć do walki.

Popielski, siedząc z Żychoniem na stadionie, skomentował tę wyraźną kapitulację przed czasem jako „skutek wesołej zabawy wczoraj i spiekoty dzisiaj". Czerwone i napuchnięte nieco oblicza zawodników Gedanii świadczyły o tym, że rozpoznanie to nie jest dalekie od prawdy.

Obaj mężczyźni siedzieli bez marynarek w ostatnim rzędzie, pod samym sufitem trybuny, i tyleż uwagi poświęcali meczowi, ile tęgiemu łysawemu kibicowi, który łypał na dwie siedzące nieopodal dziewczyny w pięknie haftowanych bluzkach. Dziewczętom towarzyszył Wilhelm Zaremba, ubrany również na ludowo – w koszulę, której gors był wyszywany czerwonymi krzyżykami.

To dziwne trio wzbudzało spore zainteresowanie widzów, których gros stanowili mężczyźni. Krzykliwa „reklama" kobiecych wdzięków w stylu „na ludowo" była zgodna z zamysłem Popielskiego. Oczywiście zawołany kobieciarz

Otto Adelhardt, jak go scharakteryzował Żychoń, na pewno zwróciłby uwagę na młode dziewczęta w zwykłych letnich sukienkach, jeśliby te usiadły w jego sąsiedztwie. Kidnaperom trudno było wszakże ocenić, czy tygodniowy pobyt we Lwowie spędzony na pijaństwie i rozpuście nie nadwerężył jednak trochę witalnych sił mężczyzny – było nie było – w średnim wieku. Poza tym o godzinie dziewiątej wieczorem wyjeżdżał do Warszawy i rozsądek mógłby wziąć górę nad pożądaniem. Popielski postanowił zintensyfikować działania. Potrzebne tu było kuszenie zdecydowane, a nawet nachalne.

Poprzedniego wieczoru Zaremba wysadził Edwarda wraz z Żychoniem koło uniwersytetu, a potem pojechał z Łopatiukiem do Lesienic. Spod lwowskiej Alma Mater obaj mężczyźni udali się do Kasyna Szlacheckiego przy ulicy Mickiewicza, gdzie mieścił się najbardziej znany, najelegantszy i oczywiście nieoficjalny lwowski dom publiczny. Tam znaleźli owe dwie dziewczyny, ustalili z nimi wszelkie szczegóły jutrzejszych działań, a następnie obaj – cytując kapitana – sprawdzili te damy namacalnie. Okazało się, że obie mają w sobie bardzo dużo i zdolności aktorskich, i autentycznego entuzjazmu.

Kiedy już tajni detektywi w liczbie dziesięciu, z których każdy znał na pamięć oblicze Stepana Bandery, bez najmniejszych wątpliwości stwierdzili, że poszukiwany listem gończym Ukrainiec na pewno nie jest obecny na stadionie, do akcji przystąpili Zaremba i jego dwie podopieczne.

Wilhelm, odwiózłszy dzień wcześniej Łopatiuka na dalsze przedweselne „zapoiny", wypożyczył w okolicznej wsi dwa tradycyjne stroje dziewczęce i jeden męski, po czym zawiózł je dziś rano do kasyna, aby się w nie przebrały dwie zmęczone nocną aktywnością wybranki Popielskiego i Żychonia. Przy wypożyczaniu zauważył, że kilku młodych mieszkańców domostwa bacznie mu się przygląda. Gdyby przyćmione światło lampy naftowej nie zacierało rysów młodzieńca, Zaremba rozpoznałby w nim więźnia, który siedział kiedyś w Pralni.

Teraz Wilhelm – znakomicie udając alfonsa – wraz z dziewczętami spóźnił się na mecz, aby swoim *entrée** przykuć uwagę kibiców. Usiadł niedaleko Adelhardta, a nawet i mrugnął do niego znacząco, wskazując wzrokiem obie dziewczyny.

Przynęta zadziałała. W gdańszczaninie, rzeczywiście mocno zmęczonym pobytem we Lwowie, na widok zwykłych młodych dziewcząt nie obudziłaby się pewnie aż tak potężna żądza, by ryzykować spóźnienie na pociąg. Jednak niezwykłość stroju tych ladacznic oraz subtelne nęcenie – polegające na przypadkowym niby odsłanianiu kolan oraz eksponowaniu biustów upchniętych w haftowane dekolty bluzek – zadziałało. Ten bywalec najdzikszych orgii, jak go określił też przecież nieświęty Żychoń, zareagował na widok panien z Kasyna Szlacheckiego natychmiast i zupełnie przestał się interesować wydarzeniami na boisku.

W TO SKWARNE POPOŁUDNIE podobnie ubrane i podobnie ponętne młode kobiety we wsi Lesienice śpiewały ukraińskie dumki na głosy. Budziły one w zasłuchanym

---

* Wejście (fr.).

i zapatrzonym Mykole Łopatiuku nieco inne uczucia niż w oddalonym równo o dziesięć kilometrów Niemcu. O ile myśli Adelhardta skupiały się głównie poniżej niewieścich bioder, o tyle Ukrainiec był o wiele bardziej uduchowiony i sentymentalny. Tęskna piosenka *Oj, u wiszniewomu sadu*, z niezrównaną maestrią wykonana przez dziewczęcy chórek, sprawiła, iż łzy napłynęły mu do oczu. Nie wstydził się ich.

„Ten cię kocha, przez kogo płaczesz" – pomyślał, patrząc na jedną z pieśniarek, dziewiętnastoletnią Natalkę, która co chwila na niego zerkała.

Wiedział, że jego łzawy nastrój jest skutkiem i pięknej ludowej melodii, i uśmiechów Natalki, i nadmiaru wódki, którą spożył tej nocy po powrocie ze Lwowa. Alkohol, wciąż krążący w jego żyłach, dodał mu również pewności siebie. Ten nieśmiały i niewysoki blondyn z rzadkimi włosami, które na próżno usiłował zaczesać na zakola nad czołem, nigdy by się nie spodziewał, iż może stać się obiektem zainteresowania takiej łani jak Natalka. Gdyby był całkiem trzeźwy, wrodzona nieśmiałość by zwyciężyła i nie uczyniłby żadnego gestu wobec dziewczyny. Ale teraz szumiało mu w głowie i wpatrywał się w Natalkę tak zachłannie, że aż ona sama uciekała wzrokiem.

Wtedy ktoś dotknął jego ramienia. Nadeszła jego kolej. Jako starosta weselny, wyszedł na środek i wskazał długą ławę rodzicom oraz dziadkom państwa młodych. Usiedli na niej najbliżsi panny młodej, Soni Małankówny – sołtys Małanko wraz ze swoją żoną oraz z teściową – a także matka i obydwie babki pana młodego, Mirona Wawryniuka.

Łopatiuk położył im na kolanach bardzo długi haftowany kolorowo biały ręcznik i w uroczystej formule poprosił ich wszystkich o udzielenie błogosławieństwa narzeczonym przed wyjazdem do cerkwi.

W czasie kiedy owi starsi ludzie wygłaszali swe „błohosławenija", a nowożeńcy całowali ich po rękach i stopach, Mykoła czuł na sobie czyjś wzrok. Cały się rumieniąc, uniósł oczy. Natalka uśmiechnęła się do niego lekko.

Łopatiuk, czując rozpierające mu pierś uczucie do dziewczyny, nawet nie zauważył, że ktoś inny, stojący za nim, przeszywa go na wylot złym spojrzeniem. Bojowiec OUN Iwan Buryj wypalał mu wzrokiem na potylicy stygmat śmierci.

SWYCH OCZU RÓWNIEŻ NIE SPUSZCZAŁ z dwóch pięknych dziewcząt Otto Adelhardt, siedzący z nimi w „prywatnym pokoju dla towarzystwa" na tyłach restauracji Ozjasza Pordesa w podlwowskiej Wulce. Była godzina szósta, a jak zapewniał Niemca opiekun obu młodych dam, do dziesiątej to zdąży on – ku swej uciesze – zadowolić obie panny, a potem zabrać z hotelu sakwojaż i bez żadnego pośpiechu wsiąść do nocnego pociągu. Ubrany na ludowo alfons zobowiązał się przy tym za dodatkową opłatą zawieźć szanownego pana do hotelu, a później na dworzec.

Grubawy i spocony od upału i wódki erotoman mógł zatem poświęcić się temu, co było według niego sensem ludzkiego życia. Jedną ręką rozpiął sobie rozporek, a drugą – dość obcesowo i brutalnie – z dekoltu wydobył na światło dzienne pełne piersi jednej z dziewcząt. Rzucił się na nie

żarłocznie – czołem, nosem, językiem. Wtedy – ku jego ekscytacji – dziewczyna odsunęła się i wylała sobie na biust
kieliszek wódki.

Adelhardt lubił takie atrakcje. Rumiany od podniecenia, zaczął zlizywać palący płyn. Wtedy druga dziewczyna
usiadła na stole, podciągnęła spódnicę i zaraz ją opuściła,
jakby wabiła lubieżnika. Niemiec ujrzał przed sobą szklankę
wódki. Zaczął ją pić i potem resztką chlupnął między nogi
siedzącej na stole dziewczyny. Ta roześmiała się perliście.

– Masz, pij, stary kocurze! – powiedziała, unosząc butelkę i nalewając do szklanki kolejną porcję płynu.

Ściany „prywatnego gabinetu" nie były pokryte tape-
tami, lecz topornymi malowidłami przedstawiającymi to, co
pospólstwo uwielbiało na oleodrukach – jelenie na rykowi-
sku albo łabędzie na gładkim jeziorze w świetle księżyca.
Oprócz tych widoków nie brakowało też pozbawionych
proporcji półmisków z dymiącym jedzeniem i z napisami
typu „Mostek cielęcy raz!". Adelhardt tego wszystkiego nie
widział, ponieważ wlazł pod spódnicę dziewczyny i chcąc
się dokopać do pożądanego przez siebie miejsca, zataczał
kręgi rękami i nogami, zwalając naczynia ze stołu.

Nagle zastygł i ręce zwisły mu z blatu.

– Luminal zaczął działać – powiedział Popielski do Żychonia, obserwując wydarzenia wewnątrz przez wizjer.

SWOJEGO CELU NIE OSIĄGNĄŁ RÓWNIEŻ Mykoła Łopatiuk,
który dziesięć kilometrów na północny wschód, za jedną ze
stodół wsi Lesienice, usiłował pocałować Natalkę. Tarmosił
ją wśród potężnych liści łopianu, a dziewczyna śmiała się
zmysłowo i wywijała jak piskorz z jego objęć, lecz o ucieczce

wcale nie myślała. W końcu się poddała. Chwycił ją mocno w talii i przycisnął usta do jej szyi. Delikatnymi ruchami usiłował wyswobodzić jej krągłe ramię z bluzki. Natalka pozwalała mu na to. Cała drżała i cicho posapywała. Nad nimi unosiła się odległa pieśń *Horiła sosna, pałała*. Pęczniał żółty księżyc.

W domu weselnym ludzie śpiewali, jedli, pili i dymili. Na stół wjeżdżały gołąbki ze śmietaną, plastry bakłażanu w occie, tu i ówdzie parowały misy z barszczem. Jakiś młody mężczyzna kręcił się wokół własnej osi i przykładał do ust dzban z kwasem chlebowym, inny puszczał kółka z dymu ku uciesze krzyczących dzieci, a jeszcze inny usiłował odgryźć łeb ptaszkowi z ciasta, który drżał na druciku wbitym w placek weselny, zwany korowajem. Naraz do sali wszedł Iwan Buryj i wszyscy trzej dokazujący mężczyźni spojrzeli na niego. Po czym wstali ze swoich miejsc.

Nagle wzmogło się drżenie ramion Natalki, a po chwili dziewczyna skamieniała jak głaz. Mykoła odsunął się od niej zaskoczony. Odchylił przy tym głowę w tył. Na szyi zacisnęła mu się szorstka, gruba pętla. Zdołał wsunąć pod nią dłoń.

Świsnął bat, zarżał koń. Mykoła runął, szarpiąc liście łopianu. Jak bezwładny kloc był ciągnięty po ziemi przez rumaka, który zrywał się do kłusu. Jakieś kamyki rozcinały mu policzki, jakieś kolce zdzierały naskórek i barwiły jego krwią czarną ziemię.

Po kilkunastu sekundach koń się zatrzymał. Mykoła nie otwierał oczu. Pod powiekami widział jaśniejsze plamy. Czuł ciepło. Wiedział, co to znaczy. Ogień.

Otworzył w końcu oczy i ujrzał nad sobą kilku mężczyzn z pochodniami. Jeden z nich ściągnął mu buty.

– Dywys', wony szcze dobri! – zawołał, podsuwając pochodnię pod obuwie. – Pryhodiat'sia.

Łopatiuk poczuł, jak ktoś mu wiąże i mocno zaciska pętle wokół kostek u nóg. Również z drugiej strony zarżał koń. Starosta weselny wiedział, co go czeka. Rozerwanie końmi. Śmierć godna zdrajcy.

– Smert' zradnykam! – ktoś krzyknął.

Zaczął wrzeszczeć. Konie ruszyły w przeciwnych kierunkach. Wiedział, że zaraz jego wnętrzności rozprysną się po trawach i liściach łopianu. W straszliwym bólu powtarzał kilka słów.

– Weigl – uniwersytet – Popielski – bridż – znamienita osoba z Gdańska – pralnia!

Iwan Buryj wstrzymał konie. Pochylił się nad leżącym i wszystkiego uważnie wysłuchał. Dwukrotnie. A potem jeszcze raz. Bardzo zainteresował się informacją o notatkach od lat sporządzanych przez zdrajcę. A potem zadawał pytania. Łopatiuk odpowiadał, przeguby i kostki u nóg rwały tępym bólem, a łzy strachu lały mu się po policzkach.

„Ten cię kocha, przez kogo płaczesz" – przyszło mu do głowy absurdalne w tej sytuacji zdanie.

Nagle pochodnie zadrżały. W ich krąg wszedł sołtys Hryhorij Małanko.

– Hańba! – wrzasnął. – Ce wesillja mojeji dońky, ne riznia!

Pochylił się nad leżącym i spoliczkował go.

– Ja do ciebie po polsku powiem – rzekł uroczyście. – Bo tyś niegodzien ojczystej mowy. Ty Lach! Ty nas zostaw na zawsze! Ty idź do swoich!

Małanko spojrzał na Burego porozumiewawczo. Ten szepnął coś do ojca panny młodej i kiwnął głową na znak, że oto zakończyła się inscenizacja, którą wspólnie zaplanowali.

Sołtys odszedł do domu weselnego, a Iwan Buryj popatrzył na Łopatiuka ciemnymi od złości oczami. On mu nie przebaczył, on go jeszcze dopadnie. Na razie czekało go inne ważne zadanie i nie mógł zbyt dużo wypić na weselu.

Musiał jechać do Lwowa i ukrywającemu się tam nowemu szefowi Krajowej Egzekutywy OUN Stepanowi Banderze przekazać pilną wiadomość o gdańszczaninie, który jest już – być może – nowym lokatorem policyjnej katowni. Jej adres poznał przed chwilą. Wiedział, że Bandera od kilku dni nadaremnie czeka na kuriera z Gdańska, który miał mu do przekazania wiele ważnych informacji od niemieckich przyjaciół.

Buryj pojechał do Lwowa i na przedmieściu spotkał się z Banderą pod osłoną nocy. Jeszcze przed świtem zaszyfrowana depesza trafiła do Warszawy, a tam ją odczytano i ponownie zaszyfrowano za pomocą specjalnej maszyny.

Prawie osiemset kilometrów na północ od Lwowa, w mieście nad Motławą, o czwartej nad ranem w nocy z niedzieli na poniedziałek otrzymano drogą radiową zaszyfrowaną depeszę. Paul Horn, radiotelegrafista Abwehry, oficjalnie właściciel sklepu z oświetleniem i sprzętem radiowym, natychmiast zatelefonował do swojego kolegi, z którym odczytywał takie depesze. Obudził też w środku nocy Oskara Reilego, oficjalnie komisarza policji i kierownika gdańskiego Urzędu ds. Cudzoziemców, nieoficjalnie szefa komórki Abwehry.

Kiedy ten – czujnie się oglądając, czy nikt go nie śledzi – przybył do sklepu Horna przy Kohlenmarkt*, obaj szyfranci otwierali właśnie zamykane na trzy zamki pudło wyglądające jak futerał na maszynę do pisania. Stało ono w piwnicy sklepu, gdzie znajdował się również warsztat naprawczy. Wśród innych pudeł, tub i stosów starych radioodbiorników nie budziło żadnych podejrzeń.

Ich oczom ukazał się żelazny prostopadłościan z klawiszami, na których znajdowały się cyfry i litery. W odróżnieniu jednak od zwykłej maszyny do pisania ta nie miała wałka na papier, klawiatury były dwie, a nad nimi cztery koła zębate. „Enigmy-G" używano bardzo rzadko – tylko w nadzwyczajnych wypadkach – a meldunek przeznaczony do rozszyfrowania był zawsze najwyższej wagi.

Jeden z szyfrantów odczytywał daną literę depeszy, drugi naciskał klawisz, na którym owa litera widniała. W tym czasie na drugiej, górnej klawiaturze zapalała się lampka i podświetlała właściwą literę. Owe podświetlone litery układały się w komunikat, który z każdym wyrazem coraz bardziej mroził Reilego.

Wykręcał sobie długie palce z suchym trzaskiem i rozmyślał nad otrzymanym meldunkiem. Tak, wszystko się źle ułożyło. Jego człowiek, Otto Adelhardt, znalazł się z jakiegoś powodu na celowniku polskich służb wywiadowczych. Gdzie to się stało? Pewnie w Warszawie. A jak do tego doszło? Kto go wydał? Chwała mu za to, że we Lwowie unikał

---

* Obecnie Targ Węglowy.

spotkania z Banderą, o czym tenże wyraźnie napisał w depeszy. Nie uniknął jednak porwania. Bestia z Bydgoszczy w swoim kraju działała skutecznie.

– Żychoń, twój kark pod topór! – szepnął pod adresem znienawidzonego wroga, nie zniekształcając ani jednej polskiej głoski tego trudnego do wymówienia nazwiska.

IV

LABORATORIUM PROFESORA RUDOLFA WEIGLA, będące częścią Zakładu Biologii Ogólnej Uniwersytetu Jana Kazimierza, mieściło się w „starym uniwerku" przy ulicy Świętego Mikołaja. W ponurym gmachu, sąsiadującym z kościołem pod takimże wezwaniem, w zamierzchłych czasach rozlegały się wesołe okrzyki uczniów jezuickiego konwiktu, potem rozbrzmiewały grube słowa, jakie rzucali zakwaterowani tu żołnierze, a teraz zwykle panowała cisza. Studiujących matematykę i nauki przyrodnicze – wykłady z tych dziedzin tu się właśnie odbywały – na uniwersytecie było stosunkowo niewielu, toteż nie tłoczyli się oni tutaj jak prawnicy czy medycy na swoich wydziałach, lecz raczej ginęli w ciemnych korytarzach, gdzie przeraźliwie trzeszczały schody, a wszystko przenikał zapach starości i pasty do podłóg.

Woźny uniwersytecki pan Rajmund Huchla znał bardzo dobrze przychodzących tu studentów, wykładowców i „rabolantów od Weigla", jak nazywał personel naukowo-techniczny słynnego profesora. Gawędził z nimi wszystkimi nader często i nader chętnie ich słuchał. Nie lubił jedynie karmicieli wszy. Byli to najczęściej przypadkowi mężczyźni, z wypisanym na twarzach pociągiem do alkoholu. Za udział w tym wspaniałym naukowym przedsięwzięciu, które miało raz na zawsze uwolnić ludzkość od tyfusu plamistego, otrzymywali oni godziwe honoraria, te zaś z kolei utwierdzały ich w przekonaniu, że są tutaj niezastąpieni. A stąd było już bardzo blisko do okazywania pogardy pomniejszym funkcjonariuszom akademickim, w tym tak bardzo potrzebnym pedlom. Doszło do ostrych zatargów pomiędzy karmicielami a panem Huchlą.

Co więcej, taka ważna placówka naukowa powinna mieć – zdaniem władz uniwersyteckich – całkiem osobne, niezależne wejście, toteż wyszykowano takowe – wprost z ulicy, pomiędzy gmachem uczelni a kościołem. Tam właśnie dozorca skierował przed chwilą skromnie ubraną Żydówkę, najpewniej bardzo pobożną, bo noszącą brzydką perukę o sztywnych czarnych włosach.

– Perla Milchman, Perla Milchman – powtarzał pod nosem. – Muszę ją zapisać, choć pani Weiglowa na pewno nie zapomni. To bardzo akuratna niewiasta, ale co trzeba, to trzeba! Zapis musi być.

Ciepło pomyślał o profesorowej, która prowadziła sprawy administracyjne i finansowe laboratorium swojego małżonka, gdzie ostatnio się zjeżdżały – co Huchla stwierdzał naocznie – różne naukowe sławy z całej Europy.

Tymczasem Żydówka, poinstruowana odpowiednio przez pedla, stanęła w wąskim przejściu pomiędzy potężnymi gmachami i zapukała w drzwi, na których wisiała tabliczka z groźno brzmiącym napisem „Teren zakaźny. Nie zatrudnionym wstęp wzbroniony".

Otworzyła jej sama pani Weiglowa. Korytarzem zapełnionym oszklonymi szafami, gdzie piętrzyły się termostaty, wirówki i sterylizatory, poprowadziła ją do pracowni swego męża. Tam w rogu stało biurko z segregatorami poustawianymi w idealnym porządku, który kontrastował z potwornym bałaganem panującym na przykrytym wielką szklaną taflą ogromnym stole pod oknem. Zajmujący prawie cały środek pracowni inny stół – pełen kranów i gazowych palników – był natomiast obity ołowianą blachą. Wszędzie stały porzucone jakby w nieładzie kolby i probówki w powalanych sadzą drewnianych stojakach, w całym pomieszczeniu unosiła się woń spalenizny i fenolu.

Zofia Weigl zapisała nazwisko „Perla Milchman" powoli i starannie, po czym uważnie się przyjrzała młodej osobie. Kobiet wśród karmicieli wszy było bardzo mało. Zaczerwienione płaty skóry na udach – jako konsekwencja karmienia tych owadów krwią – działały na niewiasty bardziej nawet odstręczająco niż ból ugryzień czy późniejsze swędzenie. I nawet godziwa zapłata tu nie pomagała. Żydówka – w dodatku w przepisanej starym obyczajem peruce – pojawiła się w laboratorium chyba po raz pierwszy.

Nowa karmicielka była przygarbiona, ubrana biednie i niestarannie, a jej skądinąd kształtne łydki wystawały z męskich butów – topornych, płaskich i rozdeptanych. Wyglądała niechlujnie.

Było w niej coś, co panią Zofię Weiglową trochę niepokoiło. Nie potrafiła tego nazwać. Po prostu coś się nie zgadzało z jej wyobrażeniami. Tylko nie wiedziała, na czym ta sprzeczność polega.

„To pewnie dlatego, że tak rzadko tu bywają kobiety" – pomyślała i wskazała nowo przybyłej drogę do salki w przyziemiu, gdzie pracowali karmiciele owadów.

Teraz znajdował się tam tylko jeden z nich – wymizerowany student z rzadką bródką. Jego gołe nogi były tak szczelnie oblepione specjalnymi klatkami, że dało się dostrzec jedynie kolana.

Kiedy obie się tam znalazły, pani Weiglowa poszła do malutkiego pokoiku, skąd przyniosła metalową prostopadłościenną puszkę wielkości pudełka zapałek. Jedną ściankę – tę, która miała kontakt ze skórą karmiciela – stanowiła mocno napięta gaza, używana do przesiewania mąki i kupiona w sklepie rolniczym. Nie była ona przeszkodą dla ssawek wszy, tak jak cienka koszula nie chroni człowieka przed ugryzieniem komara. Do tej małej klatki, w której kłębiło się około pięciuset zdrowych owadów, Milchman otrzymała gumową opaskę. Przytwierdziła nią do uda pudełko – powyżej krawędzi pocerowanej, lecz czystej pończochy. Lekko drgnęła, gdy pierwszy głodny insekt wgryzł się w jej naskórek.

– Przyjdę za dwa kwadranse – powiedziała Weiglowa. – I zobaczymy, w jakim stanie będzie pani skóra. Czy nie jest pani uczulona. Wtedy zdecydujemy, ile wszy i jak często może pani karmić.

Pani Zofia wróciła do siebie i dalej przeglądała rachunki. Nie mogła się jednak skupić. Ciągle dręczyło ją pytanie, dlaczego ta nowa karmicielka wydaje się jej taka podejrzana. Po jakichś dwudziestu minutach zeszła do salki w przyziemiu. Nowej pracownicy ani śladu.

– Ta pani, co tu była, to już sobie poszła? – zapytała studenta.

– Tak, przed chwilą – odparł ów, masując się po kolanach. Zamknął oczy i liczył w myślach, ile dzisiaj zarobi.

Poważnie zaniepokojona Zofia Weiglowa znalazła się na górze i zaczęła przeszukiwać kolejne pomieszczenia. Ze zgrozą zauważyła, że z jej biurka zniknęła kartka z nazwiskiem nowej pracownicy. Wszyscy laboranci zgodnie twierdzili, że kobieta w peruce zmierzała przed chwilą ku wyjściu z pracowni bardzo szybkim krokiem – jakby ją kto gonił.

Żona profesora wybiegła na ulicę i rozejrzała się uważnie. Nigdzie nie dostrzegła czarnej peruki i pocerowanego płaszcza z samodziału. Weszła do gmachu „starego uniwerku" i natychmiast napotkała badawcze spojrzenie portiera Huchli.

– Nie widział pan, panie Rajmundzie, Żydówki w peruce?

– A widziałem – odparł Huchla. – Kręciła się tutaj, to ja żem ją zatrzymał i zapytał: „A do kogo to wola?". A ona wtedy, że do rabolatorium. Pytała, to mnie był mus odpowiedzieć. Ale żem zapisał jej nazwisko...

Kwadrans później pani Weiglowa, stwierdziwszy brak dwóch pudełek z tysiącem zakażonych tyfusem insektów, wykręciła numer policji politycznej. Wiedziała, że pracami laboratorium jej męża żywo interesują się władze wojskowe, którym miała meldować o wszystkich niepokojących zdarzeniach.

Po drugiej stronie odebrał komisarz Franciszek Pirożek. Zapisał nazwisko dziwnej kobiety, która już pierwszego dnia porzuciła pracę w laboratorium Weigla, kradnąc dwie klatki z wszami, i podziękował pani Zofii za czujność.

Zaniepokoiła go wiadomość, że ktoś ukradł – jakkolwiek by na to patrzeć – broń biologiczną. Poszedł do archiwum, by sprawdzić, czy ten ktoś nie widnieje w aktach. Znalezienie informacji o podejrzanie zachowującej się Żydówce zajęło mu godzinę.

– Milchman Perla, córka bławatnika Milchmana Arnolda, urodzona w Kołomyi w roku 1902 – mruczał, zapisując starannie te informacje. – Konkubina Botwina Naftalego, tego, co zabił agenta policyjnego Cechnowskiego Józefa w roku 1925 we Lwowie. Podejrzana o działalność wywrotową, członkini Komunistycznej Partii Zachodniej Ukrainy, ścigana listem gończym.

Pirożkowi jedno się tylko nie zgadzało – dlaczego komunistka goli głowę i nosi perukę jak pobożna Żydówka? Aby zmylić podejrzliwych ludzi?

Te wątpliwości nie zmieniły jednak ani na jotę procedury dalszych działań. Znał instrukcję i wiedział, co ma robić w takiej sytuacji.

W ciągu najbliższej godziny wszyscy policjanci patrolujący centrum miasta – od Cytadeli aż do Wysokiego Zamku – zostali zawiadomieni, iż mają natychmiast legitymować wszystkie młode kobiety w perukach i płaszczach z szarego samodziału. Co więcej – po konsultacji z Popielskim – wezwano na służbę nieliczne policjantki. Ich zadaniem było upewnić się naocznie, czy zatrzymane kobiety mają na udach ślady karmienia wszy.

Niestety, nikogo nie aresztowano. Perla Milchman była już poza obszarem ich działania. Stała przy ulicy Żółkiewskiej 73 i zza zardzewiałego parkanu widziała wyraźnie, co się dzieje za pozbawionymi zasłon i firan oknami pralni Majera Lifschütza.

Najbardziej interesował ją kierownik pralni Mykoła Łopatiuk. Poznała go natychmiast. Wyglądał tak jak na zdjęciu, które miała w kieszeni płaszcza. Był najwyraźniej zdenerwowany. Tłumaczył coś staremu Żydowi, wymachując przy tym ramionami.

Weszła na dziedziniec i zbliżyła się do okna. Było uchylone. Ukucnęła pod parapetem i zaczęła nasłuchiwać. Zaklęła cicho. Właśnie na nieodległej stacji Lwów-Podzamcze pociąg hamował z niemiłosiernym zgrzytaniem, które zagłuszyło głosy obu mężczyzn. Po chwili zapadła upragniona cisza.

– Gdzie ja teraz kierownika znajdę? – biadolił stary.
– Niech pan nie odchodzi, panie Mikołaj!

– Muszę, panie Lifschütz – krzyczał młody, a głos mu się łamał. – Na jakiś czas się tylko usunę. Na miesiąc, dwa... Aż sprawa przycichnie. Oni mnie ubiją! Przedwczoraj omal nie ubili! Omal końmi nie rozerwali! Wiedzą dokładnie, gdzie mieszkam, gdzie pracuję! I znajdą pańską pralnię! A potem znajdą i mnie i ubiją jako zdrajcę! A jak pan mi powie, że byli tu i o mnie pytali, a pan im powie, że się zwolniłem, to ja zaraz wrócę do pracy i dalej będę u pana pracował! Jutro ostatni dzień! Jutro odchodzę! Muszę się z Łyssym jeszcze policzyć! Trochę forsy mi jest winien!

Perla Milchman wycofała się na ulicę. Uśmiechnęła się do siebie. Wymacała w kieszeni rękojeść browninga. Myślała, że to pistolet zmusi Łopatiuka do uległości. Los ofiarował jej jednak lepszy straszak.

Kiedy pół godziny później Ukrainiec pojawił się na ulicy, zaczął się podejrzliwie rozglądać. Policzki i czoło miał pocięte, poranione, zastrupiałe. W ręku trzymał parasol i dużą walizkę.

Na drobną kobietę, która szła w jego kierunku, najpierw nie zwrócił uwagi. Spojrzał na nią, dopiero gdy była od niego oddalona o kilka kroków. Wyglądała dziwnie – w tak ciepłym płaszczu w lipcowym upale! W jego oczach pojawił się strach, gdy uświadomił sobie, że kobieta trzyma obie dłonie w kieszeniach.

„A co tam ma, w tych rękach? – pomyślał. – Nóż?"

W jego podpuchniętych oczach pojawiło się przerażenie, gdy zatrzymała się przed nim gwałtownie.

– Jeśli mi odmówisz albo jeśli teraz uciekniesz... – powiedziała głosem tak słodkim, jakby go uwodziła – to powiem twoim braciom Ukraińcom, że jesteś policyjnym konfidentem, który teraz chce im czmychnąć. A oni cię odnajdą, wyciągną spod ziemi. Są niedaleko stąd, węszą jak ogary, czekają na mój sygnał. Wiem, gdzie mieszkasz, wiem, w którym banku trzymasz pieniądze. Wiem o tobie wszystko... A oni czekają na sygnał. Kręcą się tu wszędzie i tylko czekają...

Łopatiuk zastygł w zimnym przerażeniu. Po dwóch bezsennych nocach i po bolesnych rozważaniach nie wiedział, co ma dalej czynić: uprzedzić Popielskiego, że wydał ounowcom adres tajnej kryjówki policji, czy milczeć i uciekać gdzie pieprz rośnie – najlepiej do krewnych na Wołyń? Po jałowych i smutnych przewidywaniach, co zwycięży: łaskawa pogarda Małanki czy wściekła zemsta Burego, był wewnętrznie roztrzęsiony. Postawił walizkę na chodniku. Naciągnięte ścięgna reagowały piekącym bólem przy każdym ruchu. Czuł, jakby go wypełniała po szyję gorąca, lepka smoła.

– Oni i tak wiedzą – szepnął.

Kobieta wysunęła z kieszeni płaszcza kolbę browninga.

– No to ja cię zabiję! – szepnęła, widząc, że pierwszy straszak nie zadziałał. – Jestem z KPZU i my też likwidujemy policyjnych kapusiów! Chyba że wyświadczysz mi jedną małą przysługę.

Łopatiuk miał dość wszystkiego. Słowa nie mógł z siebie wydusić.

– Co mam robić? – wychrypiał w końcu.

– Kto jest teraz w pralni?

– Tylko właściciel, praczki poszły do domu.

– Na pewno?

Mykoła pokiwał głową z rezygnacją.

– Wrócimy teraz razem do pralni. Wpuścisz mnie do piwnicy. Chcę porozmawiać z twoim więźniem. Choć przez chwilę. O jedną rzecz tylko zapytać...

– On jest ciężko pobity – wystękał Łopatiuk. – Nie porozmawia z nim pani...

– Dam sobie radę! Idziemy czy mam cię zapoznać z kolegą Browningiem?

– A co, jeśli się stary zapyta, kim pani jest? – Strażnik nie dawał za wygraną.

– Powiesz prawdę. – Kobieta sie uśmiechnęła. – Że nazywam się Perla Milchman. Perla Milchman.

Czekała, widząc, jak kierownik pralni wytęża swój skołatany mózg, aby zapamiętać to nazwisko.

– A swoim policyjnym mocodawcom powiesz, że jestem konfidentką. I dlatego mnie wpuściłeś, bo mi zaufałeś.

Podjął nagle decyzję – nie będzie uciekał przed swoimi braćmi. Nie będzie uciekał przed nikim. Wszędzie go znajdą – czy to rodacy, czy to „pulicaje", choćby nie bezpośrednio, lecz przez takie oto konfidentki. Nigdy już nie zachowa neutralności, może służyć albo Polakom, albo nie istniejącej, lecz upragnionej ojczyźnie. Wszystko stało się jasne – ucieszy pana Lifschütza, zostanie w jego zakładzie, lecz będzie pracował dla swych braci, donosił im o tym, kto siedzi w Pralni, i w ten sposób zmaże swoją winę. Oczywiście powie im o komunistce, która go sterroryzowała.

Odwrócił się do niej i mruknął.

– Idziemy!

Kwadrans później na peron dworca Lwów-Podzamcze weszła Żydówka w peruce i w niekształtnym pocerowanym płaszczu. Po chwili zniknęła w dworcowej toalecie. Za kilka minut wyszła stamtąd szczupła, zgrabna blondynka w letniej sukience, z dużym zalotnym pieprzykiem nad górną wargą. Jedynie toporne męskie buty nie pasowały do jej stroju. Zniknęła w tłumie podróżnych, którzy jechali na Kajzerwald, by na jego cienistych zboczach znaleźć wytchnienie od miejskiego skwaru.

W jednej z kabin damskiej ubikacji leżała peruka zawinięta w bezkształtny, zbyt ciepły na tę porę roku szary płaszcz z samodziału.

Niecałe trzy kilometry na południe, w starym gmachu uniwersytetu, pani Zofia Weiglowa powiedziała do swego męża:

– I wiesz co, Rudolfie? Ta kobieta wcale nie wyglądała na Żydówkę. Zdawało mi się, że pasmo jasnych włosów wymykało się jej spod peruki. Muszę zawiadomić o tym komisarza Pirożka.

Zatopiony w swych myślach profesor nawet tego nie dosłyszał.

V

KOMISARZ OSKAR REILE nie był specjalnie lubiany w gdańskim prezydium policji. Policjanci zwykle cenią sobie kolegów i szefów, których można by określić mianem „swojego chłopa" – to znaczy kogoś, kto i więcej wypije, kiedy
trzeba, zaklnie, kiedy wymaga tego sytuacja, i przymknie
oczy na pewne działania, które może i nie są do końca le-
galne, ale z punktu widzenia śledztwa potrzebne, by nie
rzec: nieuniknione. Reile spełniał jedynie ten ostatni warunek – nie bywał specjalnie dociekliwy, kiedy jakaś aktywność jego podwładnych już z daleka trąciła bezprawiem.
Lekceważył natomiast obyczaje, którym hołdowali jego
podwładni, a nawet nimi gardził. Pił bardzo mało, a jego język nie tylko nie zawierał żadnych przekleństw, lecz wręcz
był wykwintny i wyszukany, czym zawstydzał i denerwował
wszystkich dokoła.

Najwięcej drwin, podszytych zazdrością, budziło jego
biuro w lewym skrzydle prezydium policji na Karrenwall*.
Gabinet swój urządził drogimi meblami, a jego ściany wy-
bił piękną ciemnozieloną tapetą o prawie niewidocznej fak-
turze jodełki – wszystko własnym zresztą sumptem. Meble,
które zamówił w słynnej gdańskiej fabryce L. Cuttnera, były
obłe, nowoczesne, intarsjowane i błyszczące, a stół stojący na środku pokoju okrągły. Od zewnątrz do dwóch kół,
z których składały jego blat oraz niższa półka, doklejono
jakby trzy nogi. Tuż przy nim stały dwa fotele o siedzeniach

---

* Obecnie ul. Okopowa.

tak długich, że usadowiony tam człowiek nie dotykał plecami oparcia. Pod oknem, wychodzącym na wielką synagogę, spoczywały na półkach niskiej i szerokiej biblioteki liczne kartonowe teczki z aktami. Jedna ze ścian była całkiem zajęta przez ogromny model żaglowca, a nieco mniejszy model stał na specjalnej półce nad drzwiami wejściowymi.

Gdyby ktoś zwiedzał ten gabinet, nie wiedząc, iż mieści się on w policyjnym gmachu, mógłby pomyśleć, że gospodarz tego miejsca jest zamożnym awangardowym artystą – może filmowcem, a może wziętym rzeźbiarzem.

Nieoficjalny szef nieoficjalnie działającego w Gdańsku niemieckiego wywiadu siedział teraz przy płaskim, szerokim, pustym i błyszczącym jak lustro biurku, równie ekstrawaganckim jak wszystko w tym pokoju. Na gęstą jasną fryzurę z przedziałkiem tego trzydziestosześcioletniego mężczyzny patrzyli ze swych portretów, przedzielonych herbem Gdańska, dwaj oficjele – wysoki komisarz Ligi Narodów Helmer Rosting oraz prezydent gdańskiego senatu Ernst Ziehm. Dla trzeciego z triumwirów zarządzających miastem, komisarza generalnego Rzeczypospolitej Polskiej Kazimierza Papée, najwyraźniej zabrakło tu miejsca.

SS-Untersturmführer Reginald Vierk siedział na krześle przy biurku i w odróżnieniu od wspomnianych powyżej panów patrzył Reilemu prosto w oczy.

Ten oderwał wzrok od trzymanej w ręku kartki i uśmiechnął się.

– Ty chyba naśladujesz naszego wielkiego Enderlinga, mój drogi Reginaldzie!

– Ależ skąd! – oburzył się młody esesman, a jego duża kwadratowa szczęka aż kłapnęła ze złości. – Żartujesz sobie? Przecież Enderling pisze toporne wiersze pełne rymów i militarnie zestawionych sylab!

– To prawda! – Reile odchylił się na fotelu i strzepnął popiół z papierosa do szklanej popielnicy koloru bursztynowego. – U ciebie sylaby nie są ustawione jak w marszu, o nie!

Uniósł kartkę do oczu, włożył binokle i wyrecytował:

> Najeżone siwe grzywy
> Nad obojętnym chłodnym morzem
> Rozsypane łzy bursztynu

Uśmiechnął się, przy czym pogłębiły mu się i wydłużyły dwie bruzdy nad kącikami ust.

– Mam na myśli przekłady poezji japońskiej, jakich dokonał Enderling – poprawił się. – Takie właśnie subtelne i pastelowe. Takie jak twoje.

Vierk dmuchnął na rozżarzony koniec papierosa i aż przymknął z zadowolenia małe oczy.

– Ale one są zbyt dekadenckie – zauważył recenzent. – I niektórzy dzisiaj mogą ich nie docenić...

– Teraz się żąda od poezji służby! – wykrzyknął oburzony esesman. – Ale oprócz służenia narodowi jest coś takiego jak impresja, którą filtruje poetycka wyobraźnia! Nie wszyscy muszą pisać jak ty, Oskarze, pełne żalu wiersze o bałtyckiej ojczyźnie odrąbanej od niemieckiej macierzy!

Komisarz policji uśmiechnął się wyrozumiale.

– Dobrze, że poruszyłeś kwestię naszej niemieckiej ojczyzny. Ona mnie właśnie wzywa. Z Berlina dostałem polecenie w sprawie Adelhardta. Potrzebuję teraz do pomocy kogoś zaufanego. Potrzebuję twojej pomocy.

– Nie mogę ci dać znowu ludzi do mokrej roboty! – oburzył się Vierk. – Po tamtej wielkanocnej akcji muszę być ostrożniejszy. Ale przede wszystkim to ty powinieneś być przezorniejszy. I bardziej mi ufać. Musiałeś moim chwatom dawać takiego dowódcę jak ten idiota i zboczeniec Adelhardt? I bez niego by sobie świetnie poradzili!

Reile wstał i zaczął się przechadzać po gabinecie.

– Zawsze mnie zastanawia, jak to się dzieje, że ty, taki subtelny poeta, który oszczędnością wysłowienia dorównujesz doprawdy rzymskiemu Syrusowi... Że ty tak nagle potrafisz wejść w świat innego języka. „Mokra robota", „idiota", „zboczeniec" to pozapoetycki obszar konkretu i cierpienia... – Zatrzymał się nagle. – Nie potrzebuję teraz twoich pretorianów, Reginaldzie! Potrzebuję przyjaciela godnego zaufania! Ciebie wraz z twoim wspaniałym nowym automobilem. Musimy jechać do Sztumu i zabrać stamtąd Mieczysława Arendarskiego.

– No dobrze. – Esesman zapalił papierosa. – Ale ja nie chcę być tylko twoim szoferem. Chcę wiedzieć, o co chodzi z tym Berlinem i Adelhardtem. Ostatnie, co wiem, to że dostałeś w jego sprawie pilną depeszę. Kiedy to było? W sobotę tydzień temu?

– Dokładnie w nocy z soboty na niedzielę drugiego lipca – poprawił go Reile. – Dostałem depeszę od naszych ukraińskich przyjaciół, że Adelhardt został najprawdopodobniej zatrzymany przez polską policję we Lwowie. Uruchomiłem wszelkie możliwe kontakty, nawet widziałem się z moim ulubionym specjalistą do spraw polskich. A wczoraj dostałem już pewną na sto procent wiadomość, że Adelhardt siedzi w jakichś tajnych polskich kazamatach we Lwowie. Najgorsze jest w tym wszystkim to, że strażnik pilnujący owych kazamatów od wczoraj stał się współpracownikiem OUN...

– Ale dlaczego to najgorsze? To chyba bardzo dobrze! Niech ten Ukrainiec wypuści Adelhardta i będzie po wszystkim!

– Najgorsze jest to, że było już blisko tej akcji, o której mówisz. Niestety, właśnie wczoraj, kiedy ów Ukrainiec został zatwierdzony przez OUN jako tajny agent, do pomocy dostał jeszcze trzech strażników. Albo Polacy przestali Ukraińcowi ufać, albo ktoś przez tych kilka dni zrobił coś, co zaalarmowało Polaków i kazało im zwiększyć ochronę.

– Na przykład co? – zapytał Vierk.

– Nie wiem. – Jego przyjaciel się zasępił. – Coś mnie niepokoi. W meldunku, który wczoraj rozszyfrowałem, jest wzmianka o zagrożeniu śmiertelną chorobą, jaka może spaść na naszego jurnego Ottona. – Reile zatrzymał się przed Reginaldem i oparł mu dłonie na ramionach. – Musimy wydostać Adelhardta z Polski! Znam go, to żelazny człowiek! On słowa nie piśnie nawet na najgorszych torturach. Ale jeśli jest naprawdę chory... Polacy mogą to wykorzystać i wydobyć od niego wszystko nawet bez wbijania mu igły pod paznokieć. Wystarczy, że go postraszą i powiedzą: „Jeśli nam zdradzisz to i owo, damy ci lekarstwo; jeśli nie, umrzesz". Tak, drogi Reginaldzie, Adelhardt nie boi się bólu, on się boi śmierci... Można go łamać kołem, a będzie milczał, ale gdyby go powiesić nad przepaścią i przyłożyć nóż do liny, będzie zeznawał z takim entuzjazmem, jakby w szkole recytował wyuczony heksametr.

– Co ci w takim razie pozostaje? Masz jakiś ruch? Możesz uniknąć tego mata?

– Tak – odparł komisarz. – Musimy jak najprędzej wymienić Arendarskiego na naszego dewianta!

Vierk zerwał się z krzesła.

– No to jedźmy już! Natychmiast! Czemu od razu mi nie powiedziałeś, zamiast roztrząsać mój nieudany wiersz?

Reile podszedł do szafy i włożył na głowę kapelusz.

– Wręcz przeciwnie, wiersz jest znakomity. A poza tym nie ma nic ważniejszego niż poezja, mój Reginaldzie!

WIĘZIENIE W SZTUMIE ZOSTAŁO ODDANE do użytku w roku wybuchu Wielkiej Wojny. Było początkowo przeznaczone wyłącznie dla młodocianych przestępców. Wzorem innych pruskich budowli penitencjarnych i tę wzniesiono z czerwonej cegły. Posadowiono ją na planie litery „T" – choć pierwotnie miała stać na planie krzyża. Na dokończenie dzieła – czyli na dostawienie ostatniego ramienia – zabrakło i rąk do pracy, i pieniędzy, a co więcej, uniemożliwiły to warunki geologiczne. Już w czasie budowy wody podskórne wywołały tak zwaną kurzawkę, ziemia się osunęła i pogrzebała kilku robotników.

Projekt osiedla dla pracowników więzienia został natomiast w pełni urzeczywistniony. Wzdłuż wysadzanej lipami alei prowadzącej wprost do bramy więziennej stało sześć okazałych domów, zajmowanych przez dwóch duchownych oraz przez wyższych funkcjonariuszy więziennych, z dyrektorem na czele. Dziewięć mniejszych domów wielorodzinnych, w których mieszkali dozorcy i nauczyciel z rodziną, otaczało więzienie łukiem od południa.

Nauczyciel Erich Suckau od siedmiu lat mieszkał w jednym z tych domków wraz z żoną i dwiema nastoletnimi córkami. Codziennie, idąc do pracy, ubolewał nad tym, że jego dni w Sztumie są już policzone. Uwielbiał to urokliwe miasto położone wśród lasów na półwyspie wrzynającym się w przepiękne Jezioro Sztumskie. Będzie jednak musiał poszukać sobie innej posady, gdyż więzienie przestaje już pełnić funkcję zakładu poprawczego dla młodocianych, a zatem uczniów powoli, lecz systematycznie ubywa i niedługo nie będzie miał kogo tu uczyć.

W owo sobotnie południe ósmego lipca szybko skończył lekcje i wybierał się z wędką nad jezioro. Wyszedł na alejkę prowadzącą do gmachu głównego więzienia, kiedy usłyszał cichy charakterystyczny gwizd lokomotywy, która wraz z wagonikami kursowała po wąskich torach pomiędzy stacją kolejową a więzieniem. Przywoziła ona albo nowych pensjonariuszy, albo zapasy żywności. Najczęściej odbywał się jeden kurs dziennie – w dni powszednie wczesnym rankiem. W soboty i w niedziele mała lokomotywa stała w milczeniu na ślepych torach tuż obok domku kierownika maszyn mechanicznych i elektrycznych. Jeśli wyruszała na trasę w soboty i w niedziele, to tylko po to, aby wywieźć stąd nieboszczyka. Sami więźniowie nazywali te dni tygodnia „trupimi".

DWANAŚCIE GODZIN WCZEŚNIEJ więzień Mieczysław Arendarski był przesłuchiwany w izolatce przez strażnika Josefa Nagla w obecności dyrektora Heinricha Ruhmbergera. Ten ostatni tracił już cierpliwość nie tylko do polskiego więźnia, lecz także do komisarza Reilego, który od Wielkanocy wciąż tu przyjeżdżał i osobiście prowadził przesłuchania, a kiedy to niewiele dawało, w połowie czerwca przerzucił ten obowiązek na barki dyrektora i wciąż telefonował z Gdańska z pytaniami o przełom.

Tymczasem takowego wcale nie było. Arendarski na wszelkie pytania o kontakty z polskim wywiadem uśmiechał się głupkowato i twierdził, że chętnie by takie kontakty nawiązał, ponieważ polski wywiad więcej płaci za informacje niż niemiecki czy też sowiecki.

– Ja prowadzę prywatną agencję wywiadowczą, panie dyrektorze – powtarzał Ruhmbergerowi to samo, co i wcześniej Reilemu. – I sprzedaję informacje temu, kto mi wystawi lepiej płatne zlecenie. A Polacy, jak dotąd, ku mojemu ubolewaniu nie zlecili mi żadnego zadania...

Kiedy już gdański komisarz zrezygnował chwilowo – jak twierdził – z osobistego przesłuchiwania, które wiązało się z częstymi przyjazdami do Sztumu i noclegami w domku dyrektora, ten ostatni otrzymał od swoich zwierzchników nie pozostawiający żadnych złudzeń rozkaz wydobycia z więźnia istotnych zeznań, co oznaczało zielone światło dla bardziej zdecydowanych działań.

Wtedy Ruhmberger kazał swojemu najbrutalniejszemu dozorcy Josefowi Naglowi wziąć Polaka w krzyżowy ogień ciosów. Strażnik przystąpił do swego zadania nader gorliwie.

Na początku lipca przeniesiono Arendarskiego do owianego złą sławą wschodniego skrzydła więzienia, gdzie mieściły się izolatki. Po kilku dniach zamiast eleganckiego, ironicznego nieco pana, który nawet w więziennych łachmanach wykazywał się manierami angielskiego lorda, izolatkę zajmował trzęsący się jak osika człowiek, który jednak nie miał na ciele żadnych ran ani opuchlizn.

Było to spowodowane specjalnym traktowaniem, które zgodnie z poleceniami szefa streszczało się w zasadzie: „Bić mocno, lecz bez śladów". Obiektem ataków Nagla stał się zatem brzuch Arendarskiego. Podciągnąwszy rękawy, walił go tam bezlitośnie. Rzeczywiście ślady uderzeń były prawie niewidoczne, ale po kilku dniach wnętrzności więźnia trzęsły się jak rozgotowane szparagi. Wiedza dyrektora nie wzbogaciła się jednak wciąż o żadną istotną informację.

Wtedy Ruhmberger kazał Naglowi zmienić metodę. Dozorca z właściwym sobie entuzjazmem zrobił to, co mu polecił zwierzchnik. Najpierw przyniósł do izolatki aparat fotograficzny Kodak Brownie i magnezję, po czym zrobił Arendarskiemu serię zdjęć, które zaraz – jako więzienny fotograf amator – wywołał i wysuszył. Następnie, otrzymawszy polecenie nieprzejmowania się zasadą „bez śladów", złamał Polakowi nos i podbił oczy. Potem w izolatce pojawiło się duże lustro, do którego Nagel przymocował jedno z wcześniej wywołanych zdjęć. Przesłuchiwany widział na zdjęciu swoją gładko ogoloną, szczupłą, „arystokratyczną" – jak mawiała jego żona – twarz, w lustrze natomiast – krwawą miazgę z zapadniętymi ustami, bo Nagel nie zapomniał bynajmniej o tym, by zabrać mu przed „łomotem" sztuczną szczękę. Ten kontrast pomiędzy dawnym wyglądem a teraźniejszym miał złamać Polaka.

– Chcesz wyglądać jeszcze gorzej? – zapytał oprawca. – To milcz dalej!

Demonstracja nie wywołała pożądanego skutku. Wśród sinych i opuchniętych warg więźnia błąkał się uśmieszek – ni to drwiący, ni to szalony.

Wtedy Nagel nie wytrzymał. Zwalił sześćdziesięciolatka z krzesła i kopnął go w brzuch. Najpierw rozległ się donośny charakterystyczny odgłos. Gazy cisnące się w jego w brzuchu po obiedzie składającym się głównie z kapusty i fasoli znalazły ujście. A potem więzień stracił przytomność i położono go na pryczy. Nagel wyszedł na papierosa, a Ruhmberger do swojego gabinetu, aby napić się kawy.

W tym czasie w organizmie Arendarskiego następowały szybkie zmiany. Ścianki jelita grubego pękły były już wcześniej po kopniaku, a teraz przepuszczały do brzucha kał, który zaraz się tam zmieszał z krwią pulsującą w wewnętrznym krwotoku.

Nagel i Ruhmberger wrócili i usiłowali go ocucić. Polewali wodą, ale bez skutku. Uznali, że po prostu stracił przytomność, i postanowili wrócić rano do dalszego przesłuchania. Żaden z nich nie sądził, że człowieka można zabić kopnięciem w brzuch.

Godzinę później Mieczysław Arendarski wyzionął ducha.

Sekcja zwłok wykazałaby kałowe zapalenie otrzewnej. Nie było jednak żadnej sekcji. Ani żadnego medyka sądowego. Oficjalnie nawet nie było tu więźnia o nazwisku Arendarski.

Kiedy Ruhmberger następnego dnia o godzinie dziesiątej rano zadzwonił do biura Reilego, aby go poinformować o wypadku, sekretarz komisarza rzekł, że jego pryncypał właśnie dokądś wyjechał w towarzystwie SS-Untersturmführera Vierka.

DOCHODZIŁO POŁUDNIE, GDY NAUCZYCIEL SUCKAU zbliżył się do prychającej parą lokomotywy wąskotorówki. Był ciekaw, jakiego to trupa dzisiaj stąd wywożą. Może umarł jakiś jego uczeń? Spojrzał przez okno pierwszego wagonika i ujrzał trumnę opatrzoną inicjałami N.N. Wiedział, że jeśli pruska biurokracja nie odnotowuje nazwiska więźnia, musi to być więzień polityczny, a ostatnio przebywał tu jeden jedyny taki – ów Polak, którego niedawno zamknięto w izolatce. Stwierdziwszy to, nauczyciel poszedł na ryby.

Następnego dnia jadł niedzielny rodzinny obiad w towarzystwie swojej młodej szwagierki Elfriede Baumgarten oraz jej narzeczonego, polskiego studenta Gdańskiej Szkoły Technicznej o imieniu Piotr – i nazwisku nie do zapamiętania – którego widział zresztą po raz pierwszy w życiu. Zapytany przez tegoż, czy jest zadowolony ze swej pracy, Erich duszkiem wypił piwo, po czym zaczął rzucać gromy na niesprawiedliwość, jaką okazuje państwo niemieckie, które zaoferowało mu wykształcenie pedagogiczne, a jednocześnie ściąga go z państwowej posady i skazuje na poniewierkę. Przy następnym piwie krytykował bandyckie traktowanie więźniów politycznych.

– O, tak na przykład pański rodak, mój panie, został wczoraj rano wywieziony ciuchcią nogami do przodu – mówił podniesionym głosem. – Ponieważ nie miał żadnego nazwiska, pewnie pochowają go gdzieś w lesie... A taki był z niego kulturalny pan. Z wyższych sfer! Rozmawiałem z nim całkiem przypadkowo, gdy wracałem kiedyś z lekcyj, a jego samego – zawsze samego! – wypuścili na spacerniak. Obiecałem przekazać jego młodej żonie, młodszej o kilka dekad zresztą, pewne informacje. Tak ją kochał! Ale zapomniałem nazwiska i adresu. Bardzo za nią tęsknił. Czy tak można ludzi traktować?

W czwartek ów student o trudnym do wymówienia nazwisku opowiedział tę historię w Gdańsku przy bridżu w gronie swych rodaków. Jeden z nich pracował w polskim biurze podróży „Orbis" w hotelu Continental. Nie było to jednak jego jedyne miejsce pracy.

Ów urzędnik bridżysta wykorzystał chwilę, kiedy był tak zwanym dziadkiem, i zatelefonował do polskiego konsulatu. Natychmiast zaproszono go na rozmowę do wspaniałego klasycystycznego gmachu na Neugarten* 27.

Stamtąd po dwóch godzinach wyszła drogą radiową zaszyfrowana depesza. Jej adresat, kapitan Jan Henryk Żychoń, bawił w mieście oddalonym o osiemset kilometrów na południe, zwanym wrotami Wschodu.

* Obecnie Nowe Ogrody.

VI

W NOCY Z NIEDZIELI DRUGIEGO NA PONIEDZIAŁEK trzeciego lipca, kiedy Arendarski był jeszcze pośród żywych, komisarz Otto Adelhardt obudził się na sienniku w Pralni w stanie kompletnego zamroczenia, wywołanego mieszanką alkoholu i luminalu. Na przegubie prawej ręki miał żelazną obręcz, która długim łańcuchem przykuta była do ściany. Lewą ręką tarł oczy i dotykał swego członka, usiłując sobie przypomnieć, czy posiadł którąś z pięknych kobiet w stroju ludowym czy też nie. Kołatała mu się po głowie nadzieja, że spędził noc na dzikiej rozpuście, która zakończyła się w jakimś tajnym burdelu, gdzie teraz jest skuty kajdanami.

Była to myśl o tyle sensowna, że gdańszczanin lubił różne zabawy, a brał w nich udział – na ogół jednak w roli kata, nie katowanego – głównie w tajnych berlińskich lupanarach w jakichś lochach pod Szprewą.

Skurczony penis nie dał mu żadnej wskazówki, która poparłaby przypuszczenia o dzikiej sadomasochistycznej orgii. Nadzieje jego całkiem się rozwiały, kiedy około południa ujrzał ponurego i najwyraźniej skacowanego typa, który mu przyniósł wiadro, miednicę z wodą i jakąś potrawę, składającą się z jakby woreczków z ciasta wypełnionych jakąś mieszaniną – chyba sera i ziemniaków. Nieprzyjemny dozorca dał mu silnego kuksańca w bok i wskazał na potrawę, wymawiając jej nazwę, która zabrzmiała jak miano indiańskiej łódki: „pirogi".

Nie tknął jedzenia. Leżał na sienniku, słuchał niedalekiego dudnienia pociągów po szynach i z trudem dochodził do siebie. W końcu, kiedy odtworzył sobie wydarzenia poprzedniego dnia – mecz, pijaństwo i rozpustę, do której nie doszło – zrozumiał, że padł ofiarą porywaczy.

Wieczorem ich poznał. Do jego obszernej celi weszli czterej mężczyźni. Dwaj mówili po niemiecku, dwaj pozostali nie mówili nic, a ich aktywność ograniczyła się – jak na razie – jedynie do zdjęcia marynarek i koszul oraz do zaciskania pięści, przez co drgały ich tatuaże na przedramionach.

Adelhardt nie przestraszył się dwóch silnorękich zbirów. Uczucie strachu przed bólem i sam ból nie miały dostępu do tego bywalca sadomasochistycznych berlińskich salonów. Nie przejmował się też zbytnio wysokim, masywnie zbudowanym łysolem z małą szpakowatą bródką, którego płynna niemczyzna trąciła austriackim akcentem, a świetnie dopasowany szary garnitur z kamizelką zdradzał pochodzenie kto wie, czy nie z samej londyńskiej Savile Row.

Lekką obawą przejmował go jednak czwarty mężczyzna, który zapewne był mu znany. Bo jakże by można inaczej – jeśli nie chęcią uniknięcia identyfikacji – wyjaśnić kaptur na jego twarzy i pytania zadawane przez deformującą głos tubę? Mężczyzna był niższy od łysego, miał szerokie bary i nieco krzywe nogi. Pytania zadawał irytująco wysokim głosem, a jego niemczyzna nie była gramatycznie bez zarzutu. Adelhardt wnioskował, iż poznał go w Gdańsku, ponieważ ten wykazywał dobrą znajomość tamtejszych realiów, gdy pytał go o Reilego i jego agentów.

Przesłuchiwany Niemiec pary z ust nie puścił. Wtedy do pracy przystąpiły dwa zbiry. Choć przyjmował ich ciosy z jękiem, a nawet czasem okrzykami bólu, to jednak nie przynosiły one żadnych skutków pożądanych przez przesłuchujących go mężczyzn. Odgłosy wydawane przez więźnia były jedynie grą aktorską. On tak naprawdę się bał, aby tajemniczy mężczyzna w kapturze nie odkrył jego słabości.

A był nią zabobonny lęk przed duchami i demonami, jaki pozostał mu z czasów, gdy w jego rodzinnej wiosce na Warmii babka i jej sąsiadki opowiadały wieczorami przerażające historie o upiorach bez twarzy, co to w nocy wychodzą z jeziora. Mały Otto podsłuchiwał wtedy skulony gdzieś pod ławą, a stary Otto w mężczyźnie z kapturem na głowie, zadającym pytania zniekształconym, nieludzkim głosem, zaczął w końcu – po drugim dniu bicia – widzieć babcinego upiora z jezior.

Halucynacje zostały przyśpieszone coraz intensywniejszymi cięgami. Przekrwione oczy w napuchniętych oczodołach widziały z każdą chwilą bardziej zamglone i zdeformowane obrazy.

Trzeciego dnia, a była to środa, Adelhardta pozostawiono samemu sobie. Wtedy to wieczorem miał nieoczekiwane odwiedziny. Widział jak przez sen dziwną kobietę, która wydawała mu się znajoma. Zdjęła czarną perukę i uśmiechnęła się. Wtedy ją rozpoznał.

– Będziesz cierpiał – szeptała mu do ucha po niemiecku. – Tak jak ja cierpiałam w kuchni... Dostaniesz wysokiej gorączki i będziesz widział, podobnie jak ja, statki płynące po niebie. A potem umrzesz wśród tych majaków. Na tyfus. Na tyfussss...

Z małego blaszanego pudełka zerwała gazę i wysypała mu na głowę rojące się wszy, po czym z uśmiechem na ustach wyszła, kręcąc biodrami. Nie zapomniała przy tym zapalić światła i puścić w ruch wahadłowy wiszącej lampy.

Adelhardt – przykuty do ściany – rzucał się po sienniku, wykręcał sobie uwięzioną rękę, a złapane drugą dłonią owady ściskał palcami, pozostawiając na swojej skórze wstrętną posokę. Krzyczał: „tyfus, tyfus!!!", gdy czuł ich ugryzienia.

Jego krzyk zagłuszyły jadące gdzieś w pobliżu pociągi.

– MÓWI PERLA MILCHMAN – powiedział kobiecy głos. – Tyfus w piwnicy. Pełno wszy. Wydezynfekujcie wszystko, bo inaczej umrzecie. Tyfusss...

U uszach pana Lifschütza ten ostatni wyraz brzmiał jak syk węża. Usłyszał trzask odkładanej słuchawki, zanim zdążył cokolwiek powiedzieć. Natychmiast zatelefonował do Popielskiego. Nie było go w biurze. Miał nadzieję, że jest – jak co rano – w drodze do jego zakładu wraz z tym drugim, przyjezdnym typem, który nie wiadomo dlaczego robił na właścicielu złe wrażenie, nawet gorsze niż dwaj towarzyszący im goryle.

Rzeczywiście, po chwili wszyscy czterej mężczyźni weszli do Pralni. W kantorze wysłuchali raz jeszcze relacji właściciela. Zadali mu kilka pytań i otrzymali na nie odpowiedzi, które nic im nie dały. Mimo to wszystko się ułożyło w logiczną całość. Nie wchodząc do piwnicy, uporządkowali ciąg zdarzeń, począwszy od wczorajszego środowego popołudnia, gdy wraz z gorylami opuścili Pralnię.

A rozegrały się one następująco. Najpierw Żychoń w swym hotelu został wyrwany z drzemki przez telefon od Pirożka. Ten poinformował o wykradzeniu przez rzekomą Perlę Milchman zakażonych tyfusem wszy z laboratorium profesora Weigla. Funkcjonariusz policji politycznej uczynił to niejako z obowiązku, rutynowo – uznał, że wysoki oficer Dwójki przebywający służbowo we Lwowie powinien wiedzieć o różnych niebezpieczeństwach czyhających w mieście nad Pełtwią.

Żychoń tego meldunku nie zlekceważył i zapisał w notesie nazwisko kobiety dysponującej groźną bronią biologiczną. Dwie godziny później powiedział o wszystkim Popielskiemu, gdy wieczorem spotkali się w gabinecie tegoż, aby jak co dzień omówić strategię kolejnego przesłuchania.

Jakież było nieprzyjemne zdziwienie Żychonia, gdy Edward przedstawił mu najświeższe wieści od Łopatiuka! Owa złodziejka wszy została wpuszczona przez Mykołę do Pralni – pod nieobecność Lifschütza, który akurat wyszedł na obiad. Strażnik usprawiedliwił się, mówiąc, że owa „Żydowica, Perla Milchman, była konfidentką pana kumisarza!". Na domiar złego kwadrans później w gabinecie Edwarda zjawił się komisarz Pirożek, który poznawszy od adiutanta miejsce pobytu Żychonia, doniósł obu zdumionym panom, że Perla Milchman pół roku temu zginęła zastrzelona w porachunkach komunistycznych frakcyj w jakiejś melinie w Czeladzi. Co więcej, Pirożek rozmawiał z panią Weiglową, która kategorycznie twierdziła, iż wierność religijnym obyczajom była u owej Żydówki pozorna, ponieważ nie miała ona wcale ogolonej głowy, a spod peruki wymknął się jej kosmyk blond włosów.

I Popielski, i Żychoń po rozmowie z Pirożkiem byli bardzo zaniepokojeni działalnością rzekomej Żydówki. Coś tu się złego działo, a oni poruszali się po omacku.

Relacja oficera policji politycznej nie była jednak wieścią hiobową. Tą okazała się dopiero poranna wiadomość od Majera Lifschütza o skażeniu Pralni bakteriami tyfusu – o ile wierzyć tajemniczej kobiecie telefonującej do zakładu.

I Żychoń, i Popielski natychmiast zrozumieli, że dzwoniąca do właściciela pralni kobieta wczoraj oszukała łatwowiernego Łopatiuka i odwiedziła więźnia w piwnicy. Choć nie mieli pewności, czy skażenie tyfusem nie jest przypadkiem blefem, nie zamierzali jednak ryzykować i powstrzymali się przed zejściem do piwnicy, w której powietrze mogło być bakteriologiczną bombą.

Że tak nie jest, szybko uspokoił ich telefonicznie doktor Iwan Pidhirny, wykładowca na Wydziale Medycznym Uniwersytetu Jana Kazimierza. Ten znakomity medyk sądowy, współpracujący z Popielskim od lat, powiedział wyraźnie, iż zarażenie tyfusem może nastąpić tylko poprzez kontakt z wszami lub z wydzielinami chorego. Bakterie tyfusu, jak zauważył, nie latają w powietrzu i nie tam należy się ich obawiać. Ostrożność nakazuje, aby nie dotykać chorego, a owady bytujące na tym człowieku po prostu bezwzględnie wytępić. Na pytanie o śmiertelność choroby, lekarz odpowiedział:

„O ile mi wiadomo, tyfus plamisty jest śmiertelny mniej więcej w czterdziestu procentach wypadków. I odsetek ten, co ciekawe, występuje w wyższych sferach społecznych. Wśród ludu jest znacznie, znacznie niższy, co by oznaczało, że lud jest jakoś nań uodporniony. Nie chcę tu, Boże broń!, wnikać, jakiego chorego ma pan komisarz na myśli i w jakim stanie fizycznym jest ten człowiek... Ale jakieś podszepty intuicji każą mi powiedzieć, że szanse na przeżycie w przypadku człowieka mającego na przykład obfite i krwawiące rany, jeżeli atak wszy na niego był w dodatku masywny, są prawie zerowe ".

– Ten doktór to jakiś prorok? – spytał Żychoń, kiedy już zszedł z Popielskim do piwnicy. – Nasz ancymon jest rzeczywiście trochę poraniony, ale czy atak wszy był masywny? No tak, owszem, bardzo masywny... Chyba dużo tu tego paskudztwa, bo iska się jak szalony.

Tego dnia Łopatiuk pod czujnym okiem obu oficerów dał więźniowi jeść, trzymając koszyk z pierogami – ku przerażeniu tegoż – na długim drągu. Niezwykle ostrożnie i powoli wylał jego odchody z wiadra do kanalizacyjnego otworu w rogu piwnicy, po czym długo przemywał spirytusem ręce i przedramiona.

Po tych czynnościach Mykoła dostał wolny wieczór, Lifschütz natomiast – na polecenie Popielskiego i Żychonia – ogłosił praczkom i prasowaczkom wcześniejszy fajrant, po czym zostawił obu mężczyzn samych w swym kantorze.

Tam naradzali się do późnej nocy. Choć nie mieli wiele do ustalania, trwało to tak długo, ponieważ obaj panowie co chwila nerwowo drapali się po łydkach. Nie powstrzymało ich przed tym nawet zapewnienie Pidhirnego, do którego jeszcze kilkakrotnie telefonowali, iż wszy, mając jednego żywiciela, nie oddalają się od niego w poszukiwaniu innych.

Przez kolejne trzy dni trwały działania przygotowawcze przed ostatecznym wyniszczeniem wstrętnych stworzeń oraz możliwym oczyszczeniem z nich więźnia, jego łóżka i bielizny. Tutaj głównym aktorem wydarzeń był

Łopatiuk, który nawet nie próbował dyskutować z poleceniami Popielskiego, traktując je jako karę za lekkomyślne wpuszczenie do piwnicy złodziejki wszy. Ogolił zatem łeb Adelhardta, a potem czujnie obserwował, nie wypuszczając browninga z garści, jak ten zgolił resztę swego owłosienia, raniąc się przy tym brzytwą tu i ówdzie. Z laboratorium profesora Weigla Pirożek wypożyczył specjalną ssawkę wciągającą owady, którą Mykoła nauczył się operować tak skutecznie, że nawet powątpiewał, czy potrzebna tu jest jeszcze jakaś dezynsekcja i dezynfekcja.

Znacznie później znaleziono odpowiedniego tępiciela robactwa. Musieli tutaj zachować maksymalną ostrożność z powodu ściśle tajnego charakteru całej akcji. Nie można było przecież wziąć pierwszego lepszego owadobójcy z gazetowego ogłoszenia. Nastał sobotni wieczór, kiedy już znaleźli dezynsektora, który niszczył głównie pluskwy i był – zdaniem dyrektora lwowskiego więzienia, czyli osławionych Brygidek – człowiekiem nadzwyczaj godnym zaufania. Specjalista ten, z takim trudem znaleziony, jako człowiek religijny chciał „dzień święty święcić" i podjął się wykonania swego zadania dopiero w poniedziałek wczesnym rankiem.

Wtedy to właśnie nagiego Adelhardta zamknięto w łazience na górze, gdzie przebywał pod okiem Mykoły, a ów dyskretny człowiek – ubrany w długi fartuch, szpiczastą czapkę i ochronne okulary – zszedł do piwnicy pralni i zaczął energicznie działać. Najpierw roztworem lizolu i kwasu solnego obficie polał wiadro na odchody, jego pokrywę oraz studzienkę kanalizacyjną, potem wrzącą wodą i karbolem zlał ścianę przy sienniku i podłogę wokół niego. Samo posłanie nasączył płynnym preparatem, którego głównym składnikiem był nikiel. Ostatnią czynnością było przyniesienie do piwnicy naczynia z wrzątkiem wyglądającego jak samowar, z którego wychodziły metalowe rurki. To dzięki nim dostał się do najtrudniej dostępnych zakamarków pościeli i ubrania Adlehardta i gorącą parą ugotował ostatnie wszy, które jakimś trafem odpadły były wcześniej od swego żywiciela. Zainkasowawszy godziwą zapłatę, opuścił pralnię, obiecując pod słowem honoru nigdy nie pisnąć ani słowa na temat tego, gdzie był i co widział.

Działania dezynsektora były z pewnością skuteczne, ale dla Niemca już spóźnione. W środę dwunastego lipca pojawiły się u niego wysoka gorączka, dreszcze, bredzenie i przeszywający ból głowy. Doktor Pidhirny, poproszony o telefoniczną konsultację, nie miał wątpliwości, że po tygodniu od chwili zakażenia rozwinęły się pierwsze objawy tyfusu.

– Za kilka dni należy się spodziewać wysypki, zaburzeń przytomności, halucynacyj, osobliwych ekscytacyj i okrzyków – mówił medyk. – A przy tym wymiotów, ogromnego pragnienia i kołatania serca. Wszystko jest już w rękach Boga, który wie, czy ów pacjent należy do tych czterdziestu procent, o jakich mówiłem panu komisarzowi.

Dwa dni później, w piątek czternastego lipca, Adelhardt umierał. Rzucał się po pościeli, cały pokryty czerwonymi cętkami i twardymi grudkami. W bezpiecznej odległości od jego siennika stali Popielski i Żychoń. Ten ostatni był milczący, nachmurzony i małomówny.

– Trudno – rzekł Edward jakby do siebie. – Akcja „Pralnia"
się nie udała. Nie wymienimy go już na pańskiego człowieka więzionego przez Niemców.

Kapitan pokiwał głową.

– A właśnie, że go wymienimy, poruczniku – powiedział
cicho ze smutkiem. – Wymienimy!

– Jak to wymienimy? – Edward spojrzał na swego rozmówcę jak na wariata. – Trupa?

– Tak – powiedział jeszcze ciszej Żychoń. – Trupa na
trupa. Właśnie dziś rano dostałem z Gdańska wiadomość.
Mieczysław Arendarski nie żyje. Tak, panie poruczniku...
Po tej wiadomości przyszło zaproszenie do Warszawy. Od
szefa Dwójki, samego pułkownika Furgalskiego. A co najgorsze, zaproszenie jest dwuosobowe. Mam się stawić pojutrze u Furgalskiego z osobą towarzyszącą. – Pokiwał
smutno głową. – Z panem, panie poruczniku.

VII

EDWARD POPIELSKI BYŁ ZDANIA, że letnią porą w Warszawie trudniej wytrzymać niż we Lwowie. To subiektywne wrażenie starał się uzasadniać rozmaitymi argumentami na niekorzyść stolicy – a to na przykład, że w porównaniu do Lwiego Grodu jest tutaj mniej zieleni, że gęstsza zabudowa nie pozwala na swobodny przewiew, że ogromna rzeka wydziela wilgotne wyziewy, które ściskają miasto malaryczną duchotą. Tymczasem źródło jego przekonania kryło się we wspomnieniach, jakie miał po swoim pobycie w Warszawie sześć lat wcześniej, w czerwcu dwudziestego siódmego roku. To wtedy, gdy na warszawskim dworcu sowiecki ambasador Piotr Wojkow został zastrzelony przez młodego Białorusina Borysa Kowerdę, Popielski prowadził śledztwo, będące fascynującą mieszaniną działalności kontrwywiadowczej i *stricte* policyjnej*.

Wymagało ono szybkiego przemieszczania się pomiędzy centrum miasta a pewną wioską, jedynym zaś środkiem lokomocji, jakim wówczas Edward dysponował, był rower. Nic zatem dziwnego, że stolica kojarzyła mu się z litrami potu, które wylewał, zajadle pedałując po brukowanych ulicach obstawionych wokół kamienicami albo ryjąc w piachu mazowieckich wiejskich dróg pod palącym słońcem.

Pokój, w którym się teraz znajdował, wywoływał u niego całkiem inne skojarzenia – raczej chłodne, by nie rzec: mrożące krew w żyłach. W siedzibie Defensywy Politycznej przy

---

* Zob. M. Krajewski, *Pomocnik kata*.

Brackiej 18 u ówczesnego jej szefa, pułkownika Mariana Swolkienia, był zimą roku dwudziestego drugiego, krótko po zabójstwie prezydenta Gabriela Narutowicza. Prowadził wtedy wyniszczający wyścig z czasem, aby zapobiec dalszej eskalacji politycznej przemocy*.

Siedział tam, tak jak dzisiaj, przy otwartym oknie. Choć nowoczesny dom towarowy Braci Jabłkowskich narzucał się widzowi swą piękną modernistyczną bryłą, to Edward wcale jakoś nie myślał o nowych trzewikach czy ulubionych jedwabnych krawatach.

Defensywa Polityczna już nie istniała, a jej starzy i nowi pracownicy zmieniali szyldy jednostki i w wyniku licznych reorganizacji nieustannie się dopasowywali do wciąż odmiennych struktur. Dzisiaj ich instytucja w oficjalnej nomenklaturze nosiła nazwę Centrali Służby Śledczej albo ściślej: Wydziału IV Komendy Głównej Policji Państwowej, a dawny gabinet Swolkienia z widokiem na wspomnianą świątynię konsumpcji zajmował naczelnik wydziału nadinspektor Leon Nagler.

Ten mężczyzna o potężnej łysej głowie okolonej na skroniach i potylicy krótko przyciętymi szpakowatymi włosami mrużył za binoklami swe oczy krótkowidza i pocił się obficie w zapiętym pod szyję mundurze. Gdyby nie ten element garderoby, wyglądałby na nauczyciela, którym zresztą był w istocie – tyle że w szkolnictwie policyjnym. Popielski podziwiał kunszt dydaktyczny, jaki ten przedwojenny adwokat pochodzący z żydowskiej zasymilowanej lwowskiej rodziny

---

* Zob. M. Krajewski, *Dziewczyna o czterech palcach*.

wykazywał, przybliżając zagadnienia kryminalistyczne na specjalnych policyjnych kursach.

Nagler zdawał się jednak nie poznawać teraz swojego dawnego słuchacza. Siedział nieco znudzony z boku, ocierał głowę wielką kraciastą chustą i sprawiał wrażenie, jakby myślał raczej o wszystkim innym niż o zeznaniach, jakie kapitan Jan Henryk Żychoń i komisarz – *alias* porucznik – Edward Popielski składali przed trzyosobową tajną komisją, której był członkiem.

Poproszony o uczestnictwo w tym gremium przez samego szefa wywiadu i kontrwywiadu wojskowego pułkownika Teodora Furgalskiego, był zbyt inteligentny, by się nie domyślać, iż ten uczynił to *pro forma* – aby mu się jakoś odwdzięczyć za wypożyczenie jego gabinetu na to tajne zebranie.

Nagler, choć udawał znudzenie – ziewał, palił, zerkał w okno – wszystkiemu się jednak uważnie przysłuchiwał. Swoje pozorne *désintéressement** okazał już choćby przez to, że użyczył biurka Furgalskiemu.

Otyły szef Dwójki, zwany po cichu Buddą z Pałacu Saskiego, rozpierał się za tym meblem i palcami jak kiełbaski cicho uderzał po blacie. Mimo popołudniowego upału, który wlewał się przez okna wychodzące na zachód, on i jego garderoba sprawiali wrażenie świeżych i nienagannych, a na ozdobionej wąsami twarzy i na czole, spod którego patrzyły małe świdrujące oczy, nie było nawet śladu potu. Ten typowy oficer sztabowy i biurokrata dzięki swej przenikliwej inteligencji, wyostrzonej studiowaniem filozofii

---

* Brak zainteresowania (fr.).

na krakowskiej Alma Mater, rozwiązywał zza biurka wywiadowcze szarady, lecz cierpiał na chorobę, która kłóciła się z jego pozycją – paraliż decyzyjny.

Kłopotów z podejmowaniem decyzji nie miał natomiast trzeci z panów przesłuchujących. Mieczysław Lissowski, naczelnik Wydziału Bezpieczeństwa Publicznego w Komisariacie Rządu na Miasto Stołeczne Warszawę, był również słusznej tuszy – jakby to było kryterium wyboru do komisji. Miał okrągłą jak piłka łysą głowę – w tym przypominał Naglera, a także mały wąsik – co go z kolei upodabniało do Furgalskiego.

Lissowski nie został dokooptowany do tego grona ze względu na swoje stanowisko obecne, lecz dawne. Był niegdyś w Toruniu naczelnikiem Centrali do spraw Niemieckich i w tamtych czasach blisko współpracował z Żychoniem. Mimo kilkuletniego pobytu na szczytach władzy policyjnej w Warszawie wciąż uchodził za jednego z najlepszych specjalistów od tego, co się działo za zachodnią granicą.

Jego obecność dodała Żychoniowi otuchy. Lissowski należał do jego nielicznych przyjaciół w służbach policyjno-wywiadowczych i bez zastrzeżeń akceptował kontrowersyjne metody „Hendryczka", jak humorystycznie nazywał swego dawnego kolegę.

– Zgromadziliśmy się tutaj, moi panowie, aby wyjaśnić sprawę zaginięcia we Lwowie komisarza gdańskiej policji, niejakiego Ottona Adelhardta. – Furgalski sapał jak parowóz.

– „Nasz obywatel Otto Adelhardt zaginął w Polsce, nieudolna polska policja nie umie go odnaleźć!" – Lissowski przeczytał po niemiecku nagłówek hitlerowskiego organu prasowego „Völkischer Beobachter", po czym dodał pierwsze zdanie artykułu: – „To, co się stało, jest możliwe tylko w tak barbarzyńskim kraju, na jego wschodnich peryferiach, gdzie wciąż panuje kultura dzikich plemion!".

– Prasa niemiecka grzmi. – Nagler jakby się obudził z przedobiedniej drzemki.

– Ma pan nam coś do powiedzenia na ten temat? – Furgalski spojrzał na Żychonia.

Ten wyjął z teczki „Ilustrowany Kuryer Codzienny".

– „Policja gdańska nic nie wie o losie porwanego Polaka" – przeczytał nagłówek artykułu. – „Jak to możliwe, że znany polski spedytor przepadł jak kamień w wodę?" – Spojrzał na komisję. – To normalna sprawa – rzekł spokojnie. – Wojna prasowa. Zaginął Polak, zaginął Niemiec. Wet za wet.

Oczy szefa Dwójki zwęziły się tak bardzo, że stały się prawie niewidoczne w fałdach tłuszczu.

– Zapytam pana wprost, kapitanie, a może pana, poruczniku. – Spojrzał na Popielskiego. – Co się stało z tym Adelhardtem?

– Zmarł na tyfus, trzymamy go w chłodni – odparł Edward. – Został zarażony przez pewną kobietę przebraną za Żydówkę. Mój strażnik, sterroryzowany przez nią bronią, wpuścił ją do więzienia, a ona podrzuciła tam zarażone tyfusem wszy. Ukradła je wcześniej z laboratorium profesora Weigla. Nie zidentyfikowaliśmy sprawczyni. Posługiwała się fałszywymi dokumentami osoby już nieżyjącej.

Lissowski podskoczył lekko na krześle, jakby właśnie ukąsiła go wesz.

– Porażka, poruczniku. Gorzka i smutna.

Zapadło milczenie.

– Informuję panów, że ta kradzież ma naszym zdaniem znamiona dywersji – przerwał Furgalski. – Zakażone wszy mogą być użyte jako broń biologiczna. Objęliśmy ściślejszym nadzorem laboratorium profesora Weigla, od kilku dni czuwa nad nim wydelegowany przez nas strażnik. Zwolniono stamtąd wszystkich podejrzanych karmicieli. Zachęcamy wyłącznie zaufanych żołnierzy z garnizonów lwowskich do tej pożytecznej działalności.

– Jak to: „trzymamy go w chłodni"? – Nadinspektor Nagler znów się wtrącił. – Co to ma znaczyć? Nie jesteśmy barbarzyńcami, jak o nas pisze prasa niemiecka! Czy nie sądzi pan, komisarzu Popielski, że powinniśmy go wydać rodzinie?

Tytuł użyty przez szefa wydziału mógł wskazywać na to, że chyba niezupełnie zapomniał swego dawnego słuchacza.

– Prowadzimy z Niemcami tajne rozmowy – odpowiedział za Edwarda rozdrażnionym tonem Żychoń. – I wymienimy go wkrótce na ciało obywatela Rzeczypospolitej Mieczysława Arendarskiego. Przypominam panu nadinspektorowi, że ów zamieszkały w Gdańsku zamożny spedytor, człowiek z najlepszego towarzystwa, został porwany, jego dom splądrowano, a żonę haniebnie upokorzono! Moi informatorzy donieśli mi, że zamordowano go w więzieniu w Sztumie. Ciała nie odnaleziono. Analogicznie się stało z owym Ottonem Adelhardtem, który był właśnie jego porywaczem! To nie tylko wet za wet, panie nadinspektorze! Ja to nazwałbym słuszną karą. Odpowiadam panu: dostaniemy trupa – wydamy trupa!

Nagler pokiwał głową i przymknął małe oczy, schowane za grubymi szkłami. Zdawał się usatysfakcjonowany odpowiedzią. Naprawdę pomyślał teraz o leguminie, którą niebawem będzie jadł ze swoją ukochaną żoną, znaną pisarką Herminią Naglerową.

– Znam pańskie metody, kapitanie! – Budda z Pałacu Saskiego poruszył się za biurkiem, aż krzesło niebezpiecznie zaskrzypiało. – Znam je i pochwalam ich skuteczność. Z jednym zastrzeżeniem: nie stosujemy ich tutaj. Ale w Gdańsku to już co innego. Tam możemy je akceptować. W mieście szpiegów różne chwyty są dozwolone. Ma pan pewną autonomię. Ale tutaj nie! Pan porwał obywatela Wolnego Miasta na ziemi polskiej. We Lwowie. I zmusił pan do współpracy obecnego tu Edwarda Popielskiego, wysokiego oficera Policji Państwowej! Nie widzicie tu, Żychoń, jakiegoś błędu!? Jakiegoś nadużycia władzy?

Edward spojrzał na siedzącego obok kolegę i na biurko oddzielające ich obu od wysokiej tajnej komisji. Powinien się wić jak sztubak przed groźnym obliczem dyrektora i pedagogów, ale zamiast strachu czuł rozbawienie.

– Nikt mnie do niczego nie zmuszał, panie pułkowniku. – Z trudem stłumił wesołość w głosie. – Nie boję się niebezpieczeństwa, gdy wiąże się ono ze sprawiedliwym odwetem.

Furgalski spojrzał na Lissowskiego.

– Panie naczelniku, pozwólmy panu kapitanowi wymienić trupy i zamkniemy tę przykrą sprawę... A teraz przedstawmy panom zlecenie, dla którego ich tu wezwaliśmy.

Szef dawnej Centrali do spraw Niemieckich wstał powoli od biurka i zaczął się przechadzać po gabinecie

Naglera, wypinając pokaźny brzuch. Zęby zaciskał na lufce, w której wonnie dymił papieros. Kiedy mężczyzna chodził, ciągnął się za nim błękitny obłok.

– Tak – powiedział po chwili. – Właśnie nadszedł ten czas. Na nowe zadania.

Zatrzymał się przed Żychoniem.

– Drogi Hendryczku, po przeniesieniu do Warszawy nigdy nie wchodziłem ci w drogę, prawda? Nie wnikałem w sprawy niemieckie, bo to jest twój front.

Zdumiony kapitan wstał i potwierdził skinieniem głowy.

– Jednak wiele osób tutaj, w stolicy, konsultuje się ze mną względem tego, co się dzieje na wywiadowczym froncie zachodnim – ciągnął Lissowski. – Zawsze odsyłam ich do ciebie, ale niektórych ludzi nie mogę zbyć w ten sposób. Po prostu mi nie wypada. – Podrapał się za uchem. – Zwrócił się do mnie niedawno sam premier i wydał polecenie: „Zrobić porządek w Gdańsku z tamtejszymi aktami codziennego terroru przeciwko Polakom!" – kontynuował. – Nie mogłem powiedzieć premierowi, że to nie moja sprawa, że się zajmuję czymś innym i że powinien się zwrócić do pułkownika Furgalskiego. – Tu spojrzał na rzeczonego. – Odrzekłem: „Tak jest, panie premierze!", i zatelefonowałem najpierw do ciebie. Nikt z twoich podwładnych nie miał pojęcia, dokąd pojechałeś... Kilka dni później już wiedzieliśmy wszystko o nieudanej akcji „Pralnia". Chcieliśmy teraz tylko porównać to, co wiemy, z waszymi zeznaniami.

Furgalski otworzył papierośnicę i również zapalił.

– Jak pan widzi, kapitanie – wypuścił kółko dymu – wszyscy tutaj jesteśmy teraz ustami premiera... Ma pan zrobić porządek w Gdańsku! To tyle, prawda, drodzy panowie?

Spojrzał na pozostałych członków komisji, jakby szukał u nich potwierdzenia.

– A jak to się wiąże z akcją „Pralnia"? – zapytał Żychoń.

Wtedy zaktywizował się nadinspektor Nagler. Otworzył oczy i poprawił mundur pod szyją.

– Skorygujcie mnie, panowie, jeśli się mylę – rzekł cichym głosem. – Powiem to krótko, bo trochę mi śpieszno. – Wbił ostry wzrok w Żychonia i w Popielskiego. – W Gdańsku, moi panowie, macie zmazać lwowskie przewiny!

Na twarzy kapitana pojawił się rumieniec gniewu. W ostatniej jednak chwili opanował się. Ostra reakcja skierowana ku Naglerowi – generałowi, bo tejże randze odpowiadała szarża nadinspektora – byłaby jawną niesubordynacją i zapowiadałaby poważne kłopoty. Nie mógł jednak patrzeć, jak ten nadęty doktor prawa, żydowski adwokacina, stawia go do kąta. Już otwierał usta, aby go zapytać, w ilu szpiegowskich operacjach wziął udział, kiedy odezwał się nagle Popielski:

– O jakie akty codziennego terroru tu chodzi? – zapytał.

Szef Dwójki się zawahał. Był człowiekiem bardzo akuratnym. Mimo wysokiego stanowiska słynął ze swoich dobrych manier i grzeczności, którą zjednywał sobie podwładnych – od woźnego w Pałacu Saskim do osobistego adiutanta. Uważał, że nie powinien referować jakiegoś zagadnienia, jeśli przy nim siedzi ktoś, kto się na nim zna lepiej. Ponieważ Żychoń występował tu w roli przesłuchiwanego, to o sprawach niemieckich powinien się w tym gronie wypowiadać wyłącznie Lissowski. Budda spojrzał na niego. Lissowski zrozumiał to spojrzenie.

– Od kilku miesięcy dochodzą do nas niepojące wieści z Gdańska. Nasi rodacy, zwykli ludzie, są codziennie poddawani szykanom, nierzadko okrutnym. Bici, zastraszani, upokarzani. Sądzimy, że za tym może stać Oskar Reile. Wie pan, kto zacz?

Popielski kiwnął głową.

– Jego ludzie, zwłaszcza niejaki Reginald Vierk, zarządzają brutalnymi bandami – ciągnął niemcoznawca. – Wśród nich jest wielu zbirów, kryminalistów. To oni atakują Polaków na ulicach.

Furgalski wstał i nieoczekiwanie podniósł głos:

– Musimy zareagować, Popielski! Ukarać tych zbirów! Jednego po drugim. Pan razem z kapitanem Żychoniem. Miał rację pan doktór Nagler, mówiąc o waszych grzechach. Daję wam szansę zmazania lwowskiej winy. Razem naprawcie swoją nieskuteczność! Swoje gapiostwo! Bądźcie w końcu skuteczni, moi panowie. Każda szykana niemiecka ma mieć odpowiednik w szykanie polskiej. Gwałt niech się gwałtem odciska, jak powiedział nasz wieszcz. Był pan, poruczniku Popielski, wspólnikiem kapitana Żychonia w akcji „Pralnia". Nadal pan nim będzie, ale w Gdańsku. Tam będziecie, panowie, działać ramię w ramię! Tam, w Gdańsku. Wraz z kapitanem. Jasne?

Edward poczuł, że robi mu się gorąco.

– To jest rozkaz? – zapytał.

– Tak, to jest rozkaz – odparł powoli Nagler. – Jako nadinspektor policji, jestem pańskim zwierzchnikiem. Zapewniam pana, że podobne zdanie: „Tak, to rozkaz!", usłyszy pan we Lwowie od komisarza Zubika i od komendanta wojewódzkiego inspektora Czesława Paulina Grabowskiego, mojego bliskiego przyjaciela. Jak pan wie, znam dobrze środowisko lwowskie.

Popielski spojrzał na Żychonia. Ten się lekko uśmiechnął.

– Mam porzucić Lwów i rodzinę? – W głosie Edwarda pojawiła się najpierw bezradność, a potem ostry ton. – Ani myślę!

Wstał.

– Lwów tak, rodzinę, nie! – Żychoń uśmiechnął się szerzej.

– To pański pomysł, kapitanie? – Edward z trudem nad sobą panował. Czuł się jak marionetka.

– Tak – odparł zapytany. – Jest nam potrzebny w Gdańsku silny człowiek. Taki jak pan, znający tak dobrze język niemiecki. Poza tym ja idę na dno, prawda, panie pułkowniku? Akcja „Wet za wet" jest moją ostatnią szansą, zgadza się, panie pułkowniku?

Furgalski milczał i ocierał czoło. Dopiero teraz dłuższa przemowa i zachodzące słońce zaczęły wyciskać z niego siódme poty.

– Choć misja lwowska była nieudana, pokazał pan, poruczniku, silną determinację i zaangażowanie – sapał szef Dwójki. – Zorganizował pan świetnie akcję typu „przebieranka". To są działania typowo wywiadowcze. Pan się do tego po prostu nadaje. Nie chcę pana łudzić, jak to robili moi poprzednicy, że może pan liczyć na służbę w Dwójce. Nie, przeszkodą są pańskie sympatie proukraińskie, o których wiemy. Nikt nie byłby lepszy od pana w Centrali do spraw Ukraińskich we Lwowie, ale na przeszkodzie stają pana skrupuły moralne. W Dwójce uchodzi pan za człowieka wojewody wołyńskiego i jego łagodnej polityki wobec naszych rusińskich braci. A doktryna Józewskiego po ostatnich atakach Ukraińców, że wspomnę tylko o zabójstwie posła Hołówki czy zamordowaniu pańskiego kolegi ze Lwowa komisarza Czachowskiego, nie cieszy się tutaj wielką popularnością. – Otarł pot z czoła. – Oficer wywiadu może być przerzucany w różny teren i walczyć przeciwko różnym wrogom – kontynuował wśród posapywań. – Nie tylko przeciwko znienawidzonym przez pana Moskalom. Wiemy o pańskich zasługach w sprawie akcji „Dziewczyna o czterech palcach" i w akcji „Pomocnik kata". Pojawia się tu zasadnicze pytanie: czy jest pan w stanie schować całą swoją sympatię do niemczyzny i działać przeciwko naszym wrogom z zachodu?

Popielski nie zdawał sobie sprawy, jak dużo o nim wiedzą. To szczere wystąpienie pułkownika Furgalskiego otworzyło mu oczy. Już przestał zadręczać się pytaniem, dlaczego Dwójka dwa razy go odepchnęła.

– Nie jestem germanofilem – odpowiedział. – Lecz raczej, jak wielu Galicjan... Właściwie to jestem austrofilem i hungarofilem. Prusacy nie są moimi ulubieńcami, podobnie jak Moskale. – Nagle odwrócił się do Żychonia. – Lubię pana, kapitanie, ale nie zostawię mojego miasta i mojej rodziny, żeby pan nie poszedł na dno. Odmawiam raz jeszcze. – Odwrócił się do drzwi.

– Pochodzę ze Lwowa tak jak pan – usłyszał za plecami głos Naglera. – O pańskiej famie wśród bandytów świadczy to, że o Łyssym śpiewają w naszym mieście piosenki...

Pełne szacunku, ale i, co najlepiej o panu świadczy, pełne nienawiści. Ma pan jednak godnych współpracowników. Komisarz Wilhelm Zaremba może czasowo przejąć pańskie obowiązki. Miasto bez pana się nie zawali. Dręczy mnie pytanie, czy zechce pan nam pomóc w Gdańsku. Działaniami nieformalnymi i brutalnymi, które powstrzymają w końcu zuchwalstwo Niemców. Obaj z kapitanem będziecie biczem na nich, a Abwehra będzie puchnąć od nienawiści do was. A co do pańskiej rodziny...

– Dziewczynka będzie chodziła do polskiego gimnazjum – wtrącił Żychoń. – A pańska dystyngowana kuzynka stanie się ozdobą gdańskich salonów.

Wstał, zaszedł drogę Popielskiemu i wyciągnął rękę.

– Dziękuję, że się pan zgodził.

Edward milczał, lecz po dłuższej chwili podał mu dłoń.

Kiedy wszyscy już wyszli, pułkownik Furgalski jeszcze raz sięgnął po teczkę personalną Popielskiego.

LWÓW, 15 X 29 R.

ŻYCIORYS

Ja, niżej podpisany Edward Aureliusz Popielski, urodziłem się dnia 4 września 1886 roku w Borysławiu z ojca Paulina Popielskiego i matki Zofji z Tchórznickich. Ojciec mój był inżynierem w rafinerji „M. Stern i Spółka" tamże. Dziadowie po mieczu byli właścicielami ziemskimi dóbr Korniłówka w okolicach Korsunia w dawnem województwie bracławskiem. Za udział w powstaniu styczniowem mojego dziada Agamemnona Popielskiego herbu Siekierz spotkały dotkliwe kary ze strony władz carskich: konfiskata majątku oraz zesłanie na Syberję. Mimo szykan udało się memu dziadowi zachować odpowiedni fundusz, który umożliwił studia mojego ojca, a jego syna, na politechnice w Rydze.

Gdy mam lat dziewięć, w roku 1895, giną moi rodzice, zamordowani przez bandytów w czasie podróży kolejowej do Odessy. Ja w tem czasie przebywam w Stanisławowie u wujostwa mego. Po śmierci rodziców wychowaniem mojem i edukacją zajęli się brat mej matki Klemens Tchórzchnicki, profesor geografii w C.K. Gimnazyum I z polskiem językiem wykładowem w Stanisławowie, oraz jego małżonka Władysława z Czerskich. W latach 1897–1905 uczęszczałem do pomienionego powyżej gimnazjum, znaczne postępy czyniąc zwłaszcza w matematyce i w językach klasycznych. Po zdaniu matury w roku 1905, samodzielności większej pragnąc, udałem się bez zgody wujostwa na studia do wiedeńskiej Wyższej Akademii Eksportu Handlowego (Exportakademie), gdzie z oddaniem studiowałem języki obce orjentalne (turecki i perski). Na skromną stancję, wikt i opierunek zarabiałem korepetycjami z zakresu łaciny i greki. Niewystarczające jednak me pobory z racji tych prywatnych lekcyj uzyskiwane zmusiły mnie do zmiany uczelni, na której czesne nie byłoby tak dojmujące. Od roku akademickiego 1906/07 do 1913/14, z pewnemi przerwami spowodowanemi niedostatkiem zdrowia i środków, studiowałem na Uniwersytecie Wiedeńskim – najpierw matematykę, później filologię. Dysertacja pt. *Die Prosodie der griechischen Lehnwörter bei Plautus*, napisana pod kierunkiem prof. Edmunda Haulera, i tytuł *doctor philosophiae* były ukoronowaniem moich długich studiów wiedeńskich. W temże czasie byłem aktywnem członkiem organizacji Polskie Towarzystwo Gimnastyczne „Sokół".

W roku 1914 udałem się do Przemyśla, gdzie podjąłem pracę jako nauczyciel suplent w C.K. Gimnazyum z polskiem językiem wykładowem. Po wybuchu wojny zgłosiłem się do wojska austriackiego jako tzw. jednoroczny ochotnik. Przebywałem w twierdzy Przemyśl i po zdaniu egzaminu oficerskiego awansowałem do stopnia porucznika, a potem nadporucznika zwykłego w styczniu roku 1915. Traf chciał, że doceniono moje zdolności językowe i krótko później zostałem zastępcą adiutanta samego komendanta twierdzy Przemyśl, generała Hermanna Kusmanka von Burgneustädten. Po upadku twierdzy w marcu 1915 dostałem się wraz z dowódcą do rosyjskiej niewoli.

W latach 1915–17 przebywałem w niewoli rosyjskiej w Niżnem Nowogrodzie. Na życie zarabiałem hazardem (karty i szachy). W roku 1917 uciekłem z niewoli i pod fałszywem nazwiskiem dotarłem do Biełgorodu, do rezerwowego pułku Dywizji Strzelców Polskich pod komendą gen. Tadeusza Bylewskiego. W lipcu 1917 r. pod Husiatynem odszedłem z armii carskiej i do 1918 r. ukrywałem się przed Austriakami w rodzinnem

Stanisławowie. W listopadzie tegoż roku, kiedy to miasto stało się stolicą Zachodnioukraińskiej Republiki Ludowej, uciekłem do Lwowa wraz z moją kuzynką Leokadią Tchórznicką, jedyną z rodziny wujostwa Tchórznickich, która ocalała po Wielkiej Wojnie. Niedługo później, dowodząc kompanią ochotników, walczyłem na Persenkówce o miasto Lwów przeciwko ukraińskim oddziałom. W roku 1919 ożeniłem się we Lwowie z aktorką Stefanią Gorgowicz, którą poznałem był kilka lat wcześniej w Wiedniu. (Żona ma zmarła w 1920 przy porodzie zdrowej dziewczynki, której nadałem imię Małgorzata *alias* Margarita, *alias* Rita). W roku 1920 zgłosiłem się na front polsko-bolszewicki i walczyłem na terenie ob. województwa poleskiego i wołyńskiego, głównie w okolicach Mozyrza. Zimą 1920 wróciłem z wojny i wstąpiłem do Urzędu Śledczego Komendy Wojewódzkiej Policji Państwowej we Lwowie, gdzie uzyskałem tytuł aspiranta, a rok później podkomisarza policji. Jesienią i zimą roku 1922 zostałem skierowany do czasowej dyspozycji płk. Mariana Swolkienia, szefa Defensywy Politycznej. Brałem udział w misji „Dziewczyna o czterech palcach" (ściśle tajne) w roku 1922 oraz w misji „Pomocnik kata" (ściśle tajne) w roku 1927. W kwietniu roku 1923 uzyskałem z rąk Pana Ministra Spraw Wewnętrznych awans na komisarza. We Lwowie mieszkam do dnia dzisiejszego przy ul. Kraszewskiego 3.

Z poważaniem

Edward Popielski [podpis czytelny]

Adnotacje służbowe

Dot. umiejętności. Biegła znajomość języka niemieckiego w mowie i w piśmie, bardzo dobra rosyjskiego, słaba: tureckiego i perskiego.

Dot. stanu zdrowia. Podkom. Popielski zataił w przedstawionem życiorysie fakt swej choroby. Od roku 1895 (data śmierci jego rodziców) cierpi na padaczkę światłoczułą (*epilepsia photosensitiva*), której ataki powodowane są przez drgające źródła światła. Ona to zmusiła go do zmiany kierunku studiów z matematyki na filologię (wykłady i ćwiczenia z tej dziedziny odbywały się w Wiedniu akurat popołudniową i wieczorną porą). Aby się uchronić przed napadami choroby, podkom. Popielski nosi czarne cwikiery i za zgodą zwierzchników pracuje głównie w porze nocnej, za dnia śpiąc i pozostając w domu. Choroba podkom. Popielskiego i jego nietypowe nocne działania zostały zaakceptowane przez lwowskiego komendanta wojewódzkiego Policji Państwowej inspektora Waleriana Wilczyńskiego z uwagi na wysoką efektywność działań policyjnych i śledczych.

Dot. moralności i spraw prywatnych. *Primo*. Wielu informatorów uważa, iż podkom. Popielskiego łączy z panną Leokadią Tchórznicką większa zażyłość niż ta pomiędzy kuzynostwem. Podkom. Popielski nie kryje się ze swoją słabością do płci nadobnej i informatorzy przypuszczają, iż jego comiesięczne kolejowe wycieczki do Krakowa (salonką!) w towarzystwie jednej lub dwu młodych kobiet wiadomej reputacji mają charakter pijackich i erotycznych orgij. Do tej pory nie potwierdzono jednak tych pogłosek, wspomnianych kobiet nie zatrzymano ani nie przesłuchano, a zwierzchnicy podkom. Popielskiego (inspektorzy Juliusz Brylewski i Walerian Wilczyński) zaprzeczają zdecydowanie tym doniesieniom, nazywając je plotkami. *Secundo.* W czasie wiedeńskich lat studenckich podstawowem źródłem utrzymania podkom. Popielskiego były nie tylko korepetycje, lecz w wielkim stopniu także hazardowa gra w szachy i w karty w kawiarniach. *Tertio.* W środowisku przestępczem Lwowa podkom. Popielski jest obdarzony przydomkiem Łyssy i cieszy się tam osobliwem respektem jako ten, co zawsze dotrzymuje słowa (danego również czynnikom przestępczym). Tajne śledztwo poprowadzone pod mojem kierunkiem nie wykazało żadnych niezgodnych z prawem umów pomiędzy podkom. Popielskim a temże środowiskiem. *Quarto.* Podkom. Popielski jest z zażyłych stosunkach z wieloma Rusinami, między innymi ze znanym lwowskiem medykiem sądowem dr. Iwanem Pidhirnym. W czasie wojny polsko-bolszewickiej zawarł liczne przyjaźnie z Białorusinami, zna osobiście m.in. gen. Stanisława Bułak-Bałachowicza. Podkom. Popielski wielokrotnie publicznie ogłaszał swoją nienawiść do Sowietów, tudzież swoją wielką atencję wobec Marsz. Józefa Piłsudskiego, a zwłaszcza wobec jego planów federacyjnych.

Dot. policyjnych spraw wewnętrznych. Dnia 18 sierpnia 1926 r. w Więzieniu Karno-Śledczym przy ulicy

Kazimierza Wielkiego 24 we Lwowie został zabity niejaki Józef Miętki, skazany za czyn lubieżny na nieletniej Celinie H. Zabójstwa dokonał i przyznał się do niego osadzony tamże niejaki Franciszek Socha, lat 62. Ponieważ Socha był dawnym informatorem podkom. Popielskiego, a sam podkom. Popielski zareagował bardzo żywiołowo na wieść o zbyt niskim, jego zdaniem, wyroku na Miętkiego i pobił tegoż (zob. artykuły gazetowe z lipca i sierpnia 1926 r.), pojawiły się podejrzenia, jakoby podkom. Popielski był zamieszany w to zabójstwo. O ile mi jest wiadomem, śledztwo w tej sprawie prowadził pokom. Celestyn Brodziński, oddelegowany do Inspektoratu Spraw Wewnętrznych Komendy Głównej Policji Państwowej. Pomieniony śledczy nie stwierdził żadnych nieprawidłowości.

[pieczątka]
Kom. Antoni Cewe
inspektor ds. wewnętrznych
Komendy Głównej
Policji Państwowej
[podpis nieczytelny]

CZĘŚĆ II

LISTOPAD–GRUDZIEŃ 1933
AKCJA „WET ZA WET"

I

W POŁOWIE WRZEŚNIA EDWARD POPIELSKI ZAMIESZKAŁ w Gdańsku przy Pfefferstadt* 54 wraz z kuzynką Leokadią Tchórznicką oraz trzynastoletnią córką Ritą. Wszyscy troje przyjęli nową tożsamość i nowe nazwisko.

Najdalej w ten świat fałszu i kłamstwa – konieczność w pracy wywiadowczej – wszedł sam Edward. Jako pochodzący ze Śląska Cieszyńskiego arystokrata Siegfried von Luzerius pojawił się nad Motławą, by objąć spadek po swoim stryju, antykwariuszu Manfredzie von Luzeriusie. Ten *bon vivant*, bywalec gdańskich salonów, bogaty miłośnik sztuki i wina, sybaryta i poeta, umarł rok wcześniej w wieku lat siedemdziesięciu trzech – bezpotomnie i w stanie kawalerskim. Nikt tutaj – oprócz kapitana Żychonia i dwóch jego ludzi – nie wiedział, że von Luzerius miał tyle swojego majątku, ile włosów na głowie, czyli nic.

Gdańskie meble i starodruki, którymi handlował, niegdyś ozdabiały salony i biblioteki noszącej wprawdzie niemieckie nazwiska, lecz szczerze patriotycznej polskiej arystokracji z Inflant. Kiedy ta po Wielkiej Wojnie zdecydowała się opuścić rodowe gniazda, znajdujące się teraz pod administracją świeżo powstałej Republiki Łotewskiej, wyprzedawała swój majątek różnym spekulantom i spryciarzom.

W ten właśnie sposób kilka cennych sprzętów i zabytków, ozdabiających niegdyś pałace Tyzenhauzów, Manteufflów i Weissenhoffów, dostało się w ręce pewnego Żyda

---

* Obecnie ul. Korzenna.

z Rygi nazwiskiem Hermann Sopolski. Ów kupiec, który miał więcej szczęścia niż talentu do interesów – ścigany za nadużycia przez władze łotewskie – uciekł ze swej nowej ojczyzny do Wolnego Miasta Gdańska, przewożąc dobra ruchome starą, rozpadającą się i dziurawą niemiecką kanonierką.

Tutaj przyjął nazwisko Manfred von Luzerius i wszystkim dokoła opowiadał o swym arystokratycznym pochodzeniu, a nawet sugerował, by tytułować go baronem. Przy Pfefferstadt* 54 w lokalu po dawnej restauracji założył sklep antykwaryczny i zaczął używać życia – na potęgę, lecz zachowując pozory i dobre maniery, które ten syn pachciarza podpatrywał uważnie w polskich pałacach. Ponieważ rozrywki von Luzeriusa były bardzo kosztowne, hulaszcze i ekstrawaganckie – na przykład raz wynajął berlińskiego śpiewaka operowego do umilania sobie morskich kąpieli z nagimi damami lekkich obyczajów – zaczął wyprzedawać drogocenne przedmioty, by pokryć rosnące długi.

Jednym z kupców okazał się kapitan Jan Henryk Żychoń. Obserwując antykwariusza od dawna, wiedział, że opuściła go fortuna, i postanowił to wykorzystać. Zaprzyjaźnił się z bankrutem, co było o tyle łatwe, że obaj mieli podobnie rozbudzone zainteresowanie płcią piękną, i pewnego dnia zaproponował mu spłatę długów. Towarzyski i pozbawiony skrupułów moralnych salonowiec, władający biegle czterema językami – polskim, łotewskim, rosyjskim i niemieckim – okazał się idealnym materiałem na

---

* Obecnie ul. Korzenna.

informatora i agenta. Bardzo szybko zaczął działać w tymże charakterze.

Dwójka przejęła wszystkie jego gdańskie meble i starodruki – jak się okazało, większość z nich była już zastawiona u lichwiarzy – i zobowiązała się wypłacać mu do końca jego agenturalnej działalności rentę dość wysoką, lecz nie na tyle, by mógł się oddawać dawnym wyszukanym uciechom. Warunek tych dochodów był oczywisty – miał dostarczać różnych informacji o gdańskim wielkim świecie. Rzecz jasna, o żadnych ekscesach towarzyskich nie było już mowy, a do wyprowadzenia firmy antykwarycznej na prostą Żychoń zatrudnił zaufanego księgowego z Bydgoszczy nazwiskiem Szymon Ajzenfisz. Powiodło mu się z nawiązką i przedsiębiorstwo jakoś przeszło przez wielki kryzys, a nawet zaczęło zarabiać na czynsz.

Sopolskiego *alias* von Luzeriusa w roku trzydziestym drugim podczas letniego plażowania zabił udar. Na wieść o tym szef polskiego wywiadu pułkownik Teodor Furgalski, podjudzony przez licznych wrogów Żychonia, wahał się, czy nie sprzedać antykwariatu, który, jak ci twierdzili, stał się jedną wielką finansową i wywiadowczą pomyłką. Żychoń wytłumaczył mu jednak, że byłoby błędem pozbywać się placówki, która nie budzi żadnych podejrzeń wroga, a jest świetnym miejscem choćby szpiegowskich spotkań, zwłaszcza że finansowy pełnomocnik firmy prowadzi interes z drobnymi, lecz zauważalnymi sukcesami. Furgalski się zgodził, pod warunkiem że antykwariat zacznie przynosić również wyraźniejsze zyski wywiadowcze. Dał na to Żychoniowi dwa lata.

Okazja pojawiła się po nieudanej akcji „Pralnia". Kapitan przedstawił Popielskiemu propozycję, którą ten zaakceptował. Zgodził się mianowicie udawać bratanka von Luzeriusa, oficjalnie przejąć w spadku firmę, zainteresować się gdańskimi meblami, starymi mapami i książkami, krótko mówiąc – osiąść nad Motławą z rodziną na czas bliżej nie określony.

Leokadia bez wahania przyjęła nowe nazwisko i z pewną satysfakcją zaczęła odgrywać rolę żony Siegfrieda von Luzeriusa, pozostając jednak przy własnym imieniu. Ponieważ jej niemczyzna, w odróżnieniu od francuszczyzny, nie była bez zarzutu, z ulgą zgodziła się na *status quo*, to znaczy aby być po prostu sobą – czyli polską damą, czytującą Flauberta i France'a w oryginale i grającą Chopina. Mało kto wiedział jednak, że wśród jej lektur pojawiał się również Kartezjusz.

Im bardziej ją dławił drobnomieszczański Lwów, pełen plotek i zapiekłych zawiści, tym bardziej pociągało piękne kosmopolityczne miasto z Sopotami – pobliskim nadmorskim kurortem ze wspaniałą Operą Leśną, gdzie latem rozbrzmiewały Wagnerowskie arie i chóry.

Edward wcale nie musiał – a wręcz nie powinien był – powtarzać argumentu Żychonia, iż zostanie ona ozdobą tamtejszego życia towarzyskiego. Leokadia wcale by w to nie uwierzyła.

Po pierwsze, była zbyt krytyczna wobec siebie i swoich możliwości, bo zbyt mocno świat nakładł do głowy tej pięćdziesięcioletniej, ale wciąż bardzo powabnej kobiecie, iż jest niczym innym, jak tylko „starą panną", która powinna do końca życia szydełkować i plotkować z sąsiadkami. Edward tak nie uważał nawet w skrytości ducha. Zbyt szanował swoją kuzynkę i zbyt wysoko cenił jej inteligencję – nigdy nie wymknęła się zatem z jego ust żadna aluzja do takich właśnie staropanieńskich atrakcji czy powinności. Po drugie, Lodzia roześmiałaby się drwiąco, słysząc o sobie jako o zdobywczyni salonów, ponieważ otwarcie kpiła z blichtru i fałszu towarzyskich obowiązków. Śmiała się złośliwie z wymuszonych konwersacji, z mizdrzenia się damulek i z ataków salonowych lwów.

Kiedy jednak usłyszała o opuszczeniu Lwowa i o nie ustalonej dacie powrotu doń – kto wie, może zostaną w Gdańsku *ad Kalendas Graecas*? – oraz o przewietrzeniu się w zdrowym nadmorskim klimacie, błysnęły jej oczy i zaczęła natychmiast sporządzać spis rzeczy do zabrania i do kupienia.

Rita z podobną radością zareagowała na wieść o przeprowadzce do Gdańska. Największą ekscytacją przejęła ją wiadomość, iż pod przybranym nazwiskiem będzie chodzić do koedukacyjnego gimnazjum. Dorastająca panienka interesowała się filmem, marzyła o pójściu w ślady matki – przedwcześnie zmarłej aktorki – i doskonale wiedziała, że Pola Negri czy Ina Benita, robiąca ostatnio furorę po filmie *Puszcza*, też nosiły wcześniej inne, pospolite nazwiska. Przyjęcie pseudonimu dziewczynka uważała za pierwszy krok ku karierze artystycznej, a nazwisko „von Luzerius" bardzo się jej podobało.

Jedynie trzecia kobieta we lwowskim mieszkaniu przy Kraszewskiego, czyli służąca Hanna Półtoranos, była nieszczęśliwa, bo jej ukochani państwo – a wraz z nimi „mucko najmilejsze", jak nazywała Ritę – wyjeżdżali gdzieś na kraj świata, a ona musiała zostać sama w wielkim mieszkaniu, którego pustka i cisza napełniała poczciwą niewiastę prawdziwą melancholią.

Dawne hanzeatyckie miasto w połowie września powitało „von Luzeriusów" prawie letnią pogodą. Edward, który już tu przebywał z misją wywiadowczą jedenaście lat wcześniej, z pewną obojętnością patrzył na to wszystko, co wprawiało Leokadię w prawdziwy zachwyt: budowle publiczne masywne, lecz wizualnie lekkie dzięki ażurowym, koronkowym ornamentom; domy wysmukłe o zwieńczeniach szpiczastych i tarasach przy wejściu – gdzie wieczorami gromadziły się wśród wspólnych śpiewów całe rodziny. Jej muzykalne ucho pieścił dialekt kaszubski – pełen syczących dźwięków – i dziwna niemczyzna, zwana „*danzjer Missingsch*", która wszędzie wstawiała „j", gdzie w standardowym języku było „g". Jej artystyczna dusza kontemplowała gdański gotyk, a podczas samotnych nadmorskich wycieczek bladym świtem budziły się w jej umyśle nieokreślone impresje.

Kto inny być może próbowałby je uchwycić czy nadać im poetycki kształt. Leokadia nie robiła tego nigdy, a na zachęty Edwarda, by poświęciła się poezji, z ironicznym uśmiechem nieodmiennie cytowała Rachelę, swoją ulubioną bohaterkę z *Wesela* Wyspiańskiego: „Lichą formą się brzydzę".

Dla Rity natomiast cały Gdańsk mógłby nie istnieć. Do spełnienia jej emocjonalnych potrzeb całkowicie wystarczała nowa szkoła – wielkie, nowoczesne gimnazjum, zbudowane kilka lat temu przy Am Weissen Turm* na terenie dawnych koszar przy Bastionie Świętej Gertrudy. Swoje koleżanki i kolegów zaakceptowała natychmiast, z wzajemnością. Zaadaptowała się do szkolnego środowiska tak łatwo, ponieważ ono samo było jakby wyizolowane z zalewu niemczyzny, w jakimś sensie wyobcowane – i stąd skłonne do integracji.

W Gimnazjum Macierzy Polskiej wśród uczniów i nauczycieli mało było rdzennych gdańszczan. Owszem, zdarzali się nieliczni Kaszubi, ale i oni na początku czuli się obco, gdyż musieli się uczyć literackiej polszczyzny. Oprócz nich uczęszczała tu młodzież z rodzin kupieckich, urzędniczych czy kolejarskich. Przedstawiciele tych profesji przyjechali do Gdańska zwabieni posadami w polskich instytucjach – dobrze płatnymi, niekiedy wręcz dubeltowo w porównaniu do warunków krajowych. Nic dziwnego, że gimnazjaliści – jakby broniąc się przed szykanującymi ich wszędzie Niemcami – szukali siły w swej wspólnocie i chętnie przyjmowali podobnych sobie.

Rita już po dwóch dniach nauki biegała radośnie po domu i opowiadała ojcu i ciotce, którą musiała nazywać – dość niechętnie zresztą – mamą, o kolegach i koleżankach z klasy, o dziwactwach nauczycieli, o srogości dyrektora Jana Augustyńskiego, zwanego Augustem, który zgodnie ze swym przezwiskiem – a jakże! – uczył łaciny i kultury klasycznej. Najbardziej zdumiewała ich opowieściami o „wariatce", która zajmuje małe mieszkanko w budynku

---

* Obecnie ul. Augustyńskiego.

gimnazjum i udziela darmowych korepetycji z języków obcych. Owa kobieta miałaby być córką słynnego pisarza – równie zwariowanego – nazwiskiem Przybyszewski. O tym literacie i ojciec, i ciotka – kiedy ich w końcu dziewczynka dopuściła do głosu – wypowiadali się zresztą dość lekceważąco, co Ritę nawet ubodło, bo odebrała to jako drwinę z jej „nowej, wspaniałej budy".

Denerwowało ją też codzienne odprowadzanie do szkoły. Ten rytuał był o tyle nieznośny, że ojciec ponad pół godziny prowadził ją okrężną drogą, wzdłuż Motławy, chcąc, by córka poznała miasto od jego najbardziej charakterystycznej strony – starego portu. Całą drogę albo jej przedstawiał przeczytane w przewodniku informacje o mijanych budynkach, albo odpytywał ją z łaciny – po tym jak profesor Augustyński powiedział mu, iż Rita nieco odstaje od reszty klasy w tym zakresie. I jedno, i drugie było dla niej śmiertelnie nudne, wymuszone i nienaturalne. Na szczęście za chwilę wchodziła do miłego sobie świata – pełnego młodych ludzi ze swoimi własnymi problemami i sekretami.

Edward, odprowadziwszy Ritę, wracał również piechotą – szybszą jednak trasą – do dużego parterowego trzypokojowego mieszkania na tyłach antykwariatu „Von Luzerius" przy Pfefferstadt* 54. Mieścił się on w zabytkowym budynku, na którego dachu była jakby dobudówka – ponoć pracownia słynnego siedemnastowiecznego astronoma Jana Heweliusza.

---

* Obecnie ul. Korzenna.

Po trzech tygodniach pobytu Popielski rozpoczął swą tajną działalność. Na razie polegała ona na rutynowych spotkaniach, w czasie których kapitan Żychoń niezmiennie informował swego nowego agenta o pseudonimie „Zygfryd" o tym, że – jak na razie, dzięki Bogu – brak konieczności działań odwetowych. Było to dwójkarzowi bardzo na rękę, gdyż ostatnie tygodnie miał wypełnione skomplikowanymi negocjacjami z Niemcami na temat cichej wymiany ciała Arendarskiego na zwłoki Adelhardta. Udało mu się zresztą tego dokonać w połowie listopada. Szczątki spoczęły w Gdańsku – na różnych jednak cmentarzach.

Panowie spotykali się zatem dość rzadko i w dwóch jedynie lokalizacjach. Jedna z nich była miejscem publicznym – słynna restauracja Pod Zielonym Sklepieniem przy Lange Brücke* 14, tuż obok starego, sczerniałego żurawia portowego. W drugiej omawiali sprawy pilne i ściśle tajne. Takim właśnie spotkaniom służył mały gabinet na zapleczu gdańskiej filii Związku Pracowników Kupieckich z siedzibą w Poznaniu.

Owa polska instytucja mieściła się w reprezentacyjnej kamienicy przy Pfefferstadt 1, tuż obok Ratusza Staromiejskiego – blisko mieszkania Edwarda. Był to dom towarowy, na którego parterze rozpierały się sklep kolonialny i delikatesy. Na pierwszym piętrze swe biura miały małe przedsiębiorstwa spedycyjne, a na drugim pięć pokoi zajmowali jakiś spedytor oraz inny przedsiębiorca – dystrybutor wyrobów hutniczych i rur żelaznych, który za nazwę swej firmy

---

* Obecnie Długie Pobrzeże.

przyjął łaciński rzeczownik *robur*, oznaczający siłę, tężyznę, krzepę.

Biuro polskiej instytucji związkowej znajdowało się na samym końcu korytarza. Był to jeden pokój, który miał na tyłach zamykane małe archiwum o ścianach wybitych korkiem – pomieszczenie tak miniaturowe, że dwaj siedzący tam ludzie stykali się kolanami. Miało ono pod sufitem małe okienko wychodzące na szyb wentylacyjny. Wszystko wskazywało na to, że służyło niegdyś jako ubikacja i tak właśnie zostało nazwane przez Żychonia i Popielskiego.

Tam właśnie teraz, na początku listopada, siedzieli i dotykali się kolanami „Zygfryd" i jego oficer prowadzący. Ich głowy spowijał tytoniowy dym.

– Nic pilnego – uśmiechnął się Żychoń. – Po prostu nadszedł czas, aby poznał pan ludzi, z którymi będzie pan tutaj współpracował.

Popielski się ucieszył. Już mu doskwierała ta służbowa bezczynność, tym bardziej że ostatnio życie rodzinne nie układało się aksamitnie. Leokadię po pierwszym okresie wielkiego zachwytu i entuzjazmu dla nowego miasta ogarnęła teraz jakaś listopadowa melancholia. Wieczory spędzała markotna, a jej małomówność, którą zwykle tak doceniał, zdała mu się obecnie zagadkowa i niepokojąca. Postępy Rity w nauce również nie były olśniewające, a jej wychowawczyni, pani profesor Augustyńska, żona dyrektora, zatelefonowała któregoś popołudnia do „pana von Luzeriusa" i zwróciła mu uwagę na krnąbrność jego córki „okazaną podczas przygotowań do jasełkowych inscenizacyj".

– Co to za ludzie, których mam poznać? – zapytał Popielski. – Od mokrej roboty?

Kapitan pokiwał głową w milczeniu.

– Zanim się pan z nimi spotka, zgłosi się do pana mój człowiek, o którym rozmawialiśmy w Warszawie. On panu ich przedstawi. Pamięta pan hasło i odzew?

Edward przypomniał sobie, jak kilka miesięcy temu po rozmowie z mandarynami polskiego wywiadu poszli do baru Setka przy Marszałkowskiej i jak przy karpiu z kluseczkami i ćwiartce wódki usłyszał wygłoszone zdecydowanym tonem zdanie: „Niech pan nikomu tam nie ufa w tym Gdańsku! Nikomu!".

– „Wet za wet" – powiedział Popielski. – To hasło. A odzew to „Księga Wyjścia 21, 24".

– Dobrze. – Żychoń sięgnął do wewnętrznej kieszeni marynarki i wyciągnął z niej kartkę. – Zainteresowanie pańską osobą rozchodzi się powoli po mieście. Czas zacząć to zainteresowanie podsycać, aby pan wniknął głębiej w środowisko. – Spojrzał na kartkę. – Tu ma pan spis gości, którzy powinni być zaproszeni na uroczyste otwarcie pańskiego antykwariatu. Oczywiście przygotowaniami zajmie się niezastąpiony Ajzenfisz.

Popielski wziął kartkę, lecz jej nie otwierał. Potarł palcami oczy i zrobił zdziwioną nieco minę, jakby dopiero teraz sobie przypomniał, że do jego gdańskich obowiązków należą nie tylko działania odwetowe, ale i typowo wywiadowcze: rozpoznawanie agentów Abwehry i werbowanie wśród tutejszej elity agentów dla Dwójki. A to nie mogło się obyć bez zadzierzgnięcia kontaktów towarzyskich. Temu właśnie miało służyć przyjęcie z okazji ponownego otwarcia antykwariatu „Von Luzerius".

Otworzył kartkę i spojrzał teraz na osiem nazwisk.

– Najważniejsze są trzy osoby na tej liście, pozostałymi zajmie się pan w dalszej kolejności – powiedział Żychoń. – Po pierwsze, SS-Untersturmführer Reginald Vierk. Bliski przyjaciel Reilego, miłośnik dzieł sztuki. Dziwna mieszanina brutalności i artystycznych zainteresowań. Awangardowy poeta, dość dobrze tu znany. Miał kilka wieczorów autorskich. Bardzo bogaty, jeździ w mundurze SS automobilem, pochodzi ze starej rodziny junkierskiej z Prus Wschodnich. Był w dobrych stosunkach z pańskim stryjem, *Herr* von Luzeriusem, kupował od niego obrazy, a nawet jakieś zamawiał... Nie wiemy, co to było. Zmarły nie był zbyt skrupulatny w zapisywaniu transakcyj. Pan Ajzenfisz też nam tutaj wiele pomógł. Mam niejasne przeczucie, że może tu chodzić o obrazy bardzo, ale to bardzo nieprzyzwoite.

– Skąd to pańskie przeczucie?

– Nie odpowiem. – Żychoń się skrzywił. – Nie chcę niczego panu sugerować...

Pochylił się i postukał palcem w drugie nazwisko.

– Senator Erich von der Nieeuwe i jego córka Paula. On to niezwykle sprytny polityk, stary lis, miłośnik intryg, gdańskich szaf i nowoczesnej architektury. Pochodzi ze starej holenderskiej rodziny osiadłej w Gdańsku od wieków. Ma w senacie wielu przyjaciół, których potrafi skutecznie przekonywać do różnych przedsięwzięć. Poznanie jakichś jego słabości, a w konsekwencji zwerbowanie go to moje marzenie.

– Rozumiem. A jego córka?

– Rozkapryszona, chimeryczna. Powiadają o niej, że lubi
łowić ryby po obu stronach strumienia, jeśli wie pan, co
mam na myśli...

– Miłośniczka zabaw z kobietami? – Popielski nie zapanował już nad lubieżnym uśmiechem.

Żychoń potwierdził skinieniem głowy i zgasił papierosa.

– Ale ta jej słabość skądinąd wcale nie taka wstrętna
nam, mężczyznom... – Również się uśmiechnął. – Tej słabości nijak nie wykorzystamy, panie poruczniku. Ona się
jej wcale nie wypiera, a jej senatorski ojciec ponoć bardzo
pobłaża swej jedynaczce i przymyka oko na wywoływane
przez nią skandale. Teraz jednak rysuje się nowa sytuacja.
Narodowi socjaliści, którzy doszli do władzy na początku
roku, wydają się niezbyt łaskawi dla takich ekscentryków.
Dowiedziałem się o tej pannie czegoś, co może nam się
przydać. Otóż uwielbia ona walki atletów. Podziwia zmagania osiłków ze zdeformowanymi uszami. Myślę, że może się
panem zainteresować. Że zechce się z panem bliżej zazna-
jomić, jeśli pan wie, co mam na myśli... Pytała kogoś o pana.

Popielski otworzył usta ze zdumienia.

– Czy ja mam zdeformowane uszy?

– A to dobre! – Kapitan klasnął dłonią o udo. – Nie udało
się panu stłumić zainteresowania, oj, nie udało! – Pochylił się
ku Edwardowi. – Atleci są postawni i łysi! Zna pan kogoś
takiego? Bo ja chyba tak.

II

PRZYJĘCIE Z OKAZJI PONOWNEGO OTWARCIA antykwariatu „Von Luzerius" zorganizowano tamże – w dwóch salach, gdzie na co dzień eksponowano meble i dzieła sztuki. Trzypokojowe mieszkanie właściciela, które było połączone z salami wystawienniczymi małym korytarzykiem z oszklonym sufitem-świetlikiem, nie zostało udostępnione gościom. W korytarzyku tym, służącym za kantor księgowemu i plenipotentowi firmy, kręciła się teraz zaaferowana Rita i zamiast się uczyć, co surowo nakazał jej ojciec, co chwila uchylała drzwi i obserwowała gości, którzy byli bardzo rozbawieni lub takowych udawali.

Przyjęcie odbyło się w ostatni dzień listopada – w noc Świętego Andrzeja. To święto było popularne tak w Gdańsku, jak i w całej Europie Środkowej – głównie wśród panien – ponieważ bawiono się wtedy we wróżby, które dotyczyły zamążpójścia. Były one często bardzo zaskakujące dla postronnego obserwatora. Na przykład w ten właśnie wieczór dziewczęta, odwrócone plecami do drzwi, rzucały pantoflami za siebie. Ich koleżanki stały przy futrynie i bacznie obserwowały, czy pantofel trafia w drzwi swym czubkiem – jeśli tak było, oznaczało to zamążpójście w ciągu najbliższego roku. Rita, wiedząc o tym zwyczaju, nie chciała go przegapić.

W antykwariacie i w sąsiadującym z nim mieszkaniu znajdowały się w tym czasie tylko trzy niewiasty stanu wolnego.

Wdową była pani Irena Arendarska. Ta platynowa blondynka o falujących włosach sięgających do połowy smukłej szyi zdawała się nie przejmować tym, iż jej mąż został pochowany dwa tygodnie wcześniej. Była bowiem nieco prowokacyjna wobec mężczyzn – nie wyłączając gospodarza przyjęcia.

Stała na środku pierwszej sali antykwariatu w długiej czarnej sukni obszytej tu i ówdzie aksamitnymi dodatkami szarej barwy, z papierosem w jednej dłoni i lampką szampana w drugiej. Otoczona przez trzech młodych mężczyzn, śmiała się głośno – zupełnie nie *comme il faut* – i tupała pantoflem w miękki gruziński dywan.

Miała trzydzieści pięć lat, lecz wyglądała na znacznie mniej. Leokadia, druga obecna tu kobieta stanu wolnego, krótko po tym jak wdowa została jej przedstawiona, szepnęła do swego kuzyna, wskazując ją oczami:

– No cóż, drogi Zygfrydzie, wolałabym sobie oszczędzić tego żałosnego widoku, kiedy tynk z buzi tej pani zacznie po przyjęciu odłazić, jak nie przymierzając jej farba do włosów. – A widząc zdziwione spojrzenie swego rozmówcy, dodała: – No, co się tak patrzysz, lepiej spójrz na nasadę jej włosów na czubku głowy. Czy ty musisz zawsze wykazywać tyle cielęcego zachwytu, gdy widzisz jakąś farbowaną blond kokotę? Wdowę, która się przymila do mężczyzn, choć jej mąż kilka dni temu spoczął w świętej ziemi?

Ukazała w uśmiechu równe białe zęby i – nie przejmując się konwenansami – popukała się lekko w czoło. Czas był dla niej łaskawy. Mimo pięćdziesiątego roku życia odznaczała się wciąż gładką, niemal alabastrową cerą, choć ciemne niegdyś włosy lekko farbowała w domu zaprzyjaźnionej fryzjerki i w tajemnicy przed Edwardem. Owionęła go waniliowym zapachem perfum, podeszła kilka kroków w stronę większego towarzystwa i podjęła rozmowę po francusku z Bolesławem Arendarskim, bratankiem zaginionego, który oficjalnie został tutaj zaproszony jako opiekun swojej stryjenki Ireny.

Trzecią kobietą, która własne zamążpójście miała zapewne w głębokim poważaniu, była panna Paula von der Nieeuwe – szczupła, wysoka dziewczyna w samym kwiecie lat dwudziestych. Jej delikatne rysy, nie podkreślone żadnym makijażem, kontrastowały mocno z męskim odzieniem – grubym wełnianym garniturem i ręcznie tkanym krawatem z dzianiny. Smukłymi dłońmi, na których lśniły ciężkie sygnety, gestykulowała żywo i rozprawiała o czymś z zapałem. Dwie nieco starsze od niej niewiasty w sobolowych futrach – żony przedsiębiorców okrętowych, którzy w drugiej sali właśnie zasiadali do skata z jej ojcem – patrzyły na nią zdumionym wzrokiem, w którym niechęć mieszała się z fascynacją.

Tymczasem przyjęcie trwało w najlepsze. Dym zasnuwający pomieszczenia zdawał się niektórym uczestnikom zupełnie nie przeszkadzać w podziwianiu starych sztychów, obrazów o treści marynistycznej oraz liczących dwieście lat mebli ustawionych pod ścianami. Złota draperia zasłaniająca blaty stołów nadawała temu wieczorowi jakiegoś dekanckiego uroku. Trzej kelnerzy, wynajęci z eleganckiego hotelu Danziger Hof przez pana Ajzenfisza, roznosili na tacach kieliszki ze słynną gdańską wódką.

Popielski ujął jeden z nich i spojrzał na pływające w przezroczystym płynie płatki złota. Upił mały łyk. Nie smakowało mu – menonici, którzy ją od wieków produkowali, sami będąc zresztą zaprzysięgłymi abstynentami, nie żałowali ziół. Odstawił kieliszek na tacę i podszedł do stołu z zakąskami. Polecił kelnerowi obsługującemu to stanowisko, by nałożył mu na talerz pokrojonych ozorów baranich i polał je kaparowym sosem. Zadysponował też dwie różyczki kalafiora, które wraz z mięsem z raków pływały w sosie śmietanowym.

– Nie lubi pan naszej ukochanej Goldwasser, panie von Luzerius? – usłyszał za swym ramieniem. – Ja też nie. Wolę raczej jałowcówkę Machandel!

Podczas gdy obecni tu mężczyźni – z wyjątkiem senatora von der Nieeuwego, który wbił się w przymały nieco surdut – nosili smokingi i śnieżnobiałe koszule z muszkami, to ten, który się do niego teraz uśmiechał, był ubrany zupełnie inaczej. Nosił świetnie skrojony czarny galowy mundur tak zwanej eskadry ochronnej partii NSDAP. Pod jego podbródkiem widniały dwie litery „S" z nazwy Schutzstaffel, przedstawione w postaci dwóch błyskawic.

– A, pan Reginald Vierk – uśmiechnął się gospodarz. – Przepraszam, zapomniałem pańskiej szarży...

– Nieważna jest moja ranga... – Mężczyzna wziął go pod ramię i skierował w stronę małego wolnego stolika. – Czymże są szarże, tytuły? Czyż nie snem jest, zdaniem poety, całe życie ludzkie? Usiądźmy tu, panie von Luzerius, porozmawiajmy. Już dawno chciałem pana poznać.

Było coś odpychającego w tym młodym, atletycznie zbudowanym mężczyźnie średniego wzrostu. Gdy szedł, zdawało się, że drgają mu mięśnie i żyły na grubym karku.

Miał gęste czarne włosy i ciemny zarost na potężnej kwadratowej szczęce. Zdawać by się mogło, że Stwórca wziął ją od całkiem innego – dużo większego – przedstawiciela *homo sapiens* i przykleił do tego młodego ciała. Jego posiadacz wciąż uśmiechał się przymilnie, ale kiedy mówił, ujawniała się wada zgryzu i górna żuchwa zachodziła na dolną, upodabniając go nieco do rekina.

Popielskiemu nie podobało się to, że musi przerwać jedzenie, którego jak dotąd nie zdążył nawet dobrze skosztować. Nie był też zachwycony bezceremonialnością swego gościa, który rządził się na jego własnym przyjęciu. Poza tym nie lubił drapieżników wygłaszających banały. Milczał zatem.

– Niech pan sobie nie przeszkadza – powiedział Vierk. – Proszę jeść, ja będę mówił o tym, co kocham. O dziełach sztuki, o obrazach, o poezji...

Umilkł nagle i – wbrew tej zapowiedzi – nie mówił o niczym. Nie spuszczał przy tym z gospodarza czarnych, głęboko osadzonych oczu.

– Bardzo mi miło poznać pana, panie Vierk – von Luzerius przerwał tę niezręczną i irytującą ciszę. – Był pan przyjacielem mojego stryja Manfreda?

Vierk pobębnił po blacie stolika staranne wypielęgnowanymi palcami. Na jednym z nich błyskał srebrny sygnet ze swastyką i z wygrawerowaną czterocyfrową liczbą.

– Jestem rozczarowany. – Już się nie uśmiechał. – Nie oczekiwałem, że rozpozna pan cytat z Calderona, ale pan jeszcze bardziej mnie zawiódł. Pan od razu chce mi coś sprzedać. Bo wszak to się kryje w pańskim pytaniu, nieprawdaż?

Pan pyta: „Czy był pan przyjacielem stryja Manfreda?", ale tak naprawdę chce wiedzieć, czy byłem jego klientem, *n'est-ce pas?** I co kupowałem u niego, bo może i ten towar uda się panu opylić...

Edward uznał, że w tym mężczyźnie nie podoba mu się kontrast. Widoczny był on w jego aparycji – brutalność *contra* delikatność – jak i w wysławianiu się. Tu poezja, a tam prostackie słowo „opylić".

Wiedział, którą drogą ma teraz pójść. Przygotował się do rozmowy z tym człowiekiem, który, jak twierdził Żychoń, interesował się filozofią.

– Wbrew Schopenhauerowi świat nie jest tylko ślepym pędem i wyobrażeniem – odparł. – Że tak skrytykuję człowieka, który mieszkał kilometr stąd. To my przycinamy świat do naszych imaginacyj. Zawiodłem pana? Nie. Ja po prostu nie przystaję do pańskich wyobrażeń, które są mi zresztą zupełnie obojętne. Proszę pozwolić mi zjeść w spokoju, a potem chętnie podyskutuję z panem o grze cieni w Platońskiej jaskini.

Vierk zmienił się na twarzy. Wstał od stolika i poszedł szybkim krokiem w stronę kelnera z zakąskami. Po chwili z rozmachem postawił przed Popielskim talerz.

– Niech pan je! Proszę! – powiedział. – To kiszona kapusta ze smażonym szczupakiem. Polecam. Ponoć uwielbiał ją wspomniany przez pana gdański filozof. – Pochylił się ku gospodarzowi i szepnął: – Najbliżsi przebudzenia jesteśmy wtedy, gdy nam się śni, że śnimy. – Wyprostował

---

* Czyż nie? (fr.).

się. – Polubiłem pana bezpośredniość, von Luzerius. A pan? Polubił pan moje zagubienie?

Nie czekając na odpowiedź, odszedł ku grupce kilku rozbawionych mężczyzn, którzy najwyraźniej zamierzali zagrać w jakąś grę towarzyską. Wysokim i nieco zachrypniętym z ekscytacji głosem zachęcała ich do udziału w zabawie panna Paula von der Nieeuwe. Spojrzała i na gospodarza wzrokiem zamglonym nieco przez alkohol.

– Pan do nas nie dołączy, panie von Luzerius? – zwróciła się do niego z szelmowskim uśmiechem. – Kto wygra, dostanie nagrodę andrzejkowej nocy! Nie chciałby pan poszybować dziś ze mną na triumfalnym rydwanie?

Jakakolwiek obietnica by się kryła pod tą metaforą, to Popielskiemu wyczerpał się już zasób bon motów. Był spięty i poirytowany towarzystwem tych odmieńców, wysoką temperaturą w pomieszczeniu oraz zbyt ciasnymi lakierkami, jakie dzisiaj zakupił w Danziger Kaufhaus na Lange Brücke*, niedaleko restauracji Pod Zielonym Sklepieniem.

W milczeniu pokręcił głową, udając brak zainteresowania czynnym udziałem w tej nie znanej mu grze, i przyglądał się dalszym poczynaniom graczy, którzy skupili się wokół stolika w liczbie pięciu – wśród nich Vierk – i byli najwyraźniej dopingowani przez córkę senatora.

Kelner z butelki z napisem „Machandel" nalał trunku do dużych kieliszków. Wokół rozszedł się silny jałowcowy zapach. Po chwili w każdym kieliszku znalazła się suszona śliwka nabita na wykałaczkę.

---

* Obecnie Długie Pobrzeże.

Mężczyźni po kolei wyjmowali owoce i je zjadali. Trzymając potem pestkę pod policzkiem, wypijali trunek, a pestkę wypluwali do pustego kieliszka. Kiedy wszyscy już to zrobili, panna von der Nieeuwe krzyknęła:

– Teraz łamać swe maszty, chłopcy!

Wszyscy gracze w jednym prawie momencie włożyli wykałaczki do kieliszków, oparli je na wyplutych pestkach, złamali i położyli przed sobą. Dziewczyna skrupulatnie porównywała ich długości.

– Pana maszt jest najdłuższy, panie Arendarski. – Spojrzała na opiekuna wdowy. – Cieszę się, że to właśnie pan!

Bolesław Arendarski roześmiał się radośnie, aż błysnęły jego białe zęby. Był wysokim, przystojnym brunetem. W gęstej fali zaczesanych na czoło włosów błyskały nitki siwizny. Ze swoim dwudniowym zarostem przypominał włoskiego gondoliera albo silnego portowego robotnika, który przez pomyłkę wcisnął w smoking swój muskularny korpus.

Edward nie ukrywał rozczarowania. Równie dobrze mogliby łamać zapałki, by sprawdzać, czyja jest najdłuższa. Albo porównać długość podeszew swych butów.

„Ależ konkurencja! – pomyślał zgryźliwie. – Doprawdy boki zrywać!"

Po chwili złagodził nieco swój ostry osąd tej gry, gdy się okazało, że zwycięzca otrzyma całą butelkę machandla, który miał ufundować nieszczęśnik o najkrótszym „maszcie".

– Sztubacka rozrywka! – szepnął, nie zmieniwszy jednak zasadniczo zdania na temat tej konkurencji.

Poszedł teraz do drugiej sali, gdzie bawili bardziej zrównoważeni goście, wśród których dominowali portowi przedsiębiorcy i stateczni mieszczanie – jak na przykład senator Erich von der Nieeuwe. Nie było tu Leokadii.

„Najwidoczniej znudziły się jej salonowe harce" – pomyślał.

Wdał się w lekką towarzyską rozmowę z przedstawicielem władz miasta. Von der Nieeuwe w swym staromodnym surducie i z równie staromodną fryzurą – kępki włosów sterczące w nieładzie okalały wokół łysą głowę – przypominał grubego skrzata o mądrym spojrzeniu. Uważnie słuchał, gdy von Luzerius nieco zbyt emfatycznie opisywał nowoczesny zamek, jaki niedawno prezydentowi Polski postawiono w rodzinnej miejscowości antykwariusza – jakiejś odległej Wiśle. Wypytywał gospodarza o szczegóły architektoniczne i głośno się zastanawiał, czy jego miasto stać by było na taką inwestycję i kto byłby jej godzien. To, że nie podał tu nazwiska Adolfa Hitlera, podniosło wartość rozmówcy w oczach Popielskiego.

W obu salach ustawiono tyle krzeseł, ilu było gości, i przygotowywano się do zaserwowania im ostatnich kulinarnych atrakcji. W drzwiach pomiędzy salami stanął gospodarz i wygłosił napisaną wcześniej i wyuczoną na pamięć mowę, w której podziękował uczestnikom przyjęcia za miły wieczór i zapewnił o swej misji upiększania ludzkich siedzib. Na koniec zaprosił wszystkich na danie główne i deser.

– Nie jestem gdańszczaninem, pochodzę z południa Polski, z gór Śląska Cieszyńskiego – mówił donośnym głosem w całkowitej ciszy. – Lecz chcemy tu z żoną osiąść na stałe, nad Bałtykiem znaleźć naszą nową ojczyznę. Chcemy poznać zapach niesiony przez wiatr od morza i niezwykłą mieszaninę smaków: dziczyzny owianej iglastym powiewem i egzotycznych przypraw, które przypłynęły z dalekich portów. To wszystko, mam nadzieję, znajdą państwo w naszym ostatnim przed deserem daniu.

Spojrzał na kelnerów.

– Proszę wnieść duszoną dziczyznę z anyżem, gałką muszkatołową, szafranem, imbirem i cynamonem. Proszę smakować potrawę! Proszę smakować życie!

Usiadł wśród braw i po chwili jadł wyborne danie główne, konwersując z senatorem nieśpiesznie na kolejne błahe tematy. Nikt go nie pytał o powody opuszczenia gości przez Leokadię. Każdy może i zastanawiał się nad nieobecnością pani domu, ale nie chciał męczyć gospodarza krępującymi pytaniami. We Lwowie pojawiłyby się zaraz plotki i złośliwe spekulacje.

Popielski nie uważał, że nieobecność gospodyni jest czymś niestosownym, ona go po prostu niepokoiła.

„Może się źle poczuła?" – pytał sam siebie.

Przy deserze – znakomitej kombinacji śmietany, cukru i prażonych migdałów, zwanej gdańskim mlekiem – pobiegł do mieszkania przez korytarzyk-kantor.

Rita spała już w swoim pokoju, leciutko pochrapując. Leokadia siedziała w fotelu z papierosem i czytała francuską książkę.

– Mam migrenę – oznajmiła sucho. – Przepraszam, Edwardzie!

– No tak, współczuję ci – powiedział ciepło i położył dłoń na jej ramieniu. – Nie powinnaś palić.

Nie odezwała się. Edward pogłaskał ją po głowie i wyszedł z pokoju do salonu. W pomieszczeniu tym było okno, które wychodziło na kantor-korytarzyk pana Ajzenfisza. Zza szyby doszedł jakby zgrzyt, a potem stłumiony jęk.

Popielski zgasił światło i podszedł do tego okna. Uchylił lekko zasłonę. Za sobą usłyszał ciche kroki Leokadii.

– Tak – powiedziała cicho. – Tam się odbywa coś, o czym ty bez przerwy myślisz!

Przesunął nieco zasłonkę i ujrzał mężczyznę leżącego na biurku. Za nim stał inny mężczyzna, który nagle spojrzał w okno i natrafił na wzrok Popielskiego. Szarpnął się do tyłu, zapiął spodnie i uciekł z kantoru. W słabej poświacie przefiltrowanej przez świetlik nad biurkiem Popielski rozpoznał w uciekającym człowieku Bolesława Arendarskiego.

Drugi uczestnik tego aktu wstał z biurka i poprawił krawat.

– Sodomici? – szepnął Edward.

– Nie każdy, kto nosi krawat, jest mężczyzną – powiedziała sentencjonalnie Leokadia, stanąwszy obok kuzyna.

Panna Paula von der Nieeuwe zauważyła ich i bynajmniej wcale nie skrępowana, pomachała im przyjaźnie ręką. Potem podciągnęła spodnie od garnituru, poprawiła marynarkę na biodrach i wyszła z kantoru. To było właśnie owo „szybowanie na triumfalnym rydwanie".

Popielski pomyślał, iż „gra w najdłuższy maszt" wcale nie jest taka głupia.

III

DWIE UCZENNICE KLASY PIĄTEJ GIMNAZJUM Macierzy Polskiej, Cecylia Zielińska i Wanda Dargacz, skończyły lekcje o wpół do drugiej i ruszyły szybkim krokiem w stronę dworca Petershagen*, skąd zaczynała swą trasę kolejka podmiejska. Chciały zdążyć na pociąg na Dworzec Główny, aby tam przesiąść się na kolejny podmiejski – do Oliwy, gdzie obie mieszkały.

Czternastoletnia Cecylka była córką inżyniera Lucjana Zielińskiego, prezesa Spółki Akcyjnej dla Handlu Polskim Drewnem. Ten zamożny przedsiębiorca i miłośnik motoryzacji codziennie rano jeździł do biura automobilem i zanim zaparkował przed swoją firmą przy Olivaer Tor**, podwoził córkę do polskiego gimnazjum przy Am Weissen Turm***. Od dwóch lat stale towarzyszyła im najbliższa przyjaciółka dziewczynki i jej koleżanka z ławy szkolnej Wanda Dargacz. Obie mieszkały w willach przy Pelonker Weg****, pięknej i długiej ulicy ciągnącej się w Oliwie u podnóża porośniętego lasami morenowego wzgórza Karlsberg*****.

Inżynier Zieliński zajmował wraz z rodziną okazałą willę opatrzoną numerem 32, natomiast Wandzia mieszkała z rodzicami i rodzeństwem nieco dalej, pod numerem 114 – w mieszkaniu dla służby. Kompleks willowy, w którym się ono znajdowało, należał do zamożnego właściciela fabryki

---

* Obecnie stacja Gdańsk-Zaroślak.
** Obecnie Brama Oliwska.
*** Obecnie ul. Augustyńskiego.
**** Obecnie ul. Polanki.
***** Obecnie wzgórze Pachołek.

maszyn rolniczych pana Alfreda Muscatego, a ojciec dziewczynki Leon Dargacz pracował jako jego osobisty szofer.

Od dwóch lat obie uczennice były odwożone do szkoły przez inżyniera Zielińskiego, a przywożone – ponieważ prezes często pracował do późna – przez pana Dargacza.

Pracodawcy tegoż, państwo Muscate, nie mieli nic przeciwko temu, by ich szofer przywoził córkę ze szkoły. Nie zgłaszali też żadnych uwag na temat miejsca, gdzie Wandzia pobiera nauki. Taka tolerancyjna postawa nie była zbyt częsta wśród gdańskich Niemców, zwłaszcza po dojściu Hitlera do władzy. Wielu mieszkańców miasta upajało się okrzykami „*Danzig immer deutsch!*" i prześladowało mieszkających tu Polaków jako przedstawicieli znienawidzonego państwa, które niesprawiedliwym wyrokiem traktatu wersalskiego sprawowało w dużej mierze nadzór nad grodem Neptuna.

Stary liberał i prawnik Alfred Muscate nie należał do tych krzykaczy. Jedyną jego reakcją wobec wzrostu napięcia politycznego była subtelna wskazówka, by młodziutka panna Dargacz nie używała polszczyzny w miejscach publicznych. Jego szofer zgodził się z tym zaleceniem i stanowczo upomniał córkę, aby nawet z koleżankami ze szkoły rozmawiała po niemiecku i nie narażała się na niebezpieczeństwo ze strony panoszących się wszędzie hitlerowców.

Rozpętana przez nich atmosfera nienawiści dawała się wyczuć we wszystkich sferach życia codziennego. Zbliżyła się do zenitu na początku tegoż roku, gdy narodowi socjaliści wygrali wybory do Reichstagu, a garnizon polski na Westerplatte został wzmocniony dwustoma żołnierzami w obawie przed bandami uzbrojonych i opłacanych bojówkarzy. Ci młodzi, naładowani agresją ludzie – najczęściej pijani – włóczyli się po mieście i brutalnie napominali wszystkich, którzy nie dość entuzjastycznie okazywali podziw dla idei Wielkich Niemiec.

Bezwzględność tych siepaczy była przerażająca. Potrafili pobić dwoje starszych niemieckich małżonków tylko za to, że ci niedostatecznie szybko wstali z krzeseł, gdy w radio w pewnej cukierni rozległy się pierwsze takty hymnu niemieckiego. Nic zatem dziwnego, że mowa polska na ulicach miasta oderwanego – ku pognębieniu tysiącletniego narodu niemieckiego – od swej macierzy wywoływała u bojówkarzy ataki furii.

Jak to zwykle bywało, do tych grup przyłączały się całe zastępy wyrostków z ubogich dzielnic oraz różni analfabeci, degeneraci i kryminaliści, którym emisariusze Hitlera wypłacali dziennie równowartość pięciu halb piwa i dwóch porcji kiełbasy z grochem. U nastoletnich awanturników granica pomiędzy rozbawieniem a okrucieństwem była bardzo płynna, u wyrzutków społecznych – istniało już tylko bestialstwo.

Policja gdańska przymykała oko na ataki bojówkarzy, nazywanych oficjalnie „nieznanymi sprawcami" i „nieodpowiedzialnym żywiołem", nieoficjalnie zaś – „naszymi dzielnymi chłopcami". Im bardziej Polacy i Kaszubi zaczęli się kryć ze swoim językiem, tym wnikliwiej owi odważni junacy – o ile stan upojenia im na to pozwalał – zaczęli wypatrywać słowiańskiego wroga na ulicach i w lokalach.

ZWOLNIONY KILKA TYGODNI WCZEŚNIEJ Z PRACY Paul Wiegratz należał do tropicieli polskości najzajadlejszych, a do wyznawców Hitlera – najgorliwszych. Ten maszynista kolejowy za wszystkie swoje życiowe niepowodzenia obwiniał okoliczności zewnętrzne – przede wszystkim działania znienawidzonego „bękarta traktatu wersalskiego".

Nienawiść do Polski zakiełkowała u niego i rozrosła się na początku lat dwudziestych, gdy przyłączył się do strajku gdańskich niemieckich kolejarzy, którzy protestowali przeciwko objęciu władzy nad sobą przez Polskie Koleje Państwowe. Polacy ich zwolnili i sami zajęli się sprawami kolejnictwa. Niestety, wobec braku fachowców nie sprostali wyzwaniu i doszło do szeregu katastrof. Rok później Wiegratzowi po cichu zaproponowano powrót do pracy za lepszą jeszcze stawkę.

Ten mocno już wyniszczony alkoholem i porzucony przez żonę człowiek zgodził się, ale w swej pokrętnej logice propozycję powrotu do zawodu uznał nie za szansę czy nawet docenienie, lecz za uwłaczającą jego godności litość. Z jednej strony pozwolił państwu polskiemu litować się nad sobą, z drugiej – uznał, że ono go dotkliwie upokorzyło. Skutek był jeden: resentyment i zapiekła nienawiść.

Upokorzenie nie przeszkadzało mu bynajmniej w pracy z wieloma Polakami i w pobieraniu godziwej pensji – PKP płaciło swym pracownikom bardzo dobrze. Pocieszenia dla swych zranionych uczuć szukał w wódce, pogrążając się w nałogu, na razie tylko poza godzinami pracy. Kiedy polska dyrekcja kolei została w roku trzydziestym trzecim zmuszona różnymi szykanami gdańskiego senatu oraz policji do przeniesienia się do Torunia i Bydgoszczy, Wiegratz triumfował. Jego zdaniem chwila przejęcia przez Niemcy tej gałęzi transportu była coraz bliższa, już wkrótce będzie pracował u swoich.

I wtedy to zaczął mocniej świętować ten swój wyobrażony triumf. Któregoś dnia upił się tak mocno, że rankiem następnego dnia w pracy zataczał się i bełkotał. Jego szef, kierownik pierwszej zmiany – oczywiście Polak – zwolnił go natychmiast. Wobec rozpaczliwego fizycznego oporu alkoholika użyto siły, aby wyrzucić go z lokomotywowni. Wiegratz, pobity i upokorzony przez polskich kolegów, poszedł – a jakże! – do knajpy, by w niej leczyć rany zadane swemu patriotycznemu sercu. I tam spotkał pewnego miłego młodego pana, który na serwetce narysował najpierw swastykę, a potem dołożył stosik gdańskich guldenów. Patriotyczne serce zaczęło żywiej bić.

CECYLKA ZIELIŃSKA I WANDZIA DARGACZ oczywiście wiedziały, że nie powinny ze sobą rozmawiać po polsku poza szkołą i domem rodzinnym. Zakaz ten jednak od początku zdawał im się sztuczny, bo przecież nie spotykały się nigdzie indziej, lecz tylko w tych właśnie miejscach.

Niestety, tego dnia było inaczej. Pan Leon Dargacz o poranku powiadomił był córkę, że wobec nagłego polecenia swego pryncypała musi jechać dziś z nim do Tczewa. Wandzia wróci zatem sama do domu. Dał jej pieniądze na bilety i wytłumaczył, jak dojechać do Oliwy ze stacji Petershagen*.

---

* Obecnie stacja Gdańsk-Zaroślak.

Podróż stamtąd do Dworca Głównego miała trwać minut osiem, do Oliwy – po przesiadce – tylko czternaście. Wandzia powiedziała o tym wszystkim koleżance. Cecylka Zielińska mogła poprosić sekretarkę dyrektora Augustyńskiego o zatelefonowanie do ojca, który pewnie by przysłał któregoś ze swoich pracowników, żeby odwiózł obie dziewczyny do domu. Nie zrobiła tego jednak. Podróż kolejką przez miasto w towarzystwie przyjaciółki wydała jej się ekscytująca.

W wesołych nastrojach wyszły ze szkoły i udały się w stronę górującego nad okolicą kościoła Zbawiciela. Tuż przed nim, pod żelaznym wiaduktem, stał długi drewniany budynek dworca kryty papą. Zeszły tam po schodach i udały się do kasy biletowej. Rozmawiały ze sobą tylko po niemiecku i uśmiechały się przy tym znacząco, jakby używały tego języka jako tajnego szyfru.

Paul Wiegratz wyszedł z poczekalni stacji kolejki podmiejskiej w Petershagen* i przyglądał się ludziom gromadzącym się na peronie przed odjazdem dwuwagonowego składu z lokomotywą akumulatorową typu Wittfeld. Nie znosił takich lokomotyw. Był tradycjonalistą, lubił węgiel i parę, lubił pracę fizyczną, a potem odpoczynek zmęczonych mięśni – najlepiej przy halbie, preclach i rzepie.

Teraz stał z gołą głową, uśmiechał się głupkowato i gapił się na ludzi. Chętnie by powiedział coś na temat wyższości lokomotyw spalinowych nad tymi wittfeldami, ale musiał najpierw zrobić swoje. Może i był alkoholikiem i tępakiem, ale miał jedną zasadę: jeśli brał pieniądze z góry, to

---

* Obecnie stacja Gdańsk-Zaroślak.

opłaconej nimi roboty, zwłaszcza takiej, którą lubił, nie odkładał nigdy do następnego dnia. A tak było właśnie teraz. Bo wczoraj odwiedził miłego pana w domu, eleganckiej willi w Brzeźnie, zainkasował dobrą sumkę i dostał zadanie do wykonania.

Było ono proste i identyczne jak to, które już wykonywał dwukrotnie: pokazać Polaczkom, że nie ma dla nich miejsca w „*Danzje Staat*". Stał zatem i nasłuchiwał, czy ktoś obok nie mówi po polsku – wszak niedaleko była szkoła tych słowiańskich kanalii. Tylko patrzeć, tylko słuchać, a zaraz któregoś z nich nauczy rozumu.

Pociąg stał pusty, konduktor z papierosem w ustach wracał z ubikacji. Zaraz dołączy doń maszynista, wszystkie drzwi zostaną otwarte i zmarznięci pasażerowie znajdą się wewnątrz.

Tak się i stało. Po chwili obaj kolejarze mijali Wiegratza. Mówili po polsku. Znał ich z widzenia.

– *Polacken* – mruknął.

Usłyszeli. Odwrócili się ku niemu i omietli go spokojnym wejrzeniem, po czym poszli dalej, kontynuując rozmowę w ojczystym języku. Zdawało mu się, że jeden splunął. To go rozwścieczyło. Był silny i zaprawiony w bójkach. Dałby radę im obu.

– *Kaschuben, Polacken, alle Kakerlaken!** – ryknął na cały peron.

Spojrzał wokół. Ludzie odsuwali się od awanturnika. Jakieś dwie śliczne i zarumienione od mrozu dziewczyny

---

* Kaszubi, Polaczkowie – wszystko to karaluchy (niem.).

w mundurkach gimnazjalnych, które było widać w rozpięciach ich kożuszków, poszły szybkim krokiem w kierunku właśnie otwieranych drzwi wagonu. Uśmiechnął się do nich, lecz one nawet nań nie spojrzały. Rozmawiały płynnie po niemiecku – tak jak trzeba w niemieckim mieście.

Po chwili pasażerowie znaleźli się w wagonach. Prawie nikt nie stał, wszyscy mieli miejsca siedzące. Pomost ostatniego wagonu był oddzielony grubą liną od reszty pomieszczenia, jakby go zarezerwowano. Konduktor sprawdzał bilety, a dwa napędzane przez akumulatory kwasowe silniki zaczęły pomrukiwać.

Na peronie rozległo się rżenie konia. Piękny kary rumak, trzymany za uzdę przez dwóch ludzi w fartuchach, wysokich butach i w kaszkietach, tańczył po płytach peronu. Nie miał siodła, a jedyny jego strój stanowił przyczepiony pod ogonem worek na odchody.

Obaj mężczyźni prowadzili zwierzę do ostatniego wagonu – właśnie na miejsce oddzielone liną. Ludzie przypadli do okien, by obserwować niecodzienny widok. Wiegratz, który stał właśnie obok owej liny, był podekscytowany jak inni.

Jeden ze stajennych położył na progu pomostu grubą, szeroką deskę, którą wcześniej był dzierżył pod pachą. Drugi wszedł do środka i szarpnął za uzdę, chcąc w ten sposób skłonić konia do wejścia.

Zwierzę ani myślało go posłuchać. Rzuciło się w tył i stanęło dęba, wyrzucając do przodu kopyta. Stojący na zewnątrz stajenny pochylił się, ale już było za późno. Jedno z przednich kopyt trafiło go w głowę i zrzuciło z niej kaszkiet. Człowiek ten, czerwony od gniewu, zaszedł zwierzę od przodu i z całej siły zdzielił je pięścią w chrapy. Koń zarżał przeraźliwie.

– O Boże! – krzyknęła Cecylka Zielińska. – Jak on może tak bić!

Polskie słowa zelektryzowały Paula Wiegratza. Odwrócił się do uczennic z krzywym uśmiechem. Zrzucił z siebie brudny kolejowy szynel i podwinął rękawy.

– Ty polska świnio! – ryknął. – Ja cię nauczę, jak należy mówić w niemieckim mieście!

Koń rżał i rzucał się na wszystkie strony. Obaj stajenni – jeden z oczami zalanymi krwią – walili zwierzę po bokach batami. Ludzie wyszli z pociągu i patrzyli na ponury spektakl.

Cecylka i Wandzia drżały przerażone. Z jednej strony była lina, a za nią pomost, gdzie miał wejść rozszalały koń, z drugiej – potężny, cuchnący wódką zbir z pięściami jak bochny chleba.

Jedna z tych pięści trafiła Cecylkę w skroń. Dziewczyna upadła zemdlona na ziemię. Wiegratz, ciężko dysząc, schylił się nad nią i chwycił ją za gardło. Delikatna skóra szyi natychmiast się zaczerwieniła pod silnym naciskiem jego sękatych palców z paznokciami, pod którymi rozlewały się lepkie czarne półksiężyce brudu.

Koń zsunął się z platformy, poślizgnął na oblodzonym nieco peronie i upadł na bok. Pojawili się zewsząd samozwańczy pomocnicy i zaczęli pętać nogi zwierzęciu. Najwyraźniej zamierzali go wciągnąć na pomost po desce – jak ogromny worek. W jego wielkim wilgotnym oku pojawiła się rozpacz.

Wandzia usiłowała przeskoczyć przez oparcie siedzenia. Wiegratz puścił gardło Cecylki i uderzył łokciem skaczącą dziewczynę. Upadła piersią na podłokietnik ławki i straciła oddech. Damski bokser zaczął ją bić po klatce piersiowej, walić mocno po wątłych dziewczęcych piersiach.

– *Kaschuben, Polacken* – darł się, kręcąc się w kółko, by lepiej wymierzyć cios – *alle Kakerlaken!*

Pasażerowie unikali jego wzroku. Patrzyli na swoje buty, czytali gazety, niekiedy rzucili do siebie kilka słów. Oczywiście po niemiecku.

Paul Wiegratz, wykonawszy robotę, wyskoczył z pociągu i pobiegł wielkimi susami po schodach prowadzących z peronu w stronę Raduni i drzew porastających Bischofs-Berg*. Nikt go nie zatrzymał, choć konduktor próbował. Niestety, spora nadwaga tego funkcjonariusza nie pozwoliła mu na skuteczne ściganie chudego, żylastego draba. Maszynista natomiast, skoncentrowany na wypadku z koniem, niczego nie zauważył.

Pociąg nie odjechał punktualnie ze stacji Petershagen**. Jakiś medyk, zaalarmowany wezwaniami, odbiegł od kasy biletowej i zajął się nieprzytomnymi i opuchniętymi od ciosów gimnazjalistkami. Maszynista zatelefonował ze stacji do gdańskiego oddziału Czerwonego Krzyża, a konduktor na policję oraz do Komisariatu Generalnego Rzeczypospolitej Polskiej w Wolnym Mieście Gdańsku.

Godzinę później w antykwariacie „Von Luzerius" rozdzwonił się telefon.

---

* Obecnie Biskupia Górka.
** Obecnie Gdańsk-Zaroślak.

Edward Popielski właśnie się wybierał, aby odebrać córkę ze szkoły. Już na progu swego kantoru cofnął się i podniósł słuchawkę.

– Ma pan jakieś pejzaże Stanisława Chlebowskiego? – usłyszał głos Żychonia.

– Niestety, nie mam – odparł zgodnie z prawdą i zgodnie z umową, po czym odłożył słuchawkę.

Poprosił pana Ajzenfisza, by zamknął sklep, wziął dorożkę i pojechał po Ritę. Sam szybkim krokiem poszedł do gdańskiej filii Związku Pracowników Kupieckich z siedzibą w Poznaniu. Dotarł tam po dziesięciu minutach, zaliczywszy jeden upadek na śliskim, mokrym śniegu.

Nazwisko tego gdańskiego malarza, który od kilku lat robił furorę w berlińskim świecie artystycznym, było hasłem ustanowionym przez Żychonia.

Oznaczało ono: „Ma pan być w Ubikacji. Jak najszybciej".

IV

EDWARD POPIELSKI ODWIEDZIŁ SOPOTY jedenaście lat wcześniej. Była to jednorazowa wizyta, i to w dodatku nocną porą. Owszem, już wiedział, jak wszyscy, że to słynny kurort ze wspaniałą operą w środku lasu; że latem z całej Europy przybywają tu pielgrzymki bogaczy, którzy doświadczają w nadbałtyckim Monte Carlo hazardowych emocji oraz prawdziwej rozmaitości wrażeń i widoków. Wracając z pieszych wycieczek, gdzie cieszą się cieniem lasów na morenowych wzgórzach, trafiają na plażę gorącą jak w tropikach, by później, zmęczeni palącym słońcem, oddawać się chłodnym falom morza. Po rozrywkach oferowanych im przez łaskawą naturę następują atrakcje zorganizowane przez ludzi – koncerty, tańce i hazardowe rozpasanie. O tym wszystkim Popielski pamiętał, ale wtedy, jedenaście lat temu, inne go tutaj przyciągnęły okoliczności, bynajmniej nie turystyczne. Nie poznał zatem w tamtym czasie – tłukąc się nocą po zaułkach – piękna tego miasta.

Dopiero teraz wyraźnie ujrzał jego późnojesienną krasę. Urok okazałych willi i ich wieżyc otoczonych zwiewną mgłą wydał mu się w zapadającym zmierzchu romantyczny i posępny. W mokrych płatach śniegu, ciężko opadających w gazowym poblasku lamp ulicznych, domy stojące przy Nordstrasse*, latarnia morska i potężny neobarokowy gmach hotelu Kasyno były nierealne i rozmyte.

---

* Obecnie ul. Powstańców Warszawy.

Edward nie był specjalnie uczuciowy – przynajmniej zdaniem Leokadii – i poetyckość zamglonego obrazu przesuwającego się za oknem dorożki uznał raczej za skutek zaparowania szyby pojazdu niż swych duchowych uniesień. Ale był to tylko rodzaj samoobrony. On nie chciał – nawet we własnych oczach – uchodzić za nadwrażliwca kontemplującego cuda świata. I teraz, choć zachwyt nad tym bajecznym nadmorskim miastem wziął go w swe posiadanie, bronił się przed tym uczuciem i co chwila przypominał sobie, po co tu właściwie przyjechał.

„Wet za wet" – huczało mu w głowie, gdy myślał o skatowanych dziewczynkach.

– A gdybyż to była Rita? – szeptał, gdy mijali pierwsze domy o charakterystycznych oszklonych werandach i wykuszach.

„Dorwiemy tego skurwysyna!" – brzęczała mu w głowie mściwa myśl, gdy czekał, aż skrupulatny urzędnik kasyna wystawi mu imienną jednodniową kartę wstępu za trzy guldeny uprawniającą do korzystania z tej jaskini hazardu.

Od Żychonia wiedział, iż gośćmi domu gry są wyłącznie Niemcy i emigranci rosyjscy, wśród których dominują zamożni i hałaśliwi arystokraci, choć nie brakuje też idących w ślady Dostojewskiego cichych straceńców, przegrywających ślubne obrączki czy też ostatnie wydobyte spod materaca imperiały. Natomiast zamożni Polacy – zwykle przyjezdni urzędnicy i profesorowie gimnazjalni – choć mają środki, by cieszyć się takimi rozrywkami, to jednak nigdy nie przestępują progu kasyna. Powód jest prosty: zakaz zwierzchników, słusznie przekonanych, iż hazardziści są szczególnie podatni na szpiegowski werbunek.

– Polskie napisy i reklamy są skierowane głównie do zamożnych letników z Polski, w tym do wielu naszych współobywateli dumnie się mianujących synami Izraela... – mówił Żychoń, tłocząc się z Edwardem w ciasnej przestrzeni Ubikacji. – W zimie mało jest tutaj naszych rodaków.

Z tej charakterystyki dokonanej przez kapitana wynikałoby, że człowiek, który miał się tu spotkać z Popielskim przy stoliku do bakarata o godzinie piątej, nie będzie raczej Polakiem. Przeczyłyby jednak temu ostatnie zalecenia kapitana.

– Podejdzie do pana i poda hasło po polsku – mówił parę godzin wcześniej. – Pamięta pan odzew?

– „Wet za wet". To hasło. „Księga Wyjścia 21, 24". Odzew.

Popielski pytał bezskutecznie, kogo mianowicie ma się tam spodziewać, dopytywał się, jak wygląda agent czy też jego przyszły współpracownik. Żychoń, choć mocno indagowany, konsekwentnie odmawiał odpowiedzi.

Siegfried Graf von Luzerius, bo takie właśnie nazwisko i arystokratyczny tytuł widniały na kartonowym bilecie wstępu, który tkwił w wewnętrznej kieszeni jego smokingu, nie wiedział zatem, kogo tu spotka.

Oddał w ręce wypomadowanego szatniarza płaszcz, melonik i ciepłe skórzane rękawice. Zapytał, jak trafić do sali bakarata, i zaraz usłyszał szczegółową instrukcję. Boy przetarł mu lakierki z resztek śniegu, a inny wręczył kieliszek szampana z napisem po polsku i po niemiecku „Witamy serdecznie!".

Popielski upił trochę musującego płynu, kieliszek odstawił na ladę szatni, dał chłopcom solidne napiwki i udał się we wskazanym kierunku, stąpając nieśpiesznie po wiśniowym chodniku, którym były wyłożone rozwidlające się na półpiętrze schody. Silne światło kryształowych żyrandoli odarło jego umysł z resztek melancholii, jakie jeszcze zalegały po przejażdżce w romantycznej scenerii kurortu.

Wszedł na pierwsze piętro. Aby się dostać do stołów do bakarata, Edward musiał przejść przez wielką Salę Błękitną, gdzie grano w ruletkę. Miała kształt prostokąta, na którego dłuższych bokach znajdowały się ogromne drzwi. Okien nie było widać, a ich usytuowania można się było jedynie domyślić po grubych, ciężkich zasłonach barwy ciemnozielonej. Ciągnęły się one od podłogi do sufitu i tam ginęły w pofałdowanych dodatkowych krótkich zasłonkach. Pomiędzy nimi błękitniały ściany, pokryte okrągłymi secesyjnymi deseniami.

Stoły do ruletki ustawiono w podkowę i po jednej, i po drugiej stronie sali. O tej stosunkowo wczesnej porze graczy było niewielu – raptem dwunastu, jak policzył. Dwa stoły były zupełnie puste. Uderzał tu całkowity brak przedstawicielek płci pięknej.

Przeszedł przez wielką salę i znalazł się w Sali Czerwonej, w której stał okrągły kiosk, gdzie wymieniano pieniądze na żetony. Znajdował się tam też przytulny bufet, serwujący – jak wynikało z reklam, znów dwujęzycznych – głównie zakąski rybne. Zwykle tutaj tańczono, lecz z powodu adwentu tę rozrywkę zawieszono – jak głosił baner na podium dla orkiestry. Popielski obiecał sobie, że zje tu kiedyś kanapkę z węgorzem wędzonym i koperkiem – do tańca był ostatni wobec nikłego poczucia rytmu – i wszedł do

Sali Żółtej, z napisem „Baccara. Zapraszamy od 5 po południu do 7 rano".

Stanął po chwili na progu i przyjrzał się trojgu graczom. Krupier, starszy mężczyzna wygłaszający rytualne formuły hazardowe głosem żołnierskim i z takąż manierą, przyjmował zakłady i odsłaniał kolejne karty. Gracze przelicytowywali się, co było o tyle emocjonujące, że podstawowa stawka w bakaracie wynosiła aż dziesięć guldenów.

Napięcie w sali stawało się prawie namacalne. Półmrok panujący w pomieszczeniu rozpraszała wisząca nisko nad stołem duża kwadratowa lampa z frędzlami. W jej świetle bieliły się wykrochmalone gorsy koszul krupiera i dwóch graczy.

Była też tam jedna kobieta. Mając przed sobą źródło światła, siedziała tyłem do Edwarda, toteż widział on tylko zarys jej ciała – szczupłą sylwetkę z futrzaną etolą wokół ramion.

Krupier odsłonił ostatnie karty. Rozległy się okrzyki zawodu i radości. Najgłośniej śmiała się dama. Najwyraźniej wygrała tę partię.

Popielski podszedł do grających, odpowiedział na uniżony ukłon krupiera, lecz nie przyjął jego zaproszenia do stołu. Wtedy w świetle lampy wyraźnie ujrzał kobietę.

Poznał ją. Była kilka dni temu na przyjęciu w antykwariacie. Szeroko się do niej uśmiechnął i ukłonił.

Irena Arendarska spojrzała na niego przelotnie i wypuściła dym z papierosa zatkniętego na końcu srebrnej lufki.

– Czy my się znamy, mój panie? – powiedziała po niemiecku tonem obojętnym, w którym pobrzmiewały jednak nuty złości. – Zawsze pan tak nieudolnie uwodzi kobiety?

Prychnąwszy pogardliwie, na powrót zajęła się rozgrywką.

Edward nie wiedział teraz, jak się zachować. A to poprawiał muszkę pomiędzy skrzydłami sztywnego kołnierzyka, a to wyciągał papierosa i chował go na powrót do papierośnicy. W końcu zaczął robić to, co powinien – udawał kibica.

Stał w niewygodnej głupiej pozycji i przyglądał się emocjonalnym reakcjom graczy. Krzywił się w duchu, słysząc ich jęki i okrzyki. Okazywanie uczuć przy stoliku uważał za niegodne dżentelmena, który nigdy nie powinien podnosić głosu z nerwów czy też z radości. Żyjąc w rosyjskiej niewoli z uprawiania hazardu, nauczył się panować nad sobą przy szachowym lub pokerowym stoliku, choć miał przeciwników nader impulsywnych – głównie pijanych carskich oficerów.

Po kolejnym rozdaniu znów doszły do niego charakterystyczne dźwięki. Arendarska jęknęła z zawodu – w odróżnieniu od jednego z mężczyzn, który roześmiał się wesoło. Kobieta wstała gwałtownie, aż krupier się cofnął. Zahaczył przy tym głową o lampę, która się rozhuśtała, najwyraźniej wzbudzając w damie dodatkową irytację.

– Mam dość tej idiotycznej gry! – Tupnęła nogą i ruszyła w stronę drzwi, mijając Popielskiego tak blisko, że poczuł zapach jej perfum.

Wydawało mu się też, że dotknęła jego marynarki – ale może to było tylko pobożne życzenie satyra?

Ciągnąc za sobą smugę papierosowego dymu, wychodziła z sali tak szybko, że futrzana etola podrygiwała na jej łopatkach. Jeden z mężczyzn odczekał chwilę i ruszył za nią. Popielski pozostał w sali jedynie z krupierem i jednym graczem.

Mijały minuty, minął kwadrans. Edward nie miał ochoty grać w głupiego bakarata, nie mógł jednakże opuścić sali. Musiał czekać na człowieka Żychonia. Będąc jednym z trzech tylko, licząc krupiera, obecnych tu ludzi, skupiał na sobie siłą rzeczy uwagę dwóch pozostałych. Musiał zrobić coś naturalnego – na przykład zamówić alkohol przy barze w Wielkiej Sali Ruletkowej. Zrobił to i po chwili stał znowu przy stole do bakarata ze szklaneczką „naszej znakomitej miejscowej sopockiej whiskey", który to trunek gorąco zachwalał mu barman.

Ów pracownik przy okazji wręczył gościowi ulotkę reklamową hotelowej destylarni. Edward, wkładając ją teraz do zewnętrznej kieszeni marynarki od smokingu, natrafił na coś sztywnego. Sięgnął głębiej i poczuł pod opuszkami jakiś kartonik. Nie był to imienny bilet wstępu, bo ten leżał już w wewnętrznej kieszeni.

Wyszedł z sali na korytarz, stamtąd do toalety i dopiero tam, w kabinie, wyciągnął kartonik. Była to wizytówka jakiegoś sopockiego lekarza chorób kobiecych. A na jej odwrocie słowa, wypisane okrągłym pismem: „Rickertstrasse* 24. Zapraszam. I.A.".

Otworzyła mu ubrana wciąż w tę samą suknię i z tą samą etolą na ramionach. I lufka, w której teraz dymił papieros, była ta sama.

– Porozmawiamy w przedpokoju – powiedziała sucho, nie reagując na jego wygłoszone po polsku „Dobry wieczór szanownej pani!".

---

* Obecnie ul. Obrońców Westerplatte.

– Przedpokój to pomieszczenie bez okien – dodała, widząc jego nieco zdziwioną minę. – Nikt nas nie podpatrzy, nawet mój cień, ten człowiek, co natychmiast wyszedł za mną z sali. To jeden z ludzi Reilego.

Usiadła w fotelu stojącym obok małego stolika. Jej zgrabne nogi stykały się ze sobą, tworząc jakby linię skośną względem podłogi. Polakierowanym na czerwono paznokciem wskazała mu drugie siedzenie.

Nie była zbyt gościnna. Słowem nie wspomniała, gdzie Popielski ma powiesić płaszcz i melonik. Nie zauważywszy wieszaka, położył je zatem na stoliku pomiędzy nimi. Usiadł w niskim, głębokim fotelu i wysoko założył nogę na nogę, odsłaniając nieco podkolanówki, które nad łydką miał – *comme il faut* – umocowane podwiązkami. Światło błysnęło w lampasach jego smokingowych spodni.

Rozejrzał się. Naprzeciwko znajdowało się wejście do salonu – wielkie dwuskrzydłowe drzwi z kolorowymi witrażami. Po drugiej stronie przedpokoju widoczne było wnętrze dużej, nowoczesnej kuchni, z której sufitu zwisały liczne żyrandole w kształcie okrętów.

– Wet za wet! – powiedziała Arendarska.

– Księga Wyjścia 21, 24 – odpowiedział.

Pani domu kiwnęła głową. Cała postawa, szybkie ruchy ciała, mocno zaciśnięte usta dodawały jej lat i powagi, co zdecydowanie tłumiło ochotę na flirt, jaka zwykle budziła się w Edwardzie wobec ładnych samotnych kobiet.

– Człowiek, który wybiegł za mną z sali, śledził mnie aż do podjazdu domu. Nie jestem pewna, czy już sobie poszedł. Nawet jeśli gdzieś się czai, pewnie w tej ciemności pana nie rozpoznał, zwłaszcza że miał pan melonik. Jak się już pan pewnie spostrzegł, zaprosiłam tu pana, bo nie mogłam przy bakaracie wymienić się z nim hasłem i odzewem.

To wyjaśnienie było logiczne i jak najbardziej naturalne, ale brakowało tu wyraźnej deklaracji – odwołania się do Żychonia.

– Pracuję dla kapitana – powiedziała, jakby czytając w jego myślach. – Jestem Polką. Nie agentką polskiego wywiadu. Po śmierci mojego męża Mieczysława kontynuuję jego działalność. Przejęłam po nim prywatną agencję wywiadowczą.

Było coś militarnego w tych czysto informacyjnych zdaniach. Popielski wyobraził ją sobie w mundurze. Długo odpalał papierosa, jakby chciał, by zauważyła jego sygnet z onyksem, na którym widniał złoty znak labiryntu. Nawet nań nie spojrzała.

– Nic mnie nie dziwi w tym mieście szpiegów, nawet pani prywatny wywiad – powiedział swym niskim głosem, wypuszczając dym. – Wszystko jest możliwe w tym imperium kłamstwa i zdrady.

Nie powinien był tego dodawać. Chciał przed interesującą kobietą popisać się wyszukaną metaforą, lecz niechcący postawił się w roli jakiegoś arbitra i moralisty. Zrobił aluzję do jej „kłamliwości”, choć sam przecież pływał pod przybranym nazwiskiem w oceanie fałszu. Zamierzał być błyskotliwy, a stał się zaczepny.

Oblicze Arendarskiej nie zdradzało emocji. Nie wywołał u niej gniewu czy złości, lecz jedynie reakcję spokojną i bardzo rzeczową.

– Jestem lojalna wobec pieniędzy, które mi płaci kapitan. – Patrzyła na Edwarda zimnym wzrokiem. – I mam konkretne zadanie do wykonania. Nie interesują mnie pańskie opinie, lecz pańskie działanie.

Powiedziała to lekko, lecz przekonanie o słuszności nadało jej słowom sentencjonalnego prawie ciężaru. W duchu przyznał jej rację.

– Jakie to zadanie? – zapytał. – I jaka jest w nim moja rola?

– Za chwilę opuści pan dom wyjściem do ogrodu, o, tutaj w lewo i w dół – brodą pokazała kierunek. – Po czym pójdzie prosto przed siebie. Aż do kraty zamykającej tunel, którym dostarcza się nam od strony sąsiedniej ulicy żywności i różnych towarów.

Wiedział od Żychonia, że bandyci – w tym jej gwałciciel – przedostali się tym przejściem. Nie dziwił się zatem, że wzdrygnęła się nagle. Wzmianka o nim potrąciła w niej jakąś czułą, nieprzyjemną strunę.

– Od dwóch kwadransów czekają tam na pana dwaj Kaszubi. Oni mówią po polsku, oczywiście z silnymi wpływami swojego języka.

Popielski chciał jej przerwać, aby powiedzieć, że jedenaście lat temu już miał do czynienia z Kaszubami i rozmawiał z nimi po polsku, ale respekt dla tej zdecydowanej niewiasty kazał mu milczeć.

– To lojalni ludzie – ciągnęła. – Lojalni wobec tego, kto im płaci. Wynajęci przeze mnie dla pana, panie von Luzerius, na polecenie kapitana. Mocni, małomówni, nieufni. Nie mdleją na widok krwi, jeśliby pan chciał o to zapytać.

I wytoczą jej sporo z tego drania, co skatował dzisiaj biedne polskie uczennice. – Znów jakby cień przebiegł przez jej twarz. – Zrobią, co mają zrobić – dodała. – A potem zapomną o wszystkim i znikną. Gdy znowu będzie ich pan potrzebował, spotka ich w moim tunelu. Żegnam!

Wstała i wyciągnęła dłoń. Uścisnął ją, lecz nie pocałował. Dopiero po chwili zdał sobie sprawę z tego *faux pas**. Nie naprawiał go jednak.

– A, jeszcze jedno. – O czymś sobie przypomniała. – Jak już wykonają zadanie dla pana, proszę o krótki list, w którym w kilku zdaniach oceni pan ich pracę, nie wspominając ani słowem, co zrobili. Teraz, kiedy prowadzę interes sama, nie wszyscy traktują mnie poważnie. Takie listy są jak rekomendacje.

Skinął głową na znak zgody. Kiedy wychodził, usłyszał huk. Odwrócił się i ujrzał, jak pani Arendarska z pasją zatrzaskuje drzwi kuchenne – jakby nie chciała patrzeć na rozpalone światłem statki płynące pod sufitem.

---

* Gafa, nietakt (fr.).

V

OBIE POBITE UCZENNICE ZOSTAŁY ZAWIEZIONE ambulansem – w pełnej zresztą przytomności – na stację Czerwonego Krzyża przy Neugarten*, gdzie zbadał je lekarz naczelny tej instytucji doktor Otto Koppelmann. Medyk – ku uldze przybyłego tam natychmiast ojca jednej z dziewczynek, prezesa Lucjana Zielińskiego – nie stwierdził u żadnej z nich wewnętrznego krwotoku ani też jakichkolwiek złamań. Obrażenia zadane przez napastnika – sińce na klatce piersiowej Wandy Dargacz i zadrapania na szyi Cecylii Zielińskiej – były na szczęście powierzchowne. Pielęgniarka założyła obu pannom stosowne opatrunki, lekarz zalecił im odpoczynek, a na opuchlizny – broń Boże, nie na zadrapania! – okłady z płynu Burowa. Prezes Zieliński wszystko to dobrze zapamiętał i objąwszy ramionami obie wciąż trzęsące się z emocji dziewczynki, wyprowadził je na zewnątrz. Idąc po schodach, uspokajał Wandzię i Cecylkę, obiecując, że zaraz pojadą do domu, gdzie będzie na nie czekać gorące kakao.

– Po drodze wstąpię tylko do Haueisena – mówił spokojnym tonem. – Tam kupię wam czekoladek i ciastek. Jakie lubisz ciastka najbardziej, Wandziu? Sernik? A może torcik szwarcwaldzki, jak Cecylka?

Panna Dargacz pisnęła coś cicho, ale prezes Zieliński tego nie dosłyszał. Całą jego uwagę skupił teraz elegancki mężczyzna średniego wzrostu i masywnej sylwetki, który

---

* Obecnie Nowe Ogrody.

stał obok jego horcha. Mężczyzna uchylił melonika i powiedział cicho po polsku:

– Proszę tylko nie iść na policję, panie prezesie. To nic nie da!

Zieliński otworzył usta, aby zaprotestować – jako obywatel wierzący w prawo i cywilizowany naród niemiecki. Chciał powiedzieć wzorem pewnego legendarnego młynarza: „Są jeszcze sędziowie w Berlinie!". Mężczyzna nie dopuścił go jednak do głosu.

– Kapitan Jan Żychoń z Generalnego Konsulatu Rzeczypospolitej Polskiej – wyrecytował szybko. – To ja tu jestem policją. Możemy porozmawiać?

Ojciec pobitej dziewczynki wahał się przez chwilę. Była to jednak bardzo krótka chwila.

– GRZENC JAN!

– Szultka Florian!

Tak się przedstawili dwaj Kaszubi, których Popielski poznał w przydomowym tunelu Arendarskiej. Silne światło kilku lamp umocowanych na betonowym suficie dobrze ich oświetlało. Choć obaj nie przekroczyli jeszcze trzydziestki, na swych krótko ostrzyżonych głowach mieli wypisaną bogatą historię knajpianych bójek na kufle, a na policzkach i szczękach ślady honorowych starć na noże i brzytwy. Mimo niskiej temperatury nie nosili czapek, a swe ciężkie szynele – nie wiadomo, czy wojskowe, czy też kolejowe – przerzucili przez ramiona, najwyraźniej nie marznąc wcale w koszulach i kamizelkach. Stali na szeroko rozstawionych nogach i wydychali potężnie kłęby niezbyt wonnego dymu

tytoniowego. Choć byli średniego wzrostu, mieli atletycznie rozbudowane klatki piersiowe i barki – zapewne od wio-
słowania. Arendarska miała rację – budzili respekt.

– Dziękuję panom za przedstawienie się – powiedział
Edward tonem pełnym szacunku. – Proszę się do mnie
zwracać „poruczniku".

Obaj kiwnęli głowami. To Popielski lubił: żadnych dodatkowych pytań, żadnych głupkowatych uśmieszków, żadnego zdumienia w oczach. Nie raz i nie dwa musieli pracować dla ludzi, którzy niekoniecznie chcieli wobec nich
ujawniać swoją prawdziwą tożsamość.

– Oto nasze zadanie. – Wyciągnął papierosa Kasino, ku-
pionego w instytucji o tejże nazwie. – Pewien pijany Niemiec bestialsko pobił dzisiaj dwie czternastoletnie dziewczynki za to, że mówiły po polsku w kolejce podmiejskiej.
Będziemy chodzić po knajpach Nowego Portu i go szukać.
Musimy drania znaleźć i ukarać.

Kaszubi ani drgnęli. Patrzyli na niego bez słowa. On też
się nie odzywał. Czekał na pytania albo na reakcję oburzenia.

– Jaki on jest? – zapytał w końcu Grzenc.

– A wezdrzatk? – mruknął po kaszubsku Szultka i poprawił się, pytając po polsku. – Jaki jego wygląd?

– Oto właściwe pytania. – Edward się uśmiechnął. – Wysoki, łysy, ale nie taki jak ja, ogolony...

Zdjął z głowy melonik i zauważył, że obaj mężczyźni
z trudem stłumili wesołość.

– Włosy mu sterczą koło łysej głowy – rzekł powoli.
– Ma czerwoną od wódki gębę. A teraz najważniejsze. Tatuaż. Rozumiecie słowo „tatuaż"?

– Jo! – mruknęli jak na komendę, a Grzenc podwinął rękaw, odsłaniając muskularne przedramię, na którym widniała wytatuowana masywna kotwica.

– Dobrze. – Popielski zgasił obcasem papierosa.

Nadszedł czas, by im zrelacjonować to, co dziewczynki przekazały Żychoniowi w samochodzie ojca jednej z nich, a kapitan jemu samemu w Ubikacji, przed wyjazdem do Sopotów.

Ich koncentracja była niemal wyczuwalna.

– Ma tatuaż na ręce, tam gdzie pan Grzenc. Syrenę z rybim ogonem i z dużymi… bardzo dużymi cyckami.

Patrzył na nich uważnie. Ich uśmieszki świadczyły o pełnym zrozumieniu ostatniego słowa.

– I z jakimś napisem… Nie wiadomo, co tam było. Dziewczynki nie zdążyły przeczytać. A oto, co robimy. Jutro o czwartej spotykamy się pod dworcem kolejowym w Nowym Porcie. Wiecie, gdzie to jest?

– Jo! – znów rozległ się zgodny duet.

– Tam pochodzimy po knajpach i się rozejrzymy. Szukamy człowieka z tatuażem. Syrena o wielkich cyckach i jakiś napis. Pytamy też o tatuażystów. Że niby chcemy sobie zrobić tatuaż. Udajemy pijanych. Pijemy mało i się nie znamy. Nie znamy się! – powtórzył z naciskiem. – Ja osobno i wy osobno. Jeśli któryś z was zobaczy poszukiwanego Niemca, zaczyna krzyczeć i przeklinać, jak to pijak, i obaj wychodzicie z knajpy. Czekacie, aż do was przyjdę i powiem, co robimy dalej. Zrobię to samo. Kiedy ja go zobaczę, krzyczę, przeklinam i wychodzę. Pod knajpą czekam na was i mówię, co dalej. Jeśli wyjdę bez okrzyków i bez przeklinania, to znaczy, że zmieniamy knajpę i szukamy gdzie indziej.

Nie pytał już, czy wszystko jasne. Ich wzrok mówił, że nie mają żadnych wątpliwości.

Podał im ręce i wyszedł tunelem na Benzlerstrasse*. Już nie było tak romantycznie. Szorstki od wysypanego piasku śnieg powoli się topił, tu i ówdzie zaczerniony bryłami końskich odchodów. Drzewa uginały się pod mokrym ciężarem. Nigdzie dorożki.

Posiadając wciąż jeszcze ważną jednodniową kartę wstępu do kasyna, wrócił tam i poprosił boya, by mu zamówił transport do Gdańska. Czekając nań, skracał sobie czas tym, co zwykle się robi w kasynie. Trzy kwadranse później chłopak powiadomił go, iż drynda z zamykaną budą czeka przed zakładem.

Popielski opuścił świątynię hazardu, zostawiwszy tam przegrane w ruletkę dwadzieścia guldenów.

O GODZINIE ÓSMEJ WIECZÓR zziębnięty i zmęczony wrócił do mieszkania przy Pfefferstadt**. Już od progu w uszy uderzyły go jęki lamentu i okrzyki złości. Wrzała kłótnia pomiędzy Leokadią, coraz bardziej zdenerwowaną i rozczarowaną Gdańskiem, a Ritą – coraz bardziej krnąbrną i nieposłuszną.

Starsza strona sporu przekonywała młodszą, że wobec tak strasznych szykan, jakie spadają na Polaków, czas najwyższy, aby po feriach świątecznych wrócić do Lwowa.

---

* Obecnie ul. Winieckiego.
** Obecnie ul. Korzenna.

Rita nawet o tym nie chciała słyszeć – i to dosłownie. Trzymała się bowiem za uszy, tupała nogami i przedrzeźniała ciotkę. W tym gniewnym rozognieniu jej falujące włosy jakby się skołtuniły i otaczały bladą twarzyczkę czarnymi skrętami. Leokadia natomiast – tak mogło się wydawać – była jak zwykle zrównoważona, zasadnicza, chłodna i ironiczna. Ceglaste wypieki na policzkach oraz lekkie drżenie długich, smukłych palców pianistki wskazywały jednak na jej najwyższe wzburzenie. Stała nieporuszona z rękami skrzyżowanymi na piersiach i powtarzała w kółko, iż nie tak powinna się zachowywać dobrze wychowana panienka.

– To widać źle mnie ciocia wychowała! – krzyknęła Rita i rzuciła się do wyjścia z salonu.

– Stać! – krzyknął ojciec. – Stać i słuchać!

Tkwił w otwartych drzwiach z zaczerwienioną od zimna twarzą, w smokingu i w lakierkach. Z jego oczu sypały się iskry. Rita stanęła jak wryta. Nie patrzyła jednak na ojca, lecz zapamiętale kręciła palcami młynka.

– To były jej koleżanki, Edwardzie. – Leokadia na jego widok odetchnęła z ulgą. – Te dwie skatowane dziewczynki. To samo mogło spotkać Ritę. Wyjedźmy z tego przeklętego miasta, gdzie tak nienawidzą Polaków!

Popielski był zdumiony. Lodzia jeszcze nigdy nie pozwoliła sobie na takie okazanie słabości – a tym przecież było to błaganie, i to w dodatku w obecności córki. Zawsze powtarzała: „Edwardzie, dziecko nie może widzieć sprzeczności w naszych poleceniach i naszych postawach. Musimy iść jednym frontem. Jeśli się z czymś nie zgadzamy, przy dziecku używamy języka obcego".

– Za to, że okazałaś cioci taką niewdzięczność... – Powoli zbliżał się do córki z wyciągniętymi rękami, jakby ją chciał uchwycić i ukarać. – Taką palącą niewdzięczność...

Rita zaczęła płakać.

– Dostaniesz karę. – Cofnął się.

Czuł, że na widok łez dziewczynki jakaś gorąca kula zaczyna zatykać mu gardło.

– Nie pójdziesz na wielki kiermasz gwiazdkowy! – powiedział z naciskiem. – I wszędzie będziesz chodzić wyłącznie w towarzystwie pana Ajzenfisza lub cioci Lodzi.

– Może tak nie będziesz wyznaczał mi zadań! – przerwała mu Leokadia po niemiecku, czyli umówionym szyfrem. – Sama wiem, jak wykorzystać mój czas! Dysponuj panem Ajzenfiszem, nie mną!

Na parkiecie salonu zadudniły jej pantofle. Usiadła w fotelu, bokiem do kuzyna i ciotecznej bratanicy, założyła nogę na nogę i zapaliła papierosa.

– Marsz do pokoju! – powiedział Edward do córki, przeciągając sylaby.

Dziewczynka wyszła ze szlochem, a jej ojciec, nie patrząc na Leokadię, udał się do kantoru, gdzie mimo późnej pory pan Szymon Ajzenfisz wciąż jeszcze siedział nad papierami. Było oczywiste, że wszystko słyszał zza tego wewnętrznego okna, przez które widzieli niedawne wyczyny panny von der Nieeuwe i Bolesława Arendarskiego.

Księgowy, plenipotent i zaufany współpracownik w jednej osobie stał teraz zakłopotany i przecierał binokle. Był drobny, łysawy i nosił fabrycznie szyte ubrania, które źle na nim leżały.

– Kiedy przyjechałem dzisiaj po Ritę zgodnie z pana poleceniem, to już wszyscy w szkole wiedzieli o tym bestialstwie. Rita też – powiedział cicho, jakby to była wielka tajemnica, a w jego wypukłych semickich oczach pojawił się smutek. – Wszyscy o tym mówili. To nie moja wina, że pana córka i żona się dowiedziały. To nie ja rozniosłem tę wieść. To nie ja wywołałem tę awanturę.

Popielski oparł mu ciężką dłoń na wątłym ramieniu. Był to gest męski, przyjacielski.

– Nie ma o czym mówić, panie Szymonie – mruknął. – Mam do pana wielką prośbę...

Kiedy mu już wytłumaczył, o co chodzi, pożegnał go serdecznie. Zabrawszy ze sobą flakonik granatowego tuszu, którym za czasów Manfreda von Luzeriusa wykonywano tu projekty wystroju wnętrz, udał się do swojego gabinetu. Rozebrał się ze smokingu i z koszuli, po czym wszystko to starannie powiesił w szafie. Brak służby już mu doskwierał. Dochodząca kucharka nie mogła wykonywać wszystkich potrzebnych robót domowych, ale Żychoń prosił o cierpliwość. Nie można sobie pozwolić na kogoś mało zaufanego – tak uważał kapitan i obiecywał jednocześnie, że niedługo przedstawi im służącą, najpóźniej kilka dni przed Wigilią.

Edward usiadł przed małym lustrem w podkoszulku, domowych spodniach i bonżurce narzuconej na nagie ramiona. Przez dłuższy czas przyglądał się uważnie swojemu obliczu i pocierał dłonią czoło.

Nagle usłyszał ciche pukanie.

– Proszę! – odwrócił się do drzwi.

Do pokoju weszła Rita.

– Tatusiu – pisnęła. – Może by tak tatuś odwołał tę karę? Tak bym chciała pójść na kiermasz gwiazdkowy! Przeproszę ciocię!

– Zobaczymy – mruknął polubownie. – Chodź tutaj do mnie, kochanie. Masz pędzelek i namaluj mi coś na głowie. Masz takie zdolności artystyczne...

Rita zaniemówiła. Ojciec zamoczył redisówkę w tuszu i podał ją córce.

– Koronę cierniową – powiedział. – Namaluj mi na czole i wokół głowy koronę cierniową.

VI

KOMISARZ POLICJI OSKAR REILE WYPIŁ WŁAŚNIE poranną kawę w swoim pięknie i nowocześnie urządzonym gabinecie w prezydium policji, gdy sekretarz zapukał do drzwi i oznajmił, że przyszła dama, od której liścik wraz z wizytówką trafił wczoraj po południu na biurko pana komisarza.

– Proszę ją zabawić rozmową, Hans – powiedział Reile i uniósł słuchawkę telefonu. – I przeprosić, że każę jej czekać.

Sekretarz stał bez ruchu, a jego twarz wyrażała najwyższe zdumienie. Komisarz Reile nigdy nie przyjmował interesantów z samego rana, wyjątek czyniąc jedynie dla SS-Untersturmführera Reginalda Vierka.

– No, co się pan tak dziwi? – prychnął Reile. – To dama z najlepszego towarzystwa. Przyjmę ją za kilka minut, mam ważną rozmowę z Berlinem.

Jeśli jednak tego dnia jakiś berlińczyk zamierzał tu dzwonić, to Reile nic o tym nie wiedział. Komisarz użył tego kłamstwa, aby zebrać myśli i przygotować się do rozmowy z panią Ireną Arendarską. Od wczoraj starał się przewidzieć powody, dla których chciała go odwiedzić w biurze – i żaden nie wydawał mu się dostatecznie uzasadniony. W chwili zwątpienia we własne umiejętności prognostyczne chciał nawet zatelefonować do niej do Sopotów i kategorycznie oświadczyć, że nie ma i nie będzie miał dla niej czasu.

Natychmiast jednak odrzucił tę myśl. Arendarska, dopóki będzie nieświadoma, iż on, Reile, maczał palce w napadzie na jej dom, a zgwałcił ją jego zaufany człowiek, może stanowić cenny nabytek wywiadowczy. Prowadząc po mężu oficjalną firmę spedycyjną, a tak naprawdę nieoficjalną prywatną agencję wywiadu gospodarczego, oraz mając tak świetnie kontakty z Polakami, mogłaby z wielkim pożytkiem dla niego pracować. Musiałyby tu jednak zostać spełnione dwa warunki. Po pierwsze, chciał mieć całkowitą pewność, że Arendarska nie jest polską agentką, a tego wciąż na sto procent nie wiedział. Po drugie, sprawę napadu należało skutecznie zamieść pod dywan, co się już zresztą częściowo dokonało z powodu śmierci Ottona Adelhardta.

Reile nie chciał się przyznać sam przed sobą, ale z ulgą przyjął wiadomość o niej.

– Ten prostak stawał się już doprawdy nieznośny – szepnął do siebie. – Słuchał tylko tego, co mu sterczało między nogami.

Przesunął dłonią po gładkim intarsjowanym blacie i podniósł słuchawkę. Nie, uznał, będzie bardziej elegancko, jeśli sam ją powita w progu.

Wstał, poprawił garnitur, po czym położył na płask odwrócone zdjęcie żony i siedmioletniej córki. Musiał się przygotować na wszystko – również na flirt, w którym nic tak bardzo nie przeszkadza jak widoczne zdjęcie małżonki i progenitury.

Otworzył drzwi i zakrzyknął:

– Zapraszam do siebie wielce szanowną panią!

Arendarska zbliżyła się i wyciągnęła dłoń. Ucałował ją i zaprosił do środka. Z uśmiechem wskazał na jeden z awangardowych foteli.

Pani usiadła i wyjęła lufkę z papierosem. Była drobna i ładna, tą typowo słowiańską urodą – delikatną, owalną i miękką. Jakże się różniła od jego Helene, kobiety o szczękach mocnych i zdecydowanych.

Podał jej ogień, przestrzegając się w myślach, aby nie dać się zwieść tej demonstracyjnej kobiecości. Arendarska mimo aparycji anioła była trudnym przeciwnikiem.

Reile postanowił pokazać jej, że to on rozdaje tu karty. Podszedł do okna i patrzył przez chwilę na synagogę przy Reitbahnstrasse*, jakby ten budynek – przypominający cerkiew – widział po raz pierwszy w życiu.

Nagle się odwrócił i spojrzał na nią ostro. Po dworskim, uprzejmym powitaniu teraz wyraz jego twarzy wydał się wręcz grubiański.

– Wiem, kim pani jest – rzekł powoli. – Szefowa prywatnej agencji wywiadowczej, zamieszana w różnie nieciekawe sprawki...

Arendarska wypuściła dym.

– Dałam panu całe popołudnie, bo wszak około trzeciej wczoraj otrzymał pan mój liścik. – Uśmiechnęła się lekko. – Był pan wtedy w pracy. I w tym czasie, od godziny trzeciej wczoraj do dzisiejszego poranka, tylko tyle się pan o mnie dowiedział? Doprawdy, liczyłam na więcej. Rozczarował mnie pan, komisarzu!

– A może aż tak bardzo mnie pani nie interesuje? – Zatrzymał się przed nią.

---

* Obecnie ul. Bogusławskiego.

Mimowolnie spojrzał na jej zgrabne, krągłe kolana. Nie lubił kościstych kolan – jak u Helene.

– Być może nie interesuję pana ja. – Poprawiła się na niewygodnym fotelu. – Ale chyba bardzo intryguje pana nowy bywalec gdańskich salonów. Mówiący świetnie po rosyjsku, obywatel polski, pan Siegfried von Luzerius... Czyżbym się myliła, komisarzu?

Nie zapanował nad zdumieniem. Dostrzegła to i postanowiła go dobić.

– Nawet na otwarcie jego antykwariatu wysłał pan na przeszpiegi swojego bliskiego przyjaciela SS-Untersturmführera Reginalda Vierka. Obaj panowie, i gospodarz, i pan Vierk, przypadli chyba sobie do gustu, bo długo rozmawiali...

Reile pozbierał myśli. Postanowił ją teraz trochę dopieścić. Usiadł na drugim fotelu i sięgnął pod blat stołu.

– Koniaku? – zapytał.

– Wolałabym szampana. – Lekko przesunęła po blacie stolika polakierowanym paznokciem.

Komisarz się uśmiechnął. Czekał, aż jego rozmówczyni powie „żartowałam". Co pozwoliłoby mu wyjść z twarzą. „Nie mamy szampana w prezydium policji" – to zabrzmiałoby bardzo prostacko

Reile musiał przyznać, że ta kobieta potrafiła po mistrzowsku rozgrywać konwersacyjne potyczki.

– Jest pani nie tylko piękna – rzekł po namyśle – ale i niebezpieczna. A ja lubię niebezpieczeństwo...

Czekał, aż powie: „A urodę również pan lubi?". Nie doczekał się jednak. To byłoby zbyt przewidywalne, a ona sama narzucała zasady słownych pojedynków. Przewidywanie jej ruchów było bardzo trudne.

– Myślę, że pan Siegfried von Luzerius chętnie pozna pana komisarza – szepnęła, pochylając się nieco w jego stronę. – I myślę, że skłonienie go do rozmów na... bardziej specjalistyczne tematy... nie będzie dla mnie większym problemem...

Reile był zaniepokojony. Chciał przewidzieć choć jedną jej reakcję. Dlatego zapytał:

– Jak pani tego dokona?

Poprawiła kokieteryjnie etolę wokół ramion.

– Och, są na to różne kobiece sposoby...

To przewidział, ale kolejny jej ruch całkiem go zaskoczył. Wstała i zanim zdążył cokolwiek powiedzieć, podeszła do biurka i odwróciła leżące tam rodzinne zdjęcia.

– Wszyscy żonaci mężczyźni, zapewniam pana, komisarzu, są gotowi na różne przygody. Wciąż pozostają małymi chłopcami, choć ich rozrywki są już zgoła nie chłopięce.

Reile wstał i uznał się za zwyciężonego w tej potyczce.

– Jest pani bardzo przenikliwą osobą!

Arendarska podeszła do niego bardzo blisko i spojrzała w górę swymi niebieskimi, pozornie naiwnymi oczami.

– I nie tanią, dodałabym jeszcze. Nie tanią.

OBAJ KASZUBI ZAREAGOWALI Z NIEWIELKĄ KURTUAZJĄ, gdy podszedł do nich jakiś masywny drab w kaszkiecie oraz starym roboczym drelichu i poprosił o ogień. Rzucili mu zapałki i patrzyli spod oka, jak długo – zbyt długo – przypalał papierosa. A potem nie odchodził. Nie podobało im się to, że jakiś włóczykij, wziąwszy ognia, tak długo zwleka z odejściem i może być świadkiem ich spotkania z „porucznikiem".

Kiedy poczuli wonny zapach tytoniu, zdumieli się. Opadły im szczęki, gdy w wysuniętej w ich stronę dłoni włóczęgi zobaczyli papierosy ze złotym ustnikiem i napisem „Kasino".

– Zapalcie teraz coś lepszego – usłyszeli polskie słowa.

– Potem w tych melinach będziemy już palić wyłącznie kiepską machorkę.

Popielski zdjął kaszkiet. Wokół głowy miał cierniową koronę wyrysowaną wczoraj tuszem przez Ritę. Wyglądało to jak tatuaż. Jeśli jego autentyczność budziła jakieś wątpliwości, było pewne, że w ciemnej knajpie nikt nie rozpozna podróbki.

Panu Ajzenfiszowi zlecił wczoraj kupienie roboczego ubrania. Dzisiaj w kuchni pobrudził je i poddał „specjalnej obróbce niszczącej", nie zdjąwszy przy tym – ku zdziwieniu Leokadii – nawet melonika. O „tatuażu" wiedziała tylko Rita, która bardzo się ucieszyła, że ma z tatusiem wspólny sekret przed ciocią Lodzią. Dziewczynka dowiedziała się, że ta wyrysowana korona cierniowa to „dla hecy", i przyjęła to wyjaśnienie bez zdziwienia. Z pewnym ubolewaniem natomiast zareagowała na wiadomość, że przez najbliższe dni będzie zawoził ją do szkoły i przywoził sympatyczny skądinąd pan Szymon.

– Mam wyglądać jak rosyjski kryminalista. – Popielski dotknął teraz tatuażu, odpowiadając na nieme pytanie Kaszubów. – Taki mają ci, co odsiadują dożywocie.

Zauważył, że nie zrozumieli tego słowa, ale nie miał czasu na tłumaczenie im penitencjarnych niuansów, tym bardziej że były ważniejsze kwestie do przekazania.

– Takie tatuaże mają bardzo źli ludzie. – Zamknął temat, wyjaśniając coś, czego i tak się domyślali.

Rozejrzał się. Nie zauważył nikogo, kto by się kręcił koło dworca – parterowego budynku z muru szachulcowego. Nie spodziewał się zresztą nikogo. Jak się dowiedział od Żychonia – świetnego znawcy Gdańska, który omal się nie udławił własną śliną, zobaczywszy „urkę" Edwarda – dworzec był wykorzystywany do południa, i to tylko w celach przeładunkowych.

– Pobite dziewczynki widziały już wcześniej napastnika na dworcu koło szkoły – mówił teraz Grzencowi i Szultce to, o czym się wczoraj dowiedział od Żychonia i o czym całkiem zapomniał, gdy wydawał im polecenia w tunelu. – Najczęściej bywał pijany i ciągnęło go do gimnazjalistów. Stawał za ich plecami i przysłuchiwał się. Młodzież nazywała go Piardukiem, bo ponoć często pierdział, głośno i przy innych. Takim jak on Niemcy płacą za napady i pobicia. I teraz najważniejsze. Wykrzykiwał często: *„Kaschuben, Polacken, alle Kakerlaken!"*. Jak coś takiego usłyszycie...

Obaj mężczyźni spojrzeli na siebie wymownie.

– Nie! – Popielski zrozumiał to spojrzenie. – Wiem, że to dla was obraza, wiem! I dla mnie też. Ale nasze zadanie nie polega na uczeniu jakiegoś skurwysyna dobrych manier i szacunku dla innych. Macie go nie ruszać, lecz tylko zapamiętać. A potem wyjść z knajpy, przeklinając głośno, jak się umawialiśmy. Tylko zapamiętać, a potem mi go pokazać. I czekać na moją decyzję! Zrozumiano?

– Jo! – odparli Kaszubi jednogłośnie.

Popielski włożył kaszkiet. Mocne podmuchy wiatru od morza i mokre płaty śniegu już mu się dały we znaki.

– Idziemy – rzekł twardo. – Przed nami dzisiaj siedem knajp. W każdej spędzimy godzinę.

Wybór Nowego Portu jako miejsca poszukiwań oprawcy dziewczynek to był pomysł Żychonia, choć Popielski wspomniał mu, iż jedenaście lat wcześniej sam odwiedził tu tawernę o nazwie Na Przystani Parowców, położoną nad samym nadbrzeżem portu, i widział tam rozmaite wytatuowane kreatury*. Kapitan stwierdził, że knajpa już nie istnieje, i zasugerował inne przybytki. Doskonale znał tamtejsze lokale – najczęściej podłe szynki, odwiedzane przez marynarzy i przechodzone portowe mewy, jak nazywał prostytutki najgorszego autoramentu. Tam można było spotkać również tatuażystów oraz ludzi korzystających z ich kunsztu.

W dzielnicy Nowy Port znajdowały się też dwie restauracje, chętnie odwiedzane przez miłośników Hitlera – Dom dla Towarzystwa przy Sasper Strasse** 60 oraz Perła Bałtyku przy Olivaer Strasse*** 74, na tyle jednak eleganckie i drogie, że trudno było sobie wyobrazić, by obsługa wpuściła tam obszarpanego agresywnego pijaka takiego jak poszukiwany przez nich damski bokser.

---

* Zob. M. Krajewski, *Dziewczyna o czterech palcach*.
** Obecnie ul. Na Zaspę.
*** Obecnie ul. Oliwska.

Popielski wraz ze swymi ludźmi udał się zatem na Fisch-meisterweg*, a dokładnie na odcinek tej ulicy pomiędzy przystankiem kolejowym przy basenie portowym a fabryką melasy. Kapitan miał rację – było tam dużo nędznych bud, w których mieściły się obskurne mordownie bez nazwy i historii. Pojawiały się one i znikały czasami po jednym sezonie – gdy buda się zawaliła, wymagała gruntownego remontu albo właściciel trafiał za kratki. Ponieważ natura nie znosi próżni, do właścicieli działek i nieruchomości przy Fischmeisterweg pukali nowi najemcy, którzy za niewielki czynsz podnosili z upadku ruiny nadające się jeszcze do użytku i zaraz zapraszali w swe nędzne progi kolejnych alkoholowych i wenerycznych straceńców.

Tego wieczoru Edward Popielski i jego niezbyt rozmowni pomocnicy Jan Grzenc i Florian Szultka spotkali wielu takich w knajpach, które zwiedzili. Widzieli mniej lub bardziej pijanych marynarzy, mniej lub bardziej zaczepnych portowych łazęgów, słuchali pełnych przechwałek nieprawdopodobnych morskich opowieści wygłaszanych w wielu językach, odpierali ataki dam barowych i burdelowych nagabywaczy, przepłukiwali gardła palącym płynem – głównie rumem – niekiedy trącącym jakimiś chemikaliami, najpewniej benzyną, zaciągali się odbierającą oddech machorką i przypatrywali się różnym tatuażom.

Widzieli cztery, które przedstawiały syreny – niektóre z nich owszem, z wielkimi piersiami. Trzy nie były opatrzone

---

* Obecnie ul. Wyzwolenia.

żadnym napisem, a jedna na swym ogonie miała napis, ale nie niemiecki, tylko najpewniej łotewski – jak później stwierdził Edward, gdy Grzenc złożył mu w przerwie meldunek i próbował przeliterować krótki tekst, jaki z trudem odczytał w półmroku sali. Identyfikację wykluczała też bujna fryzura wytatuowanego.

Popielski bardzo ostrożnie rozmawiał też z kilkoma tatuażystami, jednak żaden z nich nie pamiętał klienta, który kazałby sobie uwiecznić na skórze cycatą syrenę z jakimś napisem. Wszyscy oni z szacunkiem spozierali na więzienny tatuaż swego rozmówcy.

O dziesiątej wieczór Edward wyszedł z knajpy bez nazwy – już szóstej tego dnia – i zarządził koniec poszukiwań na dzisiaj. Ponieważ temperatura mocno spadła i co więcej, przed nimi było długie czekanie na dryndę oraz jeszcze bardziej czasochłonny powrót nad Motławę, to organizator całej akcji przezornie zakupił w ostatniej knajpie dwie kwarty rumu dla rozgrzewki.

Jego przewidywania okazały się słuszne. Z Nowego Portu wyruszyli dopiero około jedenastej. Podczas drogi powrotnej w całkowitym milczeniu wypili cały rum. Obaj Kaszubi wysiedli we Wrzeszczu, gdzie mieszkali.

Znali wytyczne co do następnego dnia. Mieli się spotkać nazajutrz znów o czwartej godzinie, w siódmej, nie odwiedzonej dzisiaj knajpie przy Fischmeisterweg, i robić to samo, co robili przez całe popołudnie i wieczór.

Porucznik jechał jeszcze ponad kwadrans, aż wysiadł koło Bramy Oliwskiej. Nie chciał, by dorożkarz widział dokładnie, gdzie mieszka. Jego strój nie pasował do eleganckiej handlowej dzielnicy i połączenie tych sprzecznych elementów mogło wzmóc podejrzliwość fiakra.

W całkiem uśpionym domu był dobrze po północy. Trochę czytał, trochę rozmyślał nad aktualnymi działaniami. Około czwartej nad ranem napisał panu Ajzenfiszowi kolejny liścik z prośbą o odprowadzenie i przyprowadzenie Rity ze szkoły.

Miał nadzieję, że termin otwarcia kiermaszu świątecznego nie wypada akurat tego dnia. Musiałby złamać obietnicę, jaką dał córce – wspólnego pójścia tamże, oczywiście pod warunkiem przeproszenia cioci Lodzi.

Zasnął kamiennym snem o piątej rano i nie nawet słyszał, jak Rita szykuje się do szkoły, a jego kuzynka oddaje się porannym czynnościom. Obudził się tylko na chwilę. Ujrzał wtedy kątem oka, jak córka wchodzi do jego gabinetu, zbliża się do łóżka i przypatruje się jego głowie wystającej spod kołdry. Zasnął natychmiast i nawet nie czuł, jak dziewczynka pocałowała go w skroń. Spał do południa, wracając z przyjemnością do swojej starej policyjnej zasady, wymuszonej epilepsją światłoczułą: *dormire die, noctu laborare* – spać w dzień, w nocy pracować.

Zgodnie z tą regułą powinien wczoraj całą noc siedzieć w portowych knajpach. Nie chciał jednak pierwszego dnia zbyt mocno eksploatować swoich współpracowników ani zostać samemu w jednej z tych melin – to już by było dość niebezpieczne. Niektórzy bywalcy sygnalizowali wobec obcego wrogie zamiary, a pod wpływem kolejnych kieliszków mogli się łatwo zamienić w rekiny, które poczuły krew. Mimo całego swego policyjnego doświadczenia bez wsparcia Grzenca i Szultki mógł się stać łatwą ofiarą.

W południe wymknął się cicho z mieszkania, unikając ewentualnych pytań Leokadii o malunek na jego głowie, który mogła dostrzec zupełnym przypadkiem. Nie ogolił się, upodobniając pod tym względem swe oblicze do niechlujnych portowych łazików i szukających przygód marynarzy. Obiad – pieczone śledzie z kartoflami i kiszoną kapustą – zjadł w Motławskim Pawilonie nad brzegami rzeki, przy długim stojącym na zewnątrz stole, gdzie wielu było jegomościów ubranych jak on, w robocze, brudne drelichy, i gdzie nikt się nie dziwił, że ktoś je obiad, nie zdjąwszy kaszkietu. Nieznośnie ościste śledzie popił szklanką piwa, by nie odróżniać się od innych. Skręcił też papierosa z kiepskiej machorki kupionej u ulicznego sprzedawcy. Zapach tytoniu Kasino albo przednich egipskich, których przywiózł sobie z Polski niemały zapas, pasowałby tutaj równie dobrze jak Leokadia do kilku siedzących przy stole dam barowych, mocno już nadwerężonych alkoholem.

O wpół do drugiej wsiadł w podmiejski pociąg i dwa kwadranse później był w Nowym Porcie.

Chciał działać tu sam – przynajmniej na razie. Wiedział, że marynarze i pijacy zaczynają masowo napływać do tawern dopiero późnym popołudniem, a wtedy ludzie, którzy mają najwięcej na ich temat do powiedzenia – barmani i kelnerzy – są bardzo zajęci i każdego zagadującego do nich człowieka traktują jak utrapienie. Łaskawszym okiem patrzą na rozmownych klientów o wcześniejszej porze.

Wszedł do lokalu bez nazwy, który miał dopełnić zaplanowanej wczoraj serii. Zrezygnował z niego, bo pobyt w poprzednich zajął im zbyt wiele czasu. Teraz tu zaczął.

Barman był ten sam co wczoraj – potężny chłop o kartoflowatym nosie i kilku bliznach po nożu na wysuniętej szczęce. Wczoraj wykazywał zaciekawienie osobą Popielskiego. Mówił po niemiecku z dziwnym, miękkim akcentem, który wśród zagłuszających wszystko donośnych marynarskich śpiewów był trudny do wyłapania i do zidentyfikowania.

Ciekawie popatrywał wczoraj na „tatuaż" na czole Edwarda, a nawet wskazał go swojemu pomocnikowi, szepcząc coś przy tym, jakby objaśniał znaczenie trwałego rysunku na skórze.

Kiedy Popielski znalazł się teraz w polu jego widzenia, barman kiwnął mu głową jak znajomemu. To się gościowi spodobało. Podszedł do baru. Chłop przecierał kufel niezbyt czystą szmatą i przypatrywał się przybyszowi z zainteresowaniem, w którym pojawił się jakby cień sympatii.

– Dzień dobry! – powiedział Popielski po niemiecku i oparł się o bar.

– A dzień dobry – odparł barman. – Co podać? Polecam jesiotra albo uchę!

Rozciągnął usta w uśmiechu, prezentując brak górnej jedynki. Trzech obecnych w lokalu mężczyzn ze zdziwieniem obejrzało się na rozmawiających. Popielski rozumiał doskonale, co ich zdziwiło. Dźwięk rosyjskiej mowy w ustach barmana.

– Najlepiej kwartę wódki i talerz ogórków. – Edward złożył zamówienie w języku Puszkina. – Skąd pan wiedział, że mówię po rosyjsku?

Barman wskazał na tatuaż na głowie gościa.

– Pracuję tu od dawna. – Przerzucił ścierkę przez ramię. – I widziałem niejedno. Ale nigdy obywatela z cierniową koroną, co by to nie był wcześniej w jakiejś tiurmie w naszej mateczce Rosji...

O to Popielskiemu chodziło – aby jakiś bywalec sam zagadnął go o tatuaż, przez co mógłby przez jakiś czas kontynuować rozmowę na temat specjalistów od zapuszczania tuszu pod skórę.

– Nie widziałem takiego, co by miał cierniową koronę i nie był skazany na dożywocie – ciągnął barman.

Rozmowa mogła skręcić w złym kierunku. Może rozmówca zacznie go szantażować? Bo co robi na wolności ktoś skazany na dożywocie? Może i nie szuka go policja, ale taki gagatek pewnie niejedno ma na sumieniu.

Ten zwrot w konwersacji już się Edwardowi mniej podobał, wiedział jednak, jak go wykorzystać.

Spojrzał na innych gości, którzy już odwrócili wzrok od baru. Stary rybak siedzący pod oknem zakopcił fajką i wsadził na powrót swój czerwony nos w kufel piwa, a jakiś zupełnie tu nie pasujący mężczyzna w średnim wieku z foczym futrem narzuconym na ramiona wrócił do cichej rozmowy z oberwańcem o młodej, lecz już obrzmiałej od alkoholu twarzy. Wszyscy siedzieli w wierzchnich okryciach – dwie kozy bardziej dymiły, niż ocieplały pomieszczenie.

– No właśnie. – Popielski zapalił papierosa i uśmiechnął się do rozmówcy. – Ten tatuaż, co pana zaciekawił, nie jest mi za bardzo na rękę. Chcę się ustatkować, osiąść tu, w Gdańsku. A każdy patrzy mi na mordę i mówi: „Oj, ten to chyba nie bardzo. Nie dam ja pracy takiemu owakiemu, oj, nie dam!". A ja już nie chcę na statek, ja chcę na stały ląd!

Choć wygłosił to płynną ruszczyzną, wiedział, że barman wyłapał cudzoziemskie nuty i ewidentne gramatyczne zgrzyty.

– Chyba z Pribałtiki, co? – Przypuszczenie się sprawdziło. – Jakoś taka wasza mowa... Litwin, Łotysz?

– Polak. – Popielski powiedział to cicho i rozejrzał się po lokalu nieco bojaźliwie. – I siedziałem w ruskiej tiurmie, na Sybirze. Za niewinność skazali, za niewinność... Ale potem była wojna i tak jakoś... Po morzach, oceanach człowieka poniosło.

Rosjanin spojrzał podejrzliwie na dłonie Edwarda zakryte roboczymi rękawiczkami. Ten pochylił się ku niemu i zrobił gest oznaczający: „Podejdź no bliżej!". Barman zareagował właściwie.

– Zna pan jakiegoś tatuażystę, co by ten tatuaż... No wiecie... – Zabrakło mu słowa, nie wiedział, jak jest po rosyjsku „wywabił". – No starł, zniszczył. Znacie takiego? Oni nie tylko rysują na skórze, ale i wycierają skórę.

Edward poczęstował rozmówcę papierosem, którego ten przyjął z lekkim skinieniem głowy i schował za ucho.

– Nie znam – odparł, stawiając przed Popielskim szklankę wódki i talerzyk z ogórkami kiszonymi. – Tutaj przychodzą robić tatuaże, nie ścierać... Nie słyszałem o tym nigdy. U nas za cara w wojsku to taki jeden cegłówką tarł sobie skórę na ręce. Aż się mu jakaś gangrena wdała. Nie radzę, oj, nie radzę. Lepiej perukę kupić!

Roześmiał się głośno z własnego dowcipu. Edward zawtórował mu gromko i wskazał na duży kwadratowy kieliszek stojący do góry nogami na serwetce.

– Niech się pan ze mną napije! Ja stawiam!

Barman spoglądał przez chwilę na gościa. Nagle wyciągnął do niego rękę.

– Jaki ja tam „pan". Kola mi na imię, a tobie jak?

– Władysław – odparł zapytany.

– No, to dawaj, *Władisław*. – Nalał sobie pół szklanki.

– Za batiuszkę cara!

– Nie. – Popielski odsunął szklankę od siebie. – Za cara to ja w tiurmie siedział.

– To za życie na obczyźnie! – Kola, nie czekając na reakcję, wypił duszkiem zawartość szklanki.

Edward wypił tyle samo i podsunął barmanowi pod nos talerz z ogórkami. Ten chuchnął, pokręcił przecząco głową i nieoczekiwanie zabrał talerz gościowi. Po sekundzie podstawił mu pod nos salaterkę z marynowanymi flądrami.

– Jedz, *Władisław* – sapnął. – To lepsze. Te ogórki takie kwaśne, że aż mordę wykręca. Jeden taki mi zakisił parę słoików i zniknął. Nie mam gdzie reklamować. Szukaj wiatru w polu...

Popielski, zachęcony, zagryzł znakomitym kwaskowatym mięsem. Musiał trochę zwolnić – i z alkoholem, i z indagowaniem. Kola był podejrzliwy – jak wszyscy balansujący na granicy prawa. Niejedno tu widział w Nowym Porcie i pewnie w niejednym brał udział.

Edward rozejrzał się po knajpie. Była to właściwie szopa zbita z desek, pomiędzy którymi widniały spore szpary. Hulał przez nie ze świstem zimny wiatr od morza, a jego podmuchy dochodziły aż do bufetu. Pod sufitem wisiało koło sterowe pokryte grubą warstwą wosku, z którego sterczały nadpalone świece. Na jednej ze ścian straszyły przymocowane do desek wielkie rozwarte rybie pyski – najpewniej dorszy i troci, bo jak Popielski wyczytał w przewodniku, te właśnie bałtyckie ryby osiągają duże rozmiary. Jakiś dowcipniś wsadził jednej rybie w pysk połówkę wypalonego cygara.

Świecznik pod sufitem, wypchane ryby i zardzewiała naftowa lampa nawigacyjna wisząca nad barem to były jedyne ozdoby w lokalu. Nie one jednak intrygowały Popielskiego. Dziwiła go obecność tutaj eleganckiego mężczyzny w foczym futrze.

Odwrócił się do Koli, który wciąż opierał swe ramiona na barze i najwyraźniej miał ochotę na dalszą pogawędkę.

– Robią tu sobie u ciebie tatuaże, tak mówiłeś, co, Kola?

– A robią!

Popielski prychnął drwiącym śmiechem.

– A ten elegant – spojrzał na mężczyznę szepczącego z portowym żulikiem – też sobie robi?

– Ten pietuch? – Kola nie ukrywał pogardy. – On chyba na dupie sobie robi tatuaże, pedał jeden.

Popielski odetchnął z ulgą. Gdyby barman mimowolnie nie wyjaśnił, co to znaczy „pietuch", mógłby dojść do wpadki. Popielski nie miał pojęcia, że ten rosyjski wyraz oprócz koguta oznacza biernego homoseksualistę. Określenie to pochodziło najpewniej ze slangu więziennego, który on, rzekomy kryminalista skazany na dożywocie, powinien był przecież znać!

– On chyba naprawdę pietuch – stwierdził Edward. – Patrz, jak młodszego podrywa...

– A jak! – przytaknął Kola.

Powiedział to tonem, w którym Popielski wyczuł irytację. Postanowił na chwilę porzucić temat tatuaży i pozwolić się barmanowi wygadać na temat nie lubianego najwyraźniej klienta.

– Jakąś taką wredną ma mordę, co? – zagaił.

Kola uderzył lekko pięścią w blat lady.

– A wredną, wredną! – zawołał. – Klientów mi zabiera, wredota jedna! Spotyka się tu z nimi, wypija po jednym kieliszku, po jednym, rozumiesz, *Władisław*? Za coś im płaci. Nie wiem za co. A oni potem znikają i już do mnie nie przychodzą. Nadaje im jakąś brudną robotę... A za forsę od niego to taki łazik jeden z drugim kogoś napadnie, okradnie, a może i zabije. Zarobi trochę forsy i omija później moją knajpę! Kola mu już śmierdzi, a jeszcze niedawno błagał o kredyt! Taki jeden najpierw występy pierdzące u mnie dawał, a potem to gardził mną, na ulicy nie poznawał, taki owaki, że niby pierwszy raz mnie spotyka! Widziałem ja jednego z drugim, jak się potem rozbijał w Giełdzie albo Pod Kuflowym Balastem za pieniądze od tego pietucha!

Popielski poczuł drżenie w całym ciele – jak zawsze, gdy wpadał na trop. Spojrzał na eleganta, który właśnie bez słowa pożegnania wychodził z tawerny w towarzystwie młodego żulika, i przypomniał sobie słowa Żychonia o hitlerowcach opłacających bandytów. I o pijanym mężczyźnie zwanym przez polskich gimnazjalistów Piardukiem.

– A jakież to są te pierdzące występy? – zapytał z uśmiechem. – Może cię źle zrozumiałem?

– A bywał tu taki jeden pijak... – na dźwięk tego wyrazu Popielskiemu zrobiło się cieplej – co to potem mną gardził.

Pierdział na zamówienie. Najpierw się nażarł za darmo mojego grochu i fasoli, a potem pierdział długo, całe melodie dupą wygrywał... Wtedy goście mu stawiali i sami, podochoceni, więcej pili. Każdy miał z tego zysk. Ale potem się wyżarła taka łysa łachudra i nawet mi się nie kłaniała! Oj, przepraszam, *Władisław*, ja nie chciałem nic o łysych źle mówić...

Edward poczuł, że ogarnia go euforia.

„Opłacany łysy bandyta, co to pierdzi na zamówienie – powtarzał sobie w myślach, jakby się bał, że zapomni. – Giełda i Pod Kuflowym Balastem. Tam bywa".

– To nic, Kola, kobiety lubią łysych! Lubią takiego pogłaskać po głowie! No, Kola! – krzyknął. – No, dawaj! Jeszcze po szklance! Ja stawiam!

Barman nalał i podsunął mu pod nos salaterkę z flądrami w occie. Wypili, zakąsili, a po ich podniebieniach rozpłynął się kwaskowaty smak.

Nagle Kola się zakrztusił. Wlepił szeroko otwarte oczy w Popielskiego. Edward poczuł na czole wilgoć – trochę octu wychlapało się z salaterki, gdy barman z rozmachem przesuwał ją po blacie.

Jedna kropla wytrysnęła z niej wysoko i upadła na czoło gościa.

I teraz zaczęła spływać.

Ciemnogranatową strużką.

VII

GODZINĘ PÓŹNIEJ EDWARD POPIELSKI wraz ze swoimi Kaszubami zjawił się w restauracji i hotelu Giełda. Był to lokal zajmujący w hierarchii knajp Nowego Portu miejsce pośrednie: dość porządny, lecz nie tak elegancki jak Dom dla Towarzystwa czy Perła Bałtyku; obskurny, ale nie tak podły jak szopy, które odwiedzili dzień wcześniej. Klientami byli tutaj co zamożniejsi marynarze oraz stateczni gdańszczanie, którzy – nie ryzykując rozpoznania – mogli się oddawać w hoteliku na pięterku uciechom cielesnym w towarzystwie swoich kochanek lub dam barowych.

Lokal mieścił się w murowanym budynku z czerwonej cegły stojącym przy Olivaer Strasse*. Był on bardzo charakterystyczny przez to, że od frontu miał aż cztery wejścia, z których dwa prowadziły do sali restauracyjnej, a dwa – do pokojów na piętrze.

Zanim tu weszli, Edward starannie umył sobie głowę z tuszu w przydworcowej studni. Z jednej strony „tatuaż" oddał już mu przysługę – ściągnął uwagę Koli i umożliwił nawiązanie z nim pogawędki, która wskazała właściwy trop; z drugiej zaś – skompromitował go w oczach barmana i naraził na poważne ryzyko. Było wielce prawdopodobne, że Kola pobiegnie do okolicznych lokali – zwłaszcza do tych, których nazwy sam mu zdradził – i ostrzeże kolegów po fachu przed kręcącym się w Nowym Porcie polskim oszustem, który jest być może policyjnym agentem, bo i tak go

---

* Obecnie ul. Oliwska.

określił barman wśród gradu przekleństw i złorzeczeń, gdy fałszywy urka z rozmazanym tuszem na czole uciekał z jego budy. Korona cierniowa była zatem teraz nie tylko niepotrzebna, ale wręcz niewskazana.

Innym problemem była ogolona głowa Edwarda. Kola – jeśliby rzeczywiście ostrzegł kolegów przed szpiclem – na pewno nie pominie w rysopisie tej cechy. Popielski musiał ją zatem prowizorycznie zamaskować. Na myśl o peruce mocno się wzdrygał. Już raz kiedyś miał na głowie sztuczne włosy*, spocił się pod nimi niemożebnie i obiecał sobie: nigdy więcej! Zresztą, gdzie tu w Nowym Porcie kupić teraz perukę?! Wolał rozwiązanie prostsze – jak najgłębiej wcisnąć głowę w kaszkiet.

I tak właśnie zrobił. Siedział teraz w kącie nad kuflem piwa i obserwował nielicznych jeszcze o tej porze klientów restauracji Giełda. Jego Kaszubi zaś – oddaleni o kilka stołów – całą uwagę poświęcali grze w tryktraka. Ani oni, ani ich szef niczego podejrzanego nie zauważyli – ani łysola z tatuażem, ani złych spojrzeń, którymi by ich mogli obdarzać miejscowi bandyci zaalarmowani przez Kolę.

Tak minęły dwie godziny. Napatrzywszy się już do syta na zardzewiały hełm nurka na barze oraz na oszklone gabloty, w których zamiast motyli przyszpilono jakieś nic niewarte banknoty z dalekich, egzotycznych krajów, Popielski poczuł wszechogarniającą nudę i senność. Na te dwa stany, tak częste w życiu policyjnym, było jedno remedium – zmiana działania lub obserwowanego obiektu.

---

* Zob. M. Krajewski, *Pomocnik kata*.

Wstał zatem i opuścił Giełdę.

Kiedy dołączyli doń obaj Kaszubi, podał im adres kolejnego lokalu. Knajpa o osobliwej nazwie Pod Kuflowym Balastem, gdzie się mieli spotkać niebawem, stała przy Weichselstrasse* 6a. On miał tam wejść pierwszy, oni – kwadrans po nim.

Pomaszerował zatem na południe tą właśnie ulicą, czując, jak porywisty wiatr od morza silnie uderza mu w plecy i sypie za kołnierz śniegiem. Moc wichru w skali Beauforta była zapewne wielka, skoro popychał on nielicznych przechodniów, zrywał im czapki z głów, a przecież i tak już stracił część swojego impetu na drzewach Westerplatte.

Restauracja, do której zmierzał Popielski, mieściła się w wolno stojącym narożnym budynku niedaleko nadbrzeża, skąd, jak pamiętał, w biały dzień i przy słonecznej pogodzie rozpościerał się piękny widok na Twierdzę Wisłoujście.

Edward wszedł do niewielkiego korytarza lokalu, otrzepał kaszkiet i ramiona ze śniegu i na powrót wcisnął mocno głowę w swe nakrycie głowy.

W środku – jak to we wszystkich nadmorskich knajpach w zimie – było cokolwiek smrodliwie. Odór potu i alkoholowych wyziewów mieszał się z charakterystyczną wonią mokrych wełnianych marynarskich kurtek parujących na wieszakach przy ogromnym piecu. Z otwartych drzwi kuchni buchały opary smażonych śledzi i ostry octowy zapach marynat, w których moczono te właśnie ryby. To wszystko spowijały gryzące w oczy obłoki machorki, wśród których

---

* Obecnie ul. Starowiślna.

można było rozpoznać stare, zdezelowane busole i mnóstwo wiszących u powały dzwonów okrętowych. W jawnym kontraście do tego starego złomu stały inne elementy wnętrza: błyszczący, starannie wypucowany bar, solidne, ciągnące się od podłogi po sufit półki z równo poustawianymi butelkami i – rzecz niezwykła – spory wybór gazet, umocowanych do drewnianych uchwytów, które w równym rzędzie wisiały na prawo od baru.

W Pod Kuflowym Balastem – w odróżnieniu od Giełdy – panował wielki tłok. Oprócz tej jednej różnicy było między lokalami wiele podobieństw, a najważniejsze z nich stanowiła klientela. I tu, i tam przebywało nieco lepsze niż w szopach przy Fischmeisterweg* morskie towarzystwo – przede wszystkim starsi marynarze, magazynierzy okrętowi i bosmani. Niektórzy grali w kości, inni w bierki, zwane mikado, większość paliła fajki, nieliczni – papierosy. Wszyscy pili. Wśród mężczyzn kręciły się mocno umalowane kobiety. Podpierały się pod boki, niekiedy lekkim uderzeniem bioder roztrącały siedzących, aby zwrócić na siebie ich uwagę, czasami śmiały się głośno, niekiedy przyjmowały papierosa lub szklaneczkę rumu. Rzadko ktoś je popychał albo odpędzał grubym słowem.

Popielski stanął przy barze i zapytał, co barman poleciłby na takie zimno. Ponury typ, całkiem podobny do Koli, choć niższy i z większymi brakami w uzębieniu, przyjrzał się klientowi uważnie i bezceremonialnie, po czym bez słowa wskazał na tablicę, na której nierównymi kulfonami

---

* Obecnie ul. Wyzwolenia.

wypisano „Pobudzacz do życia". Edward skinął głową i otrzymał szklankę rumu z mało finezyjnymi dodatkami – dwiema kostkami cukru i gorącą wodą.

Ujrzawszy kątem oka, że jego Kaszubi już weszli do knajpy, stanął z tym napitkiem w pobliżu ryczącej śmiechem grupy mężczyzn, którzy zabawiali się jakąś osobliwą grą towarzyską. Jej zasady – prostackie i rubaszne – wnet stały się dla niego jasne i zrozumiałe. Jeden z mężczyzn siedział na krześle, a inny przyklękał obok, na kolanach siedzącego kładł głowę, którą następnie dokładnie zawijano marynarską kurtką – aby klęczący nie mógł nic widzieć. Następnie każdy z pozostałych graczy podchodził do niego i wymierzał mu cios w wypięty zadek – otwartą dłonią lub pięścią. Po każdym takim klapsie delikwent miał kilkanaście sekund na rozpoznanie – oczywiście na ślepo – kto go uderzył. Jeśli udało mu się zgadnąć, z ofiary stawał się katem, a ów rozpoznany zajmował jego miejsce i od tego momentu sam przyjmował ciosy w tyłek. Jeśli bity po jednej rundzie nie odgadł tożsamości bijącego, pewien bosman uderzał w okrętowy dzwon. Oznaczało to, że bity albo dalej przyjmuje ciosy, albo odpada z gry, stawiając kolejkę wszystkim pozostałym graczom.

Było ich czterech, nie licząc tego, który miał zakrytą głowę. Popielski szybko stracił zainteresowanie nimi, ponieważ żaden nie był łysy. Dwaj z nich – typowe gdańskie obiboki, zwane „Bowken" – nie mieli żadnego nakrycia głowy i prezentowali wszystkim swe gęste i przetłuszczone loki, a dwóm pozostałym kosmyki włosów wymykały się spod marynarskich czapek.

W swych poszukiwaniach damskiego boksera Edward podszedł do dwóch graczy w tryktraka, ponieważ zainteresowały go łysina i tatuaż jednego z nich. Uzyskawszy ich zgodę na to, aby im pokibicować, przyjrzał się uważnie łysemu, a nade wszystko – jego przedramieniu, gdzie widniał tatuaż. Ku swojemu rozczarowaniu nie dojrzał cycatej syreny, lecz ster oraz flagę z trupią czaszką i skrzyżowanymi piszczelami. Poniżej widniał napis: „Wytrwały jak sternik, waleczny jak pirat".

Już miał ruszyć dalej ku czterem graczom w kości, gdy usłyszał gdzieś w pobliżu donośne pierdnięcie. Zachował się tak jak inni goście – odwrócił się gwałtownie i wybuchnął donośnym śmiechem. Ale jego oczy się nie śmiały, były skoncentrowane i uważne. Spoczęły na delikwencie, któremu właśnie wymierzono klapsa w zadek – bo to on, ku uciesze pozostałych, wypuścił głośno wiatry.

– Ale pierd! – wrzasnął po polsku jeden z marynarzy, a potem szybko zwrócił się łamaną niemczyzną do nadzorującego całą grę bosmana. – Tego nie było w umowie! Ja nie będę wąchał jego smrodów!

Protestujący najwyraźniej był tym, po którego uderzeniu zadziałały jelita bitego człowieka. Mężczyźni zarykiwali się i klepali po ramionach. Popielski zbliżył się do nich. Kątem oka zauważył, iż jego Kaszubi również stali się czujni.

– To tylko gra – odparł flegmatycznie bosman, gdy już umilkły wesołe okrzyki. – Nikt tu zasad nie pisze, to nie dziennik okrętowy. Ale jedno jest pewne. Nie wolno się odzywać i zdradzać, coś ty za jeden. Kto się odezwie, ten jest salonowcem. A ty się odezwałeś. No to kładź się.

Bity zerwał z głowy kurtkę i zaśmiał się cienkim głosem. Był łysy, lecz skronie i potylicę porastały mu stosunkowo gęste ciemne włosy. Na ramiona miał narzuconą marynarską wełnianą kurtkę, toteż żadne tatuaże nie były widoczne.

– Nie! – mruknął marynarz, któremu kazano się położyć. – Nie gram tak! Nie gram z wami!

Słowa te padły w ojczystym języku Popielskiego. Wtedy łysy rzucił się na polskiego marynarza i wrzasnął coś, co w innych okolicznościach wzbudziłoby u Edwarda napad wściekłości. Była to obelga wobec narodu, którego był członkiem, a to zawsze wzburzało w nim krew.

Zawsze, lecz nie teraz. Teraz Popielski czekał na te słowa jak na najulubieńszą muzykę.

– *Kaschuben, Polacken, alle Kakerlaken!* – darł się łysy i wygrażał pięściami polskiemu partnerowi w grze, zwanej salonowcem.

PAUL WIEGRATZ WIELOKROTNIE BUDZIŁ SIĘ w swym nędznym pokoiku w Nowym Porcie, na tyłach Portowego Urzędu Budowlanego przy Schleusen-Strasse*, z całkowicie wymazaną pamięcią. Nie potrafił zrekonstruować wypadków minionego wieczoru, zwłaszcza tych poprzedzających jego powrót do domu. Tak było i tym razem.

Wielokrotnie po alkoholowym wieczorze odczuwał jakieś dolegliwości – a to siłował się wcześniej z kimś na rękę i teraz całe ramię było obolałe, a to dostał od kogoś pod oko i teraz pulsowało bólem sine limo, a to skręcił gdzieś

---

* Obecnie ul. Zamknięta.

nogę i opuchnięta kostka protestowała przeciwko jakimkolwiek ruchom. Tym razem poczuł pewne *novum* – jeszcze nigdy tak dotkliwie nie bolały go palce u stóp.

„Co to było? – przeszło mu przez głowę. – Tańczyłem z jakąś dziwą, a ona mi paluchy podeptała?"

Czasami przebudzeniu towarzyszyły jakieś nieprzyjemne wonie. Tym razem był to zapach znany wszystkim wilkom morskim – w pokoju o całkiem zaparowanych oknach pachniało gotującymi się rybami.

Bywało, że Paul Wiegratz budził się z jakąś pijaną kobietą przy sobie. Tym razem znów czekała go niespodzianka – na łóżku, po obu jego bokach, siedzieli dwaj muskularni mężczyźni bez marynarek i patrzyli na niego obojętnie spod złamanych daszków swych kaszkietów.

Chciał wstać. Nie mógł – był przywiązany do posłania jakimiś włochatymi postronkami. Chciał krzyczeć. Nie mógł – zakneblowano go czymś miękkim i mokrym.

W zasięgu jego wzroku pojawił się teraz masywny mężczyzna w drelichowej kurtce. Na jego łysej głowie zauważył jakieś ciemne zacieki – jakby pozostałości po sińcach.

Mężczyzna spojrzał z uśmiechem na Wiegratza i powiedział z silnym austriackim akcentem:

– Dobrze, że się obudziłeś, Paul. Dochodzi czwarta rano, a ja nie mam zbyt wiele czasu. Zamknij oczy dwa razy na znak, że mnie zrozumiałeś.

Leżący uczynił, co mu nakazano.

– Teraz wyjmę ci z mordy knebel, czyli twoje własne gacie – powiedział mężczyzna i wzdrygnął się z obrzydzeniem. – Wyjmę je, a ty będziesz cicho, dobrze, Paul? Bardzo cicho. Bo jeśli krzykniesz, dostaniesz karę... Dotkliwą karę. Najpierw ci o niej opowiem. To tak zwane rękawiczki. Zanurzę ci dłonie w zupie rybnej i będę je trzymał tam tak długo, że ci zejdzie z nich skóra. Jak wsadzę twoją łapę głębiej, to zniknie nawet ten tatuaż z fikuśną syreną i napisem: „Jestem wyłącznie dla miłego Paula". – Dotknął jego przedramienia. – Zamknij oczy dwa razy na znak, że rozumiesz i nie będziesz krzyczał...

Skrępowany mężczyzna usłyszał teraz bulgot i brzęk metalu koło swego łóżka. Przekręcił głowę i zobaczył kociołek z wczorajszą zupą rybną na zapalonej maszynce spirytusowej. Pokrywka podskakiwała nad pękającymi bąblami wrzątku. Mrugnął dwa razy.

Łysy mężczyzna włożył wełnianą rękawiczkę i wyrwał mu z ust knebel. Wiegratz się rozkaszlał.

Dotrzymał słowa. Nie krzyczał.

– Posłuchaj mnie uważnie, Paul. Jestem katem. Kiedy widzę człowieka, który pobił niewinne, bezbronne polskie dziewczynki, to wymierzam mu karę. A będzie ona dotkliwa, kiedy wrzący rybi wywar zeżre ci ciało aż do białej kości. W zupie będzie pływało twoje własne, rozgotowane mięso, czerwone i pokryte bąblami. Chcesz tego, Paul? Jeśli nie, to odpowiedz mi na proste pytanie: kto ci zlecił pobicie tych dwóch polskich dziewczynek?

Minęło kilkanaście sekund. Wiegratz ich potrzebował, by dokonać bilansu zysków i strat. Uniósł lekko głowę i patrzył na swoje nędzne otoczenie – niedbale zbity z desek stary kredens, koślawy stół i poobijaną miednicę. Spojrzał też na małą choinkę z błyszczącymi papierkami po cukierkach, które służyły za ozdoby bożonarodzeniowe. Była ona wetknięta w dziurę wydrążoną w szerokiej blaszanej puszcze po kawie. To tam Wiegratz przechowywał swoje oszczędności.

Zrozumiał w końcu, że chce jeszcze z nich korzystać. A poparzonymi rękami nawet puszki nie otworzy. Wiedział, że nie może podać adresu eleganta, który mu dawał zlecenia, gdyż ten go zabije. Wpadł jednak na pewien pomysł. Przebiegły i sprytny.

– Nie znam go z nazwiska – wyjęczał. Kiedy mówił, rozchodziła się nad nim chmura alkoholowych miazmatów. – Ale wiem, gdzie go zawsze można spotkać wieczorem. Nawet przy takiej pogodzie. Przy starej żeliwnej latarni morskiej. Tam się spotykaliśmy po zapadnięciu zmroku. On podziwia morze. Mówi, że szuka natchnienia. To niedaleko stąd. Zaprowadzę tam pana jutro, panie kacie.

Ten kiwnął głową i zgasił ogień pod wrzącą zupą.

VIII

CIEMNOŚĆ ZALEGAŁA JESZCZE NAD GDAŃSKIEM, gdy Popielski powrócił do domu. Grzenc i Szultka pozostali przy Wiegratzu i pilnowali go na zmianę, aby nie przeprowadził jakiejś brawurowej akcji.

Edward po przyjeździe do domu i przebraniu się w piżamę i szlafrok napisał krótki list do pani Arendarskiej, chwaląc obu Kaszubów, których nazwał „niezawodnymi". Zakleił go starannie i położył na biurku pana Ajzenfisza z uprzejmym poleceniem, aby on sam albo jakiś jego zaufany zawiózł ten list do Sopotów na adres Rickertstrasse* 24. Kurtuazyjna aktywność męczyła go i nużyła – te wszystkie podziękowania, zaproszenia, rekomendacje... Dlatego wolał takie sprawy załatwiać jak najszybciej – choćby nad ranem, w półprzytomności po ciężko przepracowanej nocy.

Kiedy się obudził, dochodziło południe. Wstał, włożył szlafrok i pogwizdując cicho, poszedł do łazienki, aby się ogolić. Po drodze minął otwarte na oścież drzwi sypialni Rity i Leokadii. Żadna z nich nie miała zwyczaju zamykać za sobą, co go zwykle nieco irytowało i skłaniało do zgryźliwych uwag – głównie pod adresem kuzynki. Ale dzisiaj był w dobrym nastroju i nawet nie myślał podejmować tematów, które mogłyby zostać uznane przez Leokadię za zaczepkę.

---

* Obecnie ul. Obrońców Westerplatte.

Nie miał ochoty na sprzeczki, bo przecież rozpierała go radość. Oto w ciągu dwóch dni zidentyfikował i złapał drania, który pobił polskie gimnazjalistki! Pierwsza akcja z cyklu „Wet za wet" nie tylko zakończyła się sukcesem, ale i zapowiadała obiecujący ciąg dalszy – dotarcie do głównego zleceniodawcy tych podłych działań. I ukaranie go. W końcu był katem.

Kiedy wszedł do salonu, jego dobry nastrój się ulotnił. Powodem był zacięty wyraz twarzy Leokadii.

„Znów coś się stało! – pomyślał i zbliżył się do kuzynki, aby pocałować ją w dłoń. – Zaraz znów usłyszę: »Wyjedźmy z tego przeklętego miasta!«"

Leokadia po kilkunastu latach wspólnego życia oczywiście wiedziała, w jakim celu Edward zbliża się ku niej każdego poranka. Lubiła te powitania, gdy całował ją w dłoń, a ona głaskała go żartobliwie po głowie lub karku. Nie były one sztuczne, schematyczne czy wymuszone, lecz pełne rodzinnego oddania. Jednak dzisiaj nie miała nastroju do familijnych karesów. Owszem, wyciągnęła dłoń ku nadchodzącemu kuzynowi, ale bynajmniej nie w geście powitania. W zaciśniętych palcach trzymała list od Ireny Arendarskiej.

Popielski usiadł w fotelu wyścielanym wiśniowym aksamitem i złamał pieczęć. Podkręcił nieco płomyk lampy naftowej, której z uporem używał, choć ich mieszkanie – jak i cała okolica – było podłączone do elektrowni, umiejscowionej na nieodległej wyspie Ołowianka. Mimo południowej pory nad miastem zalegały grube, ciemne chmury, w wyniku czego dno swoistego kanionu, jakim była gęsto zabudowana ulica Pfefferstadt*, niemal pogrążyło się w ciemności.

Przeczytał list dwukrotnie i spojrzał na zegar stojący koło drzwi.

– Śpieszysz się? – Leokadia uśmiechnęła się lekko. – Dostałeś zaproszenie na *rendez-vous*? Od tej blondynki... nie pierwszej już młodości, co to powinna się nauczyć, jak używać farby do włosów?

„I młodszej od ciebie o jakieś piętnaście lat" – pomyślał, a na głos powiedział:

– Skąd wiesz, że to od Arendarskiej? Podziwiam twoją detektywistyczną przenikliwość!

Wiedział, że ponury nastrój kuzynki może łatwo zniwelować – bardzo słusznym zresztą – komplementowaniem jej inteligencji.

– Widziałam dziś rano list do niej zaadresowany twoją ręką – odpowiedziała Lodzia poważnie. – Leżał na biurku pana Ajzenfisza. On mnie poprosił, abym zawiozła Ritę do szkoły, bo sam ma pilne zadanie. Nie powiedział wprawdzie jakie, ale się domyśliłam. No i potem Ajzenfisz przyjechał i przywiózł odpowiedź. Zgodziła się na schadzkę? O której to macie się spotkać i w jakim romantycznym miejscu?

Oczy jej błyszczały nieco złowrogo. Miała na sobie szarą elegancką podomkę z grubej flaneli, zapinaną pod szyją srebrną broszą. Edward nigdy nie lubił tego stroju. Lodzia wydawała mu się w nim stara i zmęczona.

---

* Obecnie ul. Korzenna.

W pierwszej chwili chciał jej zdecydowanie odpowiedzieć, że o ile rzeczywiście ma z tą panią służbowe spotkanie, o tyle jego termin nie powinien obchodzić osób trzecich. Opanował się jednak i jeszcze raz spojrzał na perfumowany liścik.

WPanie, z radością przyjęłam Pańską opinię o moich kaszubskich współpracownikach. Jeśliby WPan chciał osobiście mi podziękować za polecenie właściwych ludzi, chętnie dałabym się zaprosić do cukierni dzisiaj o 3-ej. A przy kawie miałabym WPanu coś ciekawego do powiedzenia. Miejsce: Delikatesy Mühlinga, Pokój Mliarderów, Sopoty, Seestr.* 42.

– O trzeciej mam być w Sopotach – odpowiedział zimno.

– O trzeciej powinieneś być tutaj! – Leokadia wstała. Z jej oczu sypały się iskry. – Czyżbyś zapomniał, mój drogi Edwardzie, że masz jeszcze córkę? Obiecałeś jej, że jeśli mnie przeprosi i będzie grzeczna, pójdziesz z nią na kiermasz świąteczny. A on się zaczyna właśnie dzisiaj. I to właśnie o trzeciej. Ponieważ ostatnio rzadko bywasz w domu, to śpieszę ci powiedzieć, że oba warunki przez twoją ukochaną jedynaczkę zostały spełnione.

Popielski zacisnął szczęki. Mógł przez chwilę pożalać się sam nad sobą, mówiąc do Lodzi: „Po co ja was tu brałem!? Stałyście się dla mnie kulą u nogi! Mam ważne zadania natury państwowej! Jestem funkcjonariuszem służb wywiadowczych,

---

* Obecnie ul. Bohaterów Monte Cassino.

a nie jakąś niańką trzynastoletniej pannicy". Wiedział, że taką reakcją wzbudziłby u Leokadii jedynie politowanie.

– Proszę cię, Lodziu. – Uśmiechnął się do kuzynki całą siłą woli. – Idź ty, kochana, z Ritą na ten kiermasz! Ja mam dzisiaj wieczorem ważną akcję. Muszę się do niej przygotować. I wcale nie chodzi tu o tę, jak ją nazwałaś nie bez słuszności, „farbowaną kokotę". To akcja wagi państwowej...

– Wszystko, co robisz, jest wagi państwowej – odparła Leokadia z chłodną ironią. – Czyż może mierzyć się z tym ciężarem patriotycznego obowiązku coś, co jest tylko wagi rodzinnej? Dobrze, już dobrze! Pójdę z Ritą na ten nieszczęsny kiermasz.

– Dziękuję!

Wstał, aby ją pocałować w dłoń. Nie zdążył. Chciała wyrwać rękę, lecz on, z przekory i ze złości, trzymał ją mocno. W końcu się uwolniła od jego uścisku i przy tej szamotaninie niechcący – a może chcący? – uderzyła go kostkami dłoni od dołu, w podbródek. Cios był lekki, lecz trafił w splot nerwowy. Zabolało. Jakby poraził go prąd.

Wyszła szybko z salonu, stukając pantoflami, a Edward stał oblany purpurą i bezradnym gestem pocierał brodę, udając sam przed sobą, że sprawdza, jak sztywny jest jego poranny zarost.

SOPOCKA CUKIERNIA DELIKATESY MÜHLINGA przy Seestrasse 42 należała do najelegantszych lokali tego kurortu. Składała się z kilku sal, z których każda nosiła nazwę zupełnie nie licującą z wystrojem wnętrza – z jednym wszakże wyjątkiem. Małe salki, które Popielski zwiedził po drodze do położonego na samym końcu amfilady Pokoju Miliarderów, o nazwach Salonik Radnych, Przedsionek Obywateli czy Salonik Filozofów, były bliźniaczo do siebie podobne i nie odznaczały się żadnym elementem, który uzasadniałby takie, a nie inne ich miano. Wszędzie umieszczono identyczne szklane bufety z wyszukanymi zakąskami i ciastami, a modele statków wisiały pod sufitem lub stały na wysokich kredensach. W każdym z tych trzech pomieszczeń okazy morskiej fauny szczerzyły z gablot zęby, a na ścianach trudno było znaleźć kilka centymetrów wolnej przestrzeni, która by nie była zajęta nie tylko przez obrazy i obrazki o tematyce marynistycznej, lecz również przez jakieś tajemnicze medale i odznaczenia oprawione w szkło i przyczepione do aksamitnych poduszeczek.

Ostatnia sala, którą Arendarska wyznaczyła Popielskiemu na spotkanie, nosiła nazwę Pokój Miliarderów. W odróżnieniu od poprzednich określeń to akurat było adekwatne. Wszystkie bowiem ściany wytapetowano starymi banknotami z czasów inflacji o milionowych i miliardowych nominałach.

Wystrój wnętrza również budził filozoficzne skojarzenia. Otóż owe bezwartościowe papiery w połączeniu z innymi elementami – zwłaszcza z wielkim napisem „Tak przemija chwała świata" – utwierdzały refleksyjnego gościa w przekonaniu o nędznej wartości rzeczy doczesnych. Owe dzisiaj nic już niewarte miliardowe banknoty, niegdyś cel życia, a przynajmniej obiekt troskliwych zabiegów ludzkich, w połączeniu z głęboko prawdziwym rozpoznaniem zmienności i przypadkowości rzeczy, o czym mówiły napis oraz stojąca pod nim klepsydra, natychmiast zwróciły uwagę Popielskiego.

Uznał, że właściciel lokalu jest człowiekiem oryginalnym i nie schlebia najniższym gustom – jak to często było widać w innych knajpach, choćby poprzez nagromadzenie napisów typu „Hejże, bracie, po kielichu! Żyje się wszak tylko raz!".

Edward usiadł na wygiętym lekkim krześle, zaopatrzony przez kelnera w menu, i zapalił egipskiego. Pani Arendarskiej – zgodnie z jego przewidywaniami – jeszcze nie było.

– Przyjdzie pewnie gdzieś za kwadrans i uśmiechnie się niewinnie – szepnął do siebie. – To będą przeprosiny za spóźnienie i, kto wie, może zapowiedź czegoś miłego w przyszłości?... Kobiety lubią harmonię i równowagę. Najpierw mnie popędza listownie, a potem właśnie dla owej równowagi nie przychodzi na czas. Najpierw mówi: „Zależy mi na spotkaniu z tobą", a potem – również dla równowagi – swym niedbałym spóźnieniem oznajmia: „Ale nie myśl sobie, że aż tak bardzo!".

Uśmiechnął się pod nosem. Czuł się pewnie. Był starym wyjadaczem. Znał życie i znał kobiety, choć czasami – jak dzisiaj podczas rozmowy z Leokadią – ta znajomość nie okazywała się zbyt dogłębna.

Zupełnie zapominając, iż Arendarska jest błyskotliwą osobą, która po mistrzowsku radzi sobie w bardzo trudnym środowisku, zaczął znów o niej myśleć jako o obiekcie erotycznym.

W miłym i egoistycznym poczuciu, że świat damsko-męskich oddziaływań nie ma przed nim większych tajemnic, oparł łokcie na biało-niebieskim obrusie i dokonał wstępnej selekcji dań i napojów. Już pobieżna lektura nazw koktajli i likierów potwierdziła jego zgryźliwe nieco przekonanie, że właściciel lokalu pan August Mühling ma nieokiełznaną fantazję nazewniczą.

„»Anioł pełen przeczuć«, »Spojrzenie w bezkresne niebo« – szydził w duchu z napuszonych, poetyckich nazw likierowych mieszanek. – Jest nawet »Surowica Kocha« i »Wiatr jedenastostopniowy«! Muszę koniecznie zapytać, czy są też »Łzy Narcyza«"!

Ten filolog, zniesmaczony nieco nic nie mówiącymi mu określeniami, postanowił zaordynować – gdy już przyjdzie pani Arendarska – kawę, tort marcepanowy i kieliszek polskiej wódki Podbipięta, która to nazwa była wydrukowana w karcie z prawidłowym „ę". Dwa ostatnie specjały znał skądinąd doskonale, co do kawy – to wciąż brzęczały mu w uszach ostrzeżenia Leokadii, by zamawiać *Kaffee verkehrt*, czyli napój o odwróconych proporcjach. Oznaczało to mało mocnej, gęstej kawy, a za to sporo mleka. Kuzynka niedawno w jakiejś kawiarni przy Jopengasse* srogo się rozczarowała wielką filiżanką wodnistej kawy z naparstkiem mleka. Kiedy zareklamowała swój napój, kelner uderzył się w czoło.

– Ależ oczywiście! – zawołał. – Pani zapewne jest Polką, a wszyscy Polacy piją kawę „odwróconą"!

Edward, podjąwszy decyzję co do zamówienia, przejrzał się w lustrze wiszącym naprzeciwko. Granatowy dwurzędowy garnitur dobrze na nim leżał, nie odstając ani na karku, ani na ramionach. Śnieżnobiała koszula i niebieski

---

* Obecnie ul. Piwna.

krawat w srebrne grochy dobrze współgrały z całością. Trochę go tylko irytowały ledwo widoczne niebieskie cienie po „tatuażu".

Rzeczywiście, Arendarska pojawiła się, gdy szedł już drugi kwadrans na czwartą. Była ubrana w granatowy ciepły płaszcz z miękkiego aksamitu, z rzędem guzików, który ciągnął się od kołnierza do łydek niesymetrycznie, nieco z boku. Wokół szyi miała apaszkę, a na głowie kapelusik z woalką. Nie zdołał on jednak zasłonić delikatnego i nieśmiałego uśmiechu.

Edward zerwał się od stolika. Gratulował sobie w myślach. Taki właśnie uśmieszek przewidział – trochę szelmowski, trochę dziecinny.

Był starym wyjadaczem. Znał życie i znał kobiety.

– Dzień dobry! – szepnęła.

– Dzień dobry! – zabasował uwodzicielsko.

Wszystko przebiegało tak, jak to przewidział. Pocałował ją w dłoń zasłoniętą rękawiczką z miękkiej skóry. Podsunął krzesło. Usiadła.

„Teraz wyjmie papierosa w lufce – pomyślał. – I spuści oczy jak pensjonarka..."

Nie zrobiła tego. Nie wyjęła papierosa i nie uciekała wzrokiem. Poprawiła kapelusik i popatrzyła na Popielskiego. Paliła go spojrzeniem rozbawionym i – jak mu się zdało – bezwstydnym.

– Chce pan, abym została jego kochanką? – zapytała, lekko ruszając czubkiem pantofla.

Popielski ciężko usiadł na krześle i otworzył szeroko usta.

W jednej chwili zrozumiał, że nie jest wcale starym wyjadaczem. Że zupełnie nie zna ani życia, ani kobiet.

LEOKADIA TCHÓRZNICKA SZŁA WRAZ Z RITĄ przez Kohlenmarkt* w stronę słynnego domu towarowego Braci Freymannów. W dłoni trzymała czterostronicową ulotkę reklamową, która w polskiej wersji językowej trafiła wczoraj do ich skrzynki na listy. Zapowiadano w niej, iż właśnie dzisiaj rozpoczyna się „Wielka sprzedaż gwiazdkowa na stu osiemdziesięciu specjalnych stołach z pięknym tanim towarem".

Szły ostrożnie i powoli, aby nie ryzykować poślizgnięcia na grubej warstwie śniegu, która ściśnięta mrozem, zamieniała się w lód. Z tego też powodu trzymały się obie mocno jedna drugiej. Leokadia ubrana była w szary ciepły płaszcz z kołnierzem z białych lisów oraz czarny, dobrze dopasowany kapelusik, który zakrywał jej tylko pół głowy i sprawiał wrażenie, jakby z jej starannie ułożonymi ciemnymi włosami stanowił jedną całość. Rita miała na sobie kożuszek i czapkę, spod której wystawały jej grube czarne warkocze.

Szykowny strój damy w średnim wieku oraz jej wytworne maniery i demonstracyjna polszczyzna skłaniały do aktywności różnych natrętów, który brali Leokadię za bogatą polską arystokratkę bądź też za przedstawicielkę kupieckiej elity.

A to jakiś kolędnik adwentowy – czyli zmarznięte na kość dziecko ze sklejoną z kartonu szopką – zachodził jej drogę ze śpiewem na ustach, prosząc o słodycze lub o jakąś

---

* Obecnie Targ Węglowy.

monetę; a to zabiedzony handlowiec wyłaził z jednego z licznych wozów mieszkalnych, którymi obstawiona była ulica, i przyglądał się bacznie eleganckiej pani, zgadując w duchu, co też by ona chciała kupić – może choinkę, a może bombki? – i zgodnie z tym rozpoznaniem biegł do niej i oferował swój tani towar.

Leokadia dała kilka fenigów jednemu z chłopców, który zaśpiewał po polsku początek kolędy *Cicha noc*. Owych natrętnych wozaków unikała zaś jak ognia, przedkładając „tani i piękny towar ze stu osiemdziesięciu specjalnych stołów" ponad ich tandetę.

Odchodzili oni niechętnie od szykownej Polki i wracali do swych nędznych straganów i zimnych mieszkalnych wozów. Jeden ze sprzedawców – brudny i nie ogolony – musiał być najwyraźniej zły na pogardliwe, jak sądził, odrzucenie przez elegancką panią swych piernikowych koników. Szedł za nią i za jej córką, nie spuszczając ich z oczu.

Obie Polki weszły między kramy, tak szeroko reklamowane przez firmę Bracia Freymann. Nad nimi błyszczały od zachodzącego słońca półokrągłe wielkie witryny domu towarowego.

Obie znalazły się teraz w małych uliczkach, prawdziwych choinkowych alejach, przepięknie pachnących sosnowym lasem. Zapach ten dochodził również spod kramarskich dachów, gdzie zwisały liczne ośnieżone gałęzie, niektóre pokryte bombkami.

– Zobacz, Rito, jaka tu zabawa! Prawdziwy teatrzyk z nakręcanymi kukiełkami! – Lodzia aż klasnęła w ręce, nie mogąc pohamować dziecięcej wręcz ekscytacji.

Rita najpierw spojrzała z pewnym pobłażaniem na ciotkę, a potem na nakręcane zabawki. Na okrągłej desce z przyklejoną watą udającej leśną śnieżną polanę otoczoną przez zielone jodły kręciły się wśród girland małych żarówek tańczące pary.

Panienka prychnęła lekceważąco na tę dziecinadę i przeszła na drugą stronę alejki. Czując na ramieniu dłoń zaniepokojonej ciotki, spoglądała na szopkę w całości wykonaną z papierosów. Jedynie figurki małego Jezuska, jego Rodziców, Trzech Królów oraz zwierząt były zrobione z laki. Ów papierosowy budulec bardzo zainteresował gimnazjalistkę, która już raz czy dwa popróbowała tytoniu.

Nie tylko ona była zachwycona tym niecodziennym widokiem. Brudny i nie ogolony drab, który najpierw oferował im pierniki, a potem szedł za nimi krok w krok, również wlepiał teraz w papierosową szopkę swe kaprawe oczy. A potem przeniósł je na innego obdartusa, ze szramą na policzku, który stanął tuż obok. Pierwszy swym podbródkiem pokrytym siwą szczeciną wskazał drugiemu Ritę, po czym zniknął w tłumie.

Obdartus ze szramą przez dwa kwadranse nie odstępował obu Polek.

A potem zaatakował.

– OCZYWIŚCIE, KOCHANKĄ NA NIBY, panie von Luzerius. – Arendarska roześmiała się perliście. – Kochanką fikcyjną!

Popielski nie odezwał się ani słowem. Nie wiedział, jak zareagować. Nie chciał się zdradzić ze swą nagłą żądzą, która go ogarnęła na widok tej droczącej się z nim pięknej kobiety. Nie mógł też obrócić wszystkiego w żart z prostego powodu – żaden stosowny dowcip nie przychodził mu do głowy.

Zapadła kłopotliwa cisza, którą na szczęście przerwał kelner. Pani Irena zamówiła koktajl klubowy, Edward natomiast to, co już był wcześniej zaplanował. Teraz dopiero wyjęła srebrną lufkę i lubieżnym – jak mu się zdało – ruchem powoli wtykała do niej papierosa i znów go wyciągała.

– Droga pani. – Wstał i podał jej ogień. – Jeśli już mam ryzykować zdradą małżeńską i komplikacjami życia rodzinnego, to dlaczego „na niby"? Czyż nie uczciwiej byłoby ponieść prawdziwe konsekwencje za prawdziwe chwile zapomnienia?

Arendarska spojrzała na niego znad papierosa. Nie dostrzegł jednak w jej wzroku nawet cienia bezwstydu ani ochoty do flirtu. Była za to determinacja i zdecydowanie – jak u człowieka, który właśnie ma zamiar podjąć twarde negocjacje.

– Postawmy sprawę jasno. – Z jej ust wydobyły się drobne chmurki dymu. – Chcę się zemścić na komisarzu Oskarze Reilem, a moja zemsta ma być okrutna i krwawa!

Popielski chciał już powiedzieć, że słyszy to nazwisko po raz pierwszy w życiu, ale nie zdążył otworzyć ust.

– Niech pan nie udaje, że nie wie, o kogo chodzi. To tajny rezydent niemieckiego wywiadu. Z jego przyjacielem esesmanem Reginaldem Vierkiem rozmawiał pan na swoim przyjęciu! Niech pan nie udaje, nic nie mówi i posłucha ponurej historii o zdradzanej żonie, uwodzicielskim dżentelmenie i okrutnym łotrze, prawdziwym zwierzęciu, który zdechł gdzieś w Polsce.

Po tym jak kelner postawił przed panią płytki szeroki kieliszek, a przed panem kawę „odwrotną", nieduży kieliszek wódki oraz talerzyk z torcikiem marcepanowym, w Pokoju Miliarderów rozległo się westchnienie, a potem pierwsze zdania smutnej opowieści.

Irena Arendarska, zamężna z szefem prywatnej agencji wywiadu gospodarczego, była głęboko zaangażowana w szpiegowskie rozgrywki. Mieczysław Arendarski sprzedawał informacje funkcjonariuszom różnych służb wywiadowczych, od których roiło się nad Motławą. O tym też Edward wiedział. Nie miał jednak pojęcia, iż starszy już mężczyzna był obdarzony temperamentem tak wielkim, że zdradzał na prawo i lewo swą powabną i młodą żonę.

– Czułam się odepchnięta i wzgardzona. Miałam jednak na tyle godności, aby nie odpłacać się Mieczysławowi tym samym. W mojej trudnej sytuacji psychicznej wspomógł mnie kapitan Żychoń. I niech pan nie myśli, że mnie uwiódł albo usiłował to zrobić. Owszem, zasugerował to i owo gestem czy spojrzeniem, nie jest nieczuły na niewieści wdzięk, owszem... Ale nie poszedł ani kroku dalej. To prawdziwy dżentelmen.

Popielski ledwo się powstrzymał, by nie mrugnąć okiem na wspomnienie poczynań erotycznych tego dżentelmena we Lwowie.

– Aby odzyskać równowagę psychiczną i czymś się zająć, zaczęłam pracować dla pana kapitana – ciągnęła Irena. – Zachowawszy do Mieczysława mimo wszystko resztki szacunku, namówiłam go, aby sprzedawał ważne informacje wyłącznie Dwójce. A on się na to łatwo zgodził. W końcu obydwoje jesteśmy Polakami i mimo że mieszkamy na obczyźnie, zależy nam na Rzeczypospolitej.

– O zdradzanej żonie już wiem. – Popielski rzekł to szeptem, choć byli sami w bocznej sali. – O człowieku pięknych manier również. A kim jest to zwierzę, co w Polsce zginęło czy też wyzionęło ducha?

– Przeczucie mi podpowiada, że pan coś wie o jego śmierci, panie von Luzerius... – powiedziała Irena. – Ale zostawmy na boku te domysły. Ów drań nazywał się... Mówię „nazywał", bo zaginął w Warszawie lub we Lwowie i coś mi podpowiada, że na zawsze. Otóż nazwisko jego brzmi Otto Adelhardt. To bliski współpracownik Reilego. Jego człowiek do specjalnych poruczeń. Od mokrej roboty.

W dalszej opowieści kobiety Popielski usłyszał rzadko używany czasownik „zniewolić".

– Reile był wściekły, gdy Mieczysław zaczął go unikać. Jego wściekłość wzrosła, kiedy dostawał od mojego męża jakieś nic niewarte plotki. Zaczął podejrzewać, i tu miał rację, że pracujemy wyłącznie dla jego znienawidzonego wroga, czyli dla kapitana Żychonia. I wtedy stracił panowanie nad sobą. W Poniedziałek Wielkanocny wysłał do naszego domu zbirów, aby porwali Mieczysława. Mieli go w jakiejś policyjnej katowni zmusić do współpracy. Niestety, wszystko wymknęło się spod kontroli. Właśnie podczas owego napadu ten właśnie Otto Adelhardt mnie zniewolił. Ale to nie koniec nieszczęść. Kilka tygodni później dowiedziałam się, że jakiś strażnik zatłukł mojego męża w więzieniu w Sztumie.

Otarła łzę w kąciku oka. Popielski zaciągnął się głęboko i spojrzał na napis „Tak przemija chwała świata".

„*Sic transit gloria mundi*" – przetłumaczył w myślach na łacinę, a na głos rzekł:

– Na Adelhardcie już się pani nie może zemścić, bo on zaginął, prawda? Chce pani wywrzeć krwawy odwet na Reilem, mam rację?

– Tak – odparła cicho Irena. – On na to zasłużył! – I wtedy się uśmiechnęła. – Nasz fikcyjny romans to pierwszy krok w kierunku rozprawienia się z Reilem!

Nie powinna się była uśmiechać tuż po tym, jak uroniła łzę.

Prywatny kodeks karny, jaki Edward stworzył sobie przez lata pracy w policji, różnił się nieco od tego oficjalnego. W jego osobistej kodyfikacji najgorszą zbrodnią był gwałt – zaraz po morderstwie. Kiedy Arendarska, prawie płacząc, najpierw opowiedziała o „zniewoleniu" i o śmierci męża, a parę minut wcześniej z uwodzicielskim uśmiechem zaproponowała mu romans – no dobrze, niech będzie, że fikcyjny! – odczuł to jako silny zgrzyt. Coś tu nie grało – z jednej strony sponiewierana kobieta chce się mścić, co uważał za słuszne, a z drugiej – taż sama zamienia się w kokietkę i usiłuje go wciągnąć do swojej gry, nie wspomniawszy nawet słowem, dlaczego on, Popielski, miałby w ogóle chcieć zguby Reilego.

Trochę nie podobały mu się też sugestie Arendarskiej, iż coś wie o lwowskiej Pralni. Jedno było pewne: piękna Irena usiłuje nim manipulować, prawdopodobnie za plecami Żychonia – bo przecież o tym planie przeciwko Reilemu kapitan na pewno by mu wspomniał!

A machinacje w tajemnicy przed Żychoniem zdecydowanie mu się nie podobały. Zagrał *va banque*.

– A jaki ja, pani zdaniem, mógłbym mieć powód, by niszczyć Reilego? Dlaczego miałbym się z panią sprzymierzyć w walce z nim? I dlaczego mi to pani proponuje za plecami kapitana?

Arendarska drgnęła. Była najwyraźniej nieprzygotowana na to ostanie pytanie, które było jego blefem. Jej reakcja mogła świadczyć, że poskutkował.

– Powód osobisty – odparła cicho. – Właśnie z powodów osobistych pan by mi pomógł...

– Nie rozumiem. Może by mi pani zechciała doprecyzować te powody osobiste! Przecież mnie nic osobistego z panią nie łączy!

Spojrzała na niego – teraz z wyrazem słodkiego bezwstydu.

– Lubię łysych mężczyzn noszących przy sobie broń – szepnęła i nieoczekiwanie dotknęła wypukłości nad jego pasem. – Bo to pistolet, prawda? Po co antykwariuszowi broń?

Milczał.

– Lubię mocnych, małomównych mężczyzn... – szeptała. – A ja? Tak całkiem nie podobam się panu? Niektórzy porównują mnie do Grety Garbo...

Porównanie do gwiazdy światowego kina nie było tak całkiem bezzasadne. Arendarska chwilami przypominała słynną Szwedkę – oczami, uśmiechem, grymasem. Ale samo zestawienie tej damy z jakiegoś odległego portu bałtyckiego z boginią światowych ekranów i salonów poszło jednak zbyt daleko. Odsłoniło mu jej prawdziwe intencje. Prostackie zagranie: będę twoją, jeśli mi pomożesz zniszczyć Reilego! Dam ci trochę słodyczy, a ty będziesz moim sługą, moim silnorękim, masywnym narzędziem!

Postanowił zagrać w tę grę. Wstał, oparł pięści na blacie stołu i pochylił się nad nią. Zamienił się w starego, doświadczonego uwodziciela.

– Greta Garbo to marionetka, kukiełka o wyuczonych, wystudiowanych uśmiechach. A pani jest prawdziwa... Uśmiech Grety Garbo poprawia i komentuje cały zespół kamerzystów i reżyserów. Przy pani oni wszyscy straciliby pracę, bo nie mieliby nic do poprawiania. Błysk w oku tej aktorki być może powoduje gorączkowe sny gimnazjalistów. A ja dzisiaj zupełnie nie zasnę. I to nie będzie żadna fikcja. Żegnam panią.

Jeśli w jej oczach mignęły radość i euforia, to zaraz znikły. Jeśli oblał ją rumieniec, to na krótko – jej cera zaraz pokryła się zwykłą bladością. Jedno było pewne: swymi wyszukanymi komplementami dojrzały i doświadczony mężczyzna trafił ją w czuły punkt. I on o tym wiedział.

Podała mu dłoń. Długo ją trzymał przy ustach.

– Niedługo dostanie pan ode mnie pachnący liścik – szepnęła. – Opiszę w nim marzenia, jakie mam względem pana. Przedstawię je bardzo szczegółowo...

– Na granicy przyzwoitości? – zapytał. – Czy może trochę już poza tą granicą?

– Żegnam pana! – Na jej wąskich wargach błąkał się zagadkowy uśmiech.

* * *

NIC TAK NIE ZELEKTRYZOWAŁO RITY jak widok patefonu bez trąby na straganie niedaleko Teatru Miejskiego. Nie tyle zresztą ten oryginalny i nowoczesny sprzęt, który był nakręcany korbą, a głośnik miał ukryty w otwieranym wieku, tak zafascynował panienkę, ile raczej muzyka, jaka z niego dochodziła. Nie były to bowiem bożonarodzeniowe kolędy ani też żaden uroczysty utwór muzyki klasycznej. Ze szklanej płyty dochodziły synkopowane dźwięki, które natychmiast podziałały na jej mięśnie. Zachciało jej się tańczyć i wygłupiać.

Całkiem niedawno widziała tutaj na słupie ogłoszeniowym propagandowy plakat mający zohydzić jazz, czyli „murzyńską muzykę". Na plakacie młoda Murzynka w spódniczce z bananowych skórek tańczyła i żonglowała ludzkimi czaszkami. Zza jej grubych jak opony warg błyszczały ostre zwierzęce zęby. Do nagiej piersi miała przyczepiony groteskowy, absurdalny kotylion z gwiazdą Dawida. Całość była podsumowana napisem „Zwyrodniała sztuka". Ów pełen nienawiści plakat wcale Rity nie odstręczył od „murzyńskiej muzyki". Tańcząca dziewczyna tak się jej wtedy spodobała, że później łapała się na tym, że chciałaby ją naśladować.

I właśnie teraz, słuchając jakiejś dixielandowej kompozycji, poczuła ten rytmiczny zew, który sprawił, że aż podskoczyła. Raz i dwa. Dość wysoko.

Kiedy odzyskała kontakt z ziemią, nadepnęła na czyjąś stopę. Odwróciła się, aby grzecznie dygnąć i przeprosić. I wtedy ujrzała zakazaną gębę z czerwoną szramą. A potem silny kuksaniec odebrał jej na chwilę oddech.

Poślizgnęła się i upadła. Poczuła, jak ktoś zrywa jej czapkę z głowy i owija sobie dłoń jej warkoczami, a potem ciągnie ją po lodzie w stronę wozu stojącego przy krawężniku Kohlenmarkt*. Ku swemu przerażeniu znalazła się pod straganem. Chwyciła dłonią nie oheblowaną nogę drewnianego kramu. Mimo bolesnych drzazg nie puszczała. Napastnik zaczął kląć i bić ją po przegubie. Nie puszczała mimo to. Nigdy później nie potrafiła wytłumaczyć, dlaczego wtedy tak wielkie wstąpiły w nią siły.

Nagle przeniknął ją paraliżujący ból. Przycisnęły ją do bruku czyjeś kościste kolana. Ucisk jednak ustąpił – i to po kilkunastu sekundach.

Wokół krzyczeli ludzie. W ten rozgwar wdarł się wysoki dźwięk policyjnych gwizdków.

Rita wypełzła spod kramu. W jej kierunku szła na kolanach ciotka Leokadia. Wyciągała ku niej ręce i wołała coś rozpaczliwie. Dziewczynka jeszcze nigdy nie widziała łez swej opiekunki. Teraz płynęły one po policzkach razem z czarnym tuszem. Jeszcze nigdy nie widziała krwi na jej ciele. Spływały nią kolana widoczne zza dziur wyszarpanych w pończochach.

---

* Obecnie Targ Węglowy.

IX

PO SPOTKANIU Z ARENDARSKĄ POPIELSKI POJECHAŁ podmiejskim pociągiem w stronę Gdańska. Minąwszy Oliwę i Wrzeszcz, wysiadł dwa przystanki przed dworcem Gdańsk Główny, na małej stacyjce Kolonia Schichaua, pomiędzy dużym zgrupowaniem cmentarzy a domkami osiedla wybudowanego – jak się domyślił po nazwie przystanku – dla pracowników stoczni Schichaua.

Tam po prawie półgodzinie przyjechał tak charakterystyczny dla połączeń kolejowych w obrębie Wolnego Miasta Gdańska dwuwagonowy skład z lokomotywą akumulatorową typu Wittfeld. Kwadrans później Popielski był w Nowym Porcie i po zakupieniu butelki rumu w Perle Bałtyku umówionym szyfrem pukał do drzwi nędznego lokum Paula Wiegratza.

Obaj Kaszubi świetnie się spisali. Żaden z nich nie pozwolił Wiegratzowi ani na chwilę opuścić mieszkania. Choć oni sami – z zachowaniem wszelkich środków ostrożności – korzystali z wygódki na podwórku, to otrzeźwiały już całkiem pijak produkty swej przemiany materii zostawiał w wiadrze, które aby nie zanieczyszczać i tak już dusznej atmosfery pokoju, wisiało na sznurku za oknem i tylko czasami – targane podmuchem wiatru – z brzękiem uderzało o mur domu.

Jan Grzenc zrobił rekonesans na zewnątrz i zrelacjonował Edwardowi wyniki swych wycieczek. Stara latarnia morska była oddalona jakieś dwa kilometry od mieszkania Wiegratza.

Można było się do niej dostać dwiema drogami. Jedna prowadziła do pobliskiego basenu dla łodzi pilotujących statki wchodzące do portu. Tam należało za niewielką opłatą znaleźć jakiegoś rybaka czy portowca, który by przewiózł ich do niecki portowej cypla Westerplatte, skąd od latarni morskiej dzieliłoby ich jakieś trzysta metrów. Druga droga, o wiele krótsza, prowadziła w linii prostej z podwórka Wiegratza od razu na cypel. Trzeba było jedynie załadować się na jakąś rybacką lub flisacką łajbę, przepłynąć pięćdziesiąt zaledwie metrów kanału portowego, a potem iść plażą aż do kępy karłowatych drzew koło polskiej Wojskowej Składnicy Tranzytowej na Westerplatte. A stamtąd do samej latarni prowadził jeszcze węższy cypel – długi na trzysta metrów, a szeroki na trzy.

Popielski zdecydował się na drugi wariant, mimo pewnych wątpliwości. Promem czy inną łajbą kursującą spod domu Wiegratza mógł kierować jakiś znajomek pijaka. Ich przewodnik mógłby być zbyt dociekliwy, wypytywać kolegę o cel zagadkowej wyprawy na Westerplatte pod osłoną ciemności – krótko mówiąc, mógłby nabrać różnych podejrzeń, a podzielenie się nimi z miejscowymi policjantami stałoby się już tylko kwestią czasu. Mimo tego niebezpieczeństwa Edward wolał dostać się na Westerplatte jak najkrótszą drogą, niż iść wzdłuż portowego nadbrzeża, ryzykując spotkanie z licznymi włóczącymi się tam marynarzami, którzy mimo swojego upojenia na pewno zadaliby sobie pytanie o to, co tu robi o tej porze dziwny orszak czterech mężczyzn, któremu przewodzi jakiś elegant, a za nim idą dwaj obszarpańcy, prowadzący pomiędzy sobą jakiegoś trzeciego.

Dobiegała szósta, gdy wszyscy czterej wyszli z lokum Wiegratza. Edward, prowadzący swych ludzi, łatwo znalazł flisaka, może nie na podwórku koło domu, ale bardzo blisko tego miejsca. Człowiek ten, przerwawszy oczyszczanie z lodu i śniegu swojego małego promu, zgodził się przewieźć na Westerplatte za pół guldena nieoczekiwanego klienta oraz jego trzech towarzyszy. Indagowany, czy już dzisiaj przewoził kogoś na półwysep, odpowiedział przecząco, kręcąc głową. Na pytanie, czy mógł to uczynić jakiś jego kolega, flisak zareagował podobnie, dodając, że o tej porze roku tylko on w Nowym Porcie przewozi na Westerplatte, a „panowie są pierwszymi dzisiaj klientami". Co bardzo ucieszyło Edwarda, to fakt, że Wiegratza przewoźnik najwyraźniej nie znał.

Był to człowiek małomówny, o kamiennej twarzy pooranej wichrami morskimi. Nie okazał najmniejszego zdziwienia, a z jego ust nie wyrwało się nawet pół zdania z pytaniem o cel tej wieczornej wycieczki. Jego brak zainteresowania ludźmi i okolicznościami najzupełniej odpowiadał Popielskiemu, który zresztą – tak na wszelki wypadek, gdyby przewoźnik był trochę bardziej ciekawski – podsunął mu mylny trop. Rozmawiał z Kaszubami po polsku, z czego stary wilk morski mógłby wyciągnąć wniosek, iż przewożeni przez niego mężczyźni są polskimi żołnierzami, którzy po cichu usiłują wprowadzić na teren jednostki najwyraźniej pijanego kolegę. Zmrok był sprzymierzeńcem w tym myleniu śladów – w ciemności przewoźnik nie mógł dobrze rozpoznać wieku Popielskiego i Wiegratza, która to okoliczność w normalnych warunkach dnia wykluczyłaby ich w oczach flisaka z grona potencjalnych rekrutów.

KASZUBI NA ŁÓDCE TRZYMALI „PIARDUKA" MOCNO pomiędzy sobą i nie pozwalali mu na żadną swobodę ruchów. Potem już przeszli na przełaj najwęższy w tym miejscu cypel i ruszyli plażą na północny zachód, mijając po swej lewej ręce polską jednostkę. Pół godziny później zatrzymali się w odległości około trzystu metrów od starej latarni morskiej. Ich wolne tempo marszu spowodowane było porywistym wiatrem wiejącym od morza oraz zapobiegliwością, aby się nie poślizgnąć na zlodowaciałej plaży.

Kiedy się już zatrzymali wśród drzew za polską składnicą, ujrzeli z oddali jakby sypiące się iskry. Popielski pochylił się ku Wiegratzowi.

– Jak ten twój szef tu jest, to pali papierosy?

– Tak – odparł zapytany. – Dużo pali. Ciągle pali.

– No to właśnie tam jest i podziwia nocne morze. – Edward mówił głośno, wiedząc, że porywisty wicher wszystko wytłumi. – Nie kłamałeś, Paul. Pójdziesz tam teraz. Jeśli to będzie on, krzykniesz. Głośno. Bardzo głośno. A wtedy my przybiegniemy. To wszystko, rozumiesz?

Damski bokser kiwnął głową.

– I posłuchaj mnie uważnie. – Popielski ze wstrętem chwycił go za ucho i przyciągnął ku sobie. – Nigdzie nie uciekniecie. We trzech ruszymy ławą w stronę latarni. Nic się nie przemknie pomiędzy nami, bo cypel aż do latarni morskiej nie jest szerszy niż trzy–cztery metry... Możemy się trzymać za ręce i tak iść. Jak nagonka. I zapędzimy was aż do lodowatego Bałtyku. I nie pozwolimy wam wyjść na brzeg. Jak sądzisz, Wiegratz, ile wytrzymasz w zimnej wodzie? No to co? Ostrzeżesz tego pana czy nie?

Mężczyzna wyszarpnął się z rąk Popielskiego. Jego ucho pulsowało bólem.

– Nie ostrzegę – wysapał. – I krzyknę, jak to będzie on. Słowo honoru!

– No, idź! – Edward pchnął go lekko. – Idź!

Wiegratz zaczął sunąć w stronę latarni morskiej. Gratulował sobie pomysłu. Już po kilkudziesięciu metrach ujrzał niewysoką muskularną postać w skórzanym płaszczu i w czapce futrzanej z nausznikami zapiętymi pod szyją. Zaczął biec.

– Uciekajmy, *Herr Untersturmführer*! – zawołał. – Ich jest trzech, są najpewniej uzbrojeni! Uciekajmy razem!

Mężczyzna zapalił znów papierosa. W świetle płomienia zapalniczki na wywiniętym futerku czapki błysnęła trupia czaszka z piszczelami i orzeł trzymający swastykę w szponach.

– Uciekajmy! Błagam!

Esesman zaciągnął się dymem. Jego zamach w tej ciemności był niewidoczny. Silne uderzenie w lewy policzek zachwiało Wiegratzem. Drugi cios – w prawy – okręcił nim dokoła osi i przybysz runął na wznak, uderzając potylicą w skuty lodem piach pod latarnią morską. Wtedy na zimowe niebo wyszedł księżyc w pełni.

W jego świetle Popielski pociągnął duży łyk rumu z butelki i podał ją przemarzniętym kompanom. Cały drżał z zimna – zwłaszcza że wciąż miał na sobie wizytowy strój, w jaki się ubrał na spotkanie z Arendarską. Elegancki płaszcz, chociaż z grubego sukna, nie chronił najlepiej przed podmuchami wiatru. Zwłaszcza przed jego atakami na górne kończyny nijak nie mógł się obronić, ponieważ musiał jedną ręką cały czas przytrzymywać melonik, by ten nie odfrunął w fale Bałtyku. Przez to jego rękaw zamieniał się w swoistą kieszeń, w którą wchodziły zimne podmuchy wichru, przenikały do kości i mroziły krew w żyłach.

Edward oddał butelkę Grzencowi i spojrzał w stronę latarni. Zaniepokoiło go to, że nie widział pod nią teraz niczego – nawet czerwonego ognika papierosa. Znikły dwie męskie sylwetki, jeszcze przed chwilą doskonale widoczne w świetle księżyca. Sięgnął po browninga, którego przezornie wziął ze sobą, i mruknął do swych towarzyszy.

– Idziemy ławą! Nawet mysz nie może się przecisnąć!

Wiegratz – osłabiony wypitym ostatnio alkoholem – nie był w stanie walczyć ze swym zleceniodawcą. Leżał na wznak i modlił się w duchu o życie. Esesman – wciąż z papierosem w ustach – przycisnął mu kolanami ramiona do zlodowaciałego piasku i walił pięścią po twarzy to z jednej, to z drugiej strony.

Kiedy Wiegratz już się nie ruszał, jego oprawca wyjął z ust papierosa. Jedną dłonią chwycił go za kącik ust i mocno naciągnął. Drugą wraził czerwony sterczący czubek żaru w miejsce, gdzie usta przechodziły w policzek.

– Ty chcesz ze mną uciekać, zdrajco! – szeptał. – Ty ich tu sprowadziłeś. I za to na ciebie spadnie kara. Twój ryj zamienię w popielniczkę...

Wiegratz wył, gdy esesman gasił niedopałek w jego kąciku ust – we krwi i ślinie pokrywających twarz. Resztkę sypiącego się żaru wtarł dłonią zabezpieczoną skórzaną rękawicą w drugi kącik ust ofiary.

– Gdy będziesz pił, alkoholiku, będzie cię piekło... – dyszał. – Bolało... I wtedy, judaszu, przypomnisz sobie o zdradzie...

Wstał nagle i rozejrzał się. Popielski go ujrzał. Wystrzelił w jego kierunku – ale mierzył dobre kilka metrów w prawo.

– Stać! – ryknął potężnym głosem, przekrzykując wiatr. – Nigdzie stąd nie uciekniesz! Chyba że lubisz pływać!

Esesman ruszył biegiem w stronę morza. Minął latarnię morską. Przed nim były już tylko fale rozbijające się o kamienie, tworzące tu swoisty falochron.

Popielski uśmiechnął się do swoich Kaszubów i ze spokojem pokiwał głową.

– Bierzemy go!

Poszli szybko w stronę latarni. Kiedy już byli kilka metrów od niej, usłyszeli ryk silnika. Edward poczuł, jak do ust napływa mu jakaś gorycz.

Znał to uczucie. Zdarzało mu się przy szachach. Gorycz wstydu za głupotę, jaką jest porzucenie elementarnej zasady przewidywania ruchów przeciwnika. Takie zaniedbanie zdarzało się w chwili przedwczesnej radości z wygranej. W tym wypadku on – triumfując przed zadaniem ostatecznego ciosu – nie postawił sobie prostego pytania: jak zleceniodawca Wiegratza dostał się do latarni morskiej, skoro przewożący ich flisak, jedyny w Nowym Porcie obsługujący połączenia na półwysep, nic nie wiedział o takiej wycieczce? Odpowiedź była prosta: pracodawca „miłego Paula" dostał się tutaj drogą morską swoim środkiem transportu. Poprzez ryk silnika motorówki odpowiedź ta została doprecyzowana.

Zaczął biec i stanął na kamieniach, o które rozbijały się fale. Porywy wiatru omal go nie przewróciły. Skulił się w niszy pomiędzy kilkoma wielkimi głazami i zaczął strzelać w kierunku motorówki, która właśnie ruszała na zachód. Zaklął, gdy wicher zerwał mu z głowy melonik i rzucił gdzieś pomiędzy kamienie. Nie przestawał jednak strzelać – do momentu, aż szczęknęła iglica. Motorówka zakręciła i popłynęła na południe, w stronę Brzeźna. Przy tym manewrze prysnęła wodą spod lewej burty, jakby splunęła pogardliwie w stronę ścigających.

I wtedy ujrzał napis na burcie. „Calderon".

Schował pistolet i zacisnął mocno powieki, jakby w tym trzaskającym mrozie i wśród wycia wichru, który zamieniał mu gołą głowę w sopel, chciał sobie o czymś przypomnieć. I nadeszła anamneza.

„Czyż nie snem jest całe życie ludzkie?" – usłyszał w swych wspomnieniach.

A potem zobaczył, jak SS-Untersturmführer Reginald Vierk bębni po blacie stolika staranne wypielęgnowanymi palcami. „Jestem rozczarowany – powiedział wtedy Vierk. – Nie oczekiwałem, że rozpozna pan cytat z Calderona, ale pan jeszcze bardziej mnie zawiódł"...

Motorówka zniknęła, a odgłos silnika został wytłumiony wyciem wiatru i uderzeniami o brzeg coraz bardziej wściekłego morza.

Popielski zszedł z kamieni i dopiero teraz poczuł, że jego spodnie i buty są całkiem mokre od lodowatej morskiej wody.

– Ależ ja jestem strzelcem wyborowym! – mruknął do siebie. – Bałtyk posiekałem kulami!

Florian Szultka podał mu melonik. Edward podziękował Kaszubowi bez słów i otrzepał z piasku nakrycie głowy. Podszedł do Wiegratza, który miał w sobie tyle tylko siły, by wznieść się do pozycji na czworaka i kiwać się na boki, kasząc i wyrzygując resztki wczorajszego alkoholu.

Edward dźgnął go w bok szpicem mokrego trzewika. Wiegratz stracił równowagę i upadł na bok. Leżał tak na oblodzonej plaży i ocierał twarz z krwi i łez.

Zostawili go samemu sobie. Jedyne, co mógł teraz zrobić, to udać się na wartownię polskiej jednostki i prosić o ratunek ludzi, których jeszcze niedawno nazywał robactwem.

DWIE GODZINY PÓŹNIEJ, gdy Popielski dotarł do domu i ujrzał przerażoną Ritę w ramionach równie przerażonej Leokadii, jego dobry nastrój prysł jak mydlana bańka. Najpierw został wyparty przez irracjonalny strach o córkę, a potem przez złość na przystojnego bruneta, który zamiast zostawić w spokoju najbliższe mu osoby, najwyraźniej czymś wstrząśnięte, podstawiał im pod nos zdjęcia różnych typów spod ciemnej gwiazdy i pytał:

– To ten? A może ten?

Kiedy Edward zbliżył się do niego szybkim krokiem, mężczyzna schylił się lekko, sprawiając wrażenie, jakby uskakiwał przed spodziewanym bokserskim atakiem.

– Komisarz kryminalny Andreas Hoppe! – wykrzyknął.

– Z Okręgu Kryminalnego Śródmieście. To nasz posterunek poinformowano o próbie porwania pańskiej córki, *Herr* von Luzerius. I o poturbowaniu pańskiej żony.

Wtedy obie rzuciły się ku Edwardowi. Objął je mocno i nie ruszał się, nie zważając na to, że nogawki jego spodni w czasie podróży powrotnej zamieniły się w sztywne kawałki zlodowaciałej papy, która drapała boleśnie po łydkach, a w butach chlupotała woda, zapowiadając przyszłe przeziębienie.

Obie zaczęły mówić jedna przez drugą. O kiermaszu, o podejrzanych sprzedawcach zamieszkujących wozy wokół Kohlenmarkt*, o napastniku ze szramą na twarzy, który je podciął na oblodzonym chodniku, a potem usiłował wciągnąć Ritę pod kram, najpewniej aby ją porwać.

– Pani von Luzerius ma rację – potwierdził Hoppe słowa Leokadii. – Czy dziewczynka dobrze zna niemiecki?

Popielski pokręcił przecząco głową.

– Proszę mi wybaczyć – ciągnął komisarz. – Ale muszę to powiedzieć. To porwanie było, jak sądzimy, umotywowane przyszłymi spodziewanymi zyskami z nierządu. Takie nadobne panienki... Jeszcze raz proszę o wybaczenie za drastyczne przypuszczenia.

Nie spuszczając oczu z mokrych nogawek spodni Edwarda, znów schylił głowę, jakby miał przyjąć cios. Wtedy Leokadia zauważyła, że młody człowiek ma na czubku głowy starannie zaczesane i spięte spinką włosy. Ledwo się

---

* Obecnie Targ Węglowy.

powstrzymała, by nie parsknąć śmiechem, co w tej sytuacji byłoby pewnie poczytane za początkowe objawy szaleństwa.

– W ostatnich czasach mamy sporo zgłoszeń o porwaniach młodziutkich dziewcząt. Całe szajki żydowskich alfonsów wywożą je do Argentyny. Zwykle znikają dziewczęta z ludu, czasami pokątne prostytutki... Po raz pierwszy, o ile oczywiście moje przypuszczenie jest słuszne, nastąpiła próba porwania panienki z najlepszego towarzystwa. – Wyprostował się. – Wygląda mi to bardzo dziwnie, *Herr* von Luzerius. Próba porwania w biały dzień w najruchliwszym i najbardziej uczęszczanym punkcie miasta. Może ktoś usiłuje pana zastraszyć? Ale o tym porozmawiamy w najbliższym czasie. Czekam na pana, *Herr* von Luzerius, w dowolnej chwili w Kriminalbezirk Innenstadt przy Fleischergasse*. Może przypomni sobie pan coś podejrzanego? Jakiegoś zawistnego antykwariusza? A może niezadowolonego, dyszącego zemstą klienta? Ale to po już po świętach, teraz proszę odpocząć. Panie są silnie rozstrojone. Nie jestem medykiem, ale proponowałbym walerianę... A teraz żegnam. Oto moja wizytówka. Komisarz Hoppe, do usług!

Ukłoniwszy się paniom, wręczył Popielskiemu niewielki kartonik.

GODZINĘ PÓŹNIEJ TRZYMAŁ GO W RĘKU kapitan Jan Henryk Żychoń.

– Andreas Hoppe? – powtórzył w zamyśleniu. – Proszę na niego uważać, panie poruczniku. To człowiek Reilego.

---

* Obecnie ul. Rzeźnicka.

A to oznacza, że mój kochany Oskar zaczyna mocniej wokół pana zaciskać pętlę...

Oficer polskiego wywiadu nie powinien znaleźć się tu, gdzie był teraz – w kantorze antykwariatu. Funkcjonariuszom Dwójki wpajano ważną zasadę: „Musisz mieć zawsze przekonujące wyjaśnienie, dlaczego jesteś tu, gdzie jesteś, i robisz to, co robisz". Tymczasem Żychoń nie potrafiłby zaprezentować żadnego wiarygodnego tłumaczenia, jaki to mianowicie interes ściągnął go o godzinie dziewiątej wieczór do nieczynnego o tej porze antykwariatu. Po raz pierwszy złamali zasadę, że spotykają się wyłącznie w Ubikacji. Winną tego stanu rzeczy była Leokadia, ale jej kuzyn nie miał o to do niej nawet cienia pretensji.

Dobrze rozumieli obaj, że przerażona kobieta podjęła działania instynktowne i nieprzemyślane, po tym jak już napastnik, wystraszony zamieszaniem, jakie wywołał, i nieoczekiwanym oporem dziewczynki, uciekł w siną dal. Kiedy się pojawili policjanci z gwizdkami, którzy bardzo troskliwie się nimi obiema zaopiekowali, Leokadia myślała tylko o jednym: aby zatelefonować do lokalu, gdzie Edward miał się spotkać z Arendarską, i powiadomić kuzyna o wszystkim. Pamiętała, iż mieścił się on w Sopotach i miał w nazwie Delikatesy.

Komendant posterunku przy Fleischergasse* komisarz kryminalny Hoppe był bardzo wyrozumiały i delikatny. Nie tylko obie panie, drżące z zimna i ze strachu, otulił ciepłymi kocami, ale też na razie o nic nie wypytywał i oczywiście

---

* Obecnie ul. Rzeźnicka.

zatelefonował do sopockich Delikatesów Mühlinga, gdzie go poinformowano, że opisany przez niego łysy pan niedawno wyszedł z lokalu.

Wtedy wzmógł się niepokój Leokadii. Zaczęła roić sobie rozmaite teorie spiskowe – na przykład taką, że atak na Ritę był zorganizowany przez panią Arendarską, która specjalnie po to wyciągnęła z domu Edwarda, aby pozbawić dziewczynkę ojcowskiej opieki. Skutek tych smutnych myśli był nieoczekiwany. Ta dobrze mówiąca po niemiecku niewiasta nagle zaczęła doświadczać trudności w zrozumieniu, o co właściwie pyta ją Hoppe, pokazując jakieś zdjęcia zakazanych mord. Komisarz był jednak bardzo wyrozumiały dla tych nagłych niedostatków w znajomości języka. Kazał swojemu podwładnemu zawieźć obie zaatakowane panie do domu, gdzie – jak zapowiedział – jeszcze dziś je osobiście odwiedzi.

Tak też i uczynił. W mieszkaniu i antykwariacie przy Pfefferstadt* zjawił się później, dźwigając ze sobą dwa pudła zdjęć bandytów, których podobizny znalazły się w jego kartotece. Leokadia tuż przed jego przybyciem zdecydowała się jeszcze zatelefonować do Żychonia. Jego prywatny numer miała głęboko ukryty wśród bielizny. Na szczęście zachowała na tyle zimnej krwi, aby poinformować kapitana o zapowiedzianej wizycie gdańskiego policjanta, którego nazwiska całkiem zapomniała. Żychoń przyjechał zatem dość późno i zanim wysiadł z dorożki, widział i przybycie

---

* Obecnie ul. Korzenna.

Popielskiego, i odjazd owego kryminalnego funkcjonariusza, który pod pachami dźwigał dwa kartony.

– Dziwi się pan, kapitanie, że wystraszona kobieta zwróciła się wprost do pana o pomoc? – zapytał teraz Popielski.

– Oczywiście, że nie powinna była tego robić, ale proszę zrozumieć: właśnie zaatakowano dziecko, mnie nigdzie nie ma, bo nie wracam z jakieś ryzykownej akcji, o której jej dzisiaj w kłótni rano powiedziałem. Jest zdesperowana... Jak pan widzi, pomysł, abyśmy tu, do Gdańska, przyjechali *in gremio*, był trochę chybiony. Przeciwnik zbyt łatwo trafił mnie w czuły punkt. Leokadia nie boi się w tej chwili, że Rita zostanie zaatakowana za to, że mówi po polsku. Ona już wie, że nad jej rodziną zawisła permanentna groźba. A ja, zamiast zająć się Vierkiem, muszę teraz uspokajać kuzynkę i córkę, które być może w tej chwili już się pakują, by wrócić do Lwowa.

Żychoń podrapał się w podbródek. Ostre światło padające z biurkowej lampy przecinało jego twarz na pół. Wydobywało z półmroku brązowy prążkowany garnitur i krzywo zawiązany krawat. Zdaniem Edwarda wyglądał, jakby go wyrwano z głębokiego snu – co byłoby dość absurdalne o godzinie dziewiątej wieczór. Ziewał i głaskał się po policzkach, jakby sprawdzając, czy już trzeba się ogolić, czy może poczekać do rana.

– Tak, ma pan rację. – Żychoń rozparł się wygodnie w osiemnastowiecznym fotelu gdańskim. – Kiedy zagrożenie spada na rodzinę, nadchodzi czas na kroki radykalne... – Skóra na jego szczękach napięła się nagle. – Po Nowym Roku pańska kuzynka oraz córeczka opuszczą Gdańsk.

Wprowadzą się do jednego z naszych tajnych mieszkań w Gdyni. Wygodnego, przestronnego, ogrzewanego gorącą wodą. Istniejące od dwóch lat gimnazjum gdyńskie jest, o ile się nie mylę, niestety, wyłącznie męskie, nie koedukacyjne. Dlatego Rita, aby nie stracić roku nauki, otrzyma prywatnych korepetytorów. Pańska rodzina pozostanie pod stałą naszą opieką i obserwacją. A pan będzie swobodnie działał tutaj, przedstawiwszy wszystkim legendę, że żona wyjechała z córką do Szwajcarii, gdzie panna von Luzerius będzie pobierać nauki w jakimś pierwszorzędnym *lycée*.

Edward milczał. Już widział oczyma wyobraźni wybuch złości u Rity, gdy ta się dowie, że nie tylko porzuca gdańską szkołę, ale że zostaje w ogóle oderwana od swoich rówieśników i zamknięta w domu.

Nie pohamował grymasu rozczarowania. Nie uszło to uwagi jego rozmówcy.

– Nie może nas pan teraz opuścić, panie poruczniku. – Żychoń pochylił się i spojrzał w oczy Popielskiemu twardo i spokojnie. – W momencie gdy w tej gdańskiej magmie, w tym mieście szpiegów, zidentyfikował pan wroga, znanego nam z imienia i nazwiska. Co więcej, ten wróg jest serdecznym przyjacielem Reilego. Wie pan, co to oznacza? Plan działania, a na końcu tego planu jest zniszczenie Reilego. To będzie cios, po którym Abwehra gdańska już się szybko nie podniesie. Tak. Dzięki panu możemy ruszyć do akcji. I nie będzie ona prosta i prymitywna, nie będzie to „wet za wet", finezyjne jak uderzenie cepem. Nie! Otwieramy wspólnie skomplikowany, wywiadowczy front.

Jest czas wymiany ciosów i czas koronkowych gambitów. Właśnie wchodzimy w ten drugi etap.

Kiedy indziej to szachowe porównanie w pełni przekonałoby Popielskiego. Kiedy indziej to retoryczne odwołanie do ukochanej przez niego królewskiej gry nie pozostawiłoby miejsca na jakiekolwiek wątpliwości.

Tym razem jednak poczuł ogarniające go zniechęcenie i zniecierpliwienie. Miał dość sofistycznych sztuczek. Jakaś domorosła Mata Hari usiłuje go uwieść, by nim manipulować w nie znanej mu przyszłej grze. Jakiś as wywiadu dopuszcza go do komitywy, mówiąc „idziemy wspólnym frontem". Tymczasem on nie chce być marionetką, on wie, że droga kariery w Dwójce jest dla niego zamknięta i tej sytuacji nie zmienią żadne najbardziej skomplikowane szpiegowskie gry i żadne protekcje wywiadowczych mandarynów.

Ogarnęła go apatia. Przezwyciężył ją jednak myślą, że musi Żychoniowi zrelacjonować rozmowę z Arendarską. Już miał otworzyć usta, gdy drzwiami do kantoru prowadzącymi z podwórka wtargnął tu wśród padającego śniegu pan Szymon Ajzenfisz. Był tak zaaferowany, że nie zamknął za sobą i za jego plecami wirowały w świetle latarni lekkie płatki.

Popielski od początku wiedział, że jest on człowiekiem Żychonia. Nie sądził jednak, iż bydgoszczanin jest dopuszczany przez kapitana do najważniejszych spraw bieżących, a to stało się jasne, gdy wśród wydychanych obłoków pary przybysz wysapał:

– Straszne! Straszne!

– Zamknij pan drzwi i mów! – krzyknął zniecierpliwiony Żychoń.

Księgowy mówił długo, zacinając się. Popielski niczego nie rozumiał. Powód był bardzo prosty – Ajzenfisz mówił po francusku, z trudnością dobierając słowa. Popielski znał tylko kilka wyrazów i zwrotów w języku Moliera – na przykład *merci, madame, comme il faut, toutes proportions gardées** – lecz żaden z nich nie padł w tej wypowiedzi.

W końcu księgowy umilkł i upadł ciężko na małą dwuosobową sofę. Półleżał tam i szybko oddychał w swym zbyt dużym futrze.

– Dużo zdarzeń – powiedział bardzo powoli Żychoń, a Popielski odetchnął z ulgą, słysząc polszczyznę. – Bardzo dużo. Pan Ajzenfisz to sumienny współpracownik. Trzyma się wytycznych, które brzmią: o sprawach służbowych przy osobach trzecich rozmawiamy tylko po francusku. Niech pan nie myśli, że panu nie ufam. Takie mam wytyczne i dziękuję panu Ajzenfiszowi, że się ich trzyma. Choć ryzykujemy, i on, i ja, pańską niechęć.

Skołowany Popielski nie skomentował tej wypowiedzi.

Żychoń wyjął papierośnicę. Otworzył ją i zamknął kilkakrotnie, przez co przypominała kłapiącą szczękę.

– I ja tak przed chwilą kłapałem jak ten portcygar – rzekł cicho. – Mówiłem dużo i bez większego sensu. Jak ja to rzekłem? Czas gambitu?

– Tak – odparł Popielski. – Jest czas wymiany ciosów i czas koronkowych gambitów. Tak pan kapitan powiedział. A my już jesteśmy na etapie gambitów.

---

* Dziękuję, szanowna pani, jak należy, zachowując wszelkie proporcje (fr.).

Żychoń ciężko westchnął.

– Myliłem się, poruczniku. Wciąż wymieniamy ciosy. Ale ten, który pan teraz zada, ma być nokautem. Rozumie pan?

Edward nie rozumiał. Tego było już za wiele. Dziwna propozycja Arendarskiej, napad na Ritę i Leokadię, ściganie Vierka pod latarnią morską na Westerplatte, mróz i wilgoć, księgowy, który okazał się tajnym i zaufanym agentem, brak zaufania do niego samego, przyszła przeprowadzka do Gdyni. Zbyt dużo zdarzeń jak na jeden wieczór. Zbyt dużo.

Żychoń wstał i położył Popielskiemu dłonie na ramionach.

– Nadszedł czas gdańskiej wojny. Już nie wystarczy krew za krew, wet za wet. Teraz trzeba innego rozwiązania: śmierć za krew. Teraz przestraszyć, teraz zmiażdżyć, teraz przetrącić łeb potworowi... – Zaczerpnął tchu. – Przed minutą wydałem wyrok śmierci na Reginalda Vierka. Pańska sprawa z Wiegratzem nie ma tym nic wspólnego. – Odetchnął ciężko. – Od dawna go obserwuję. Mieszka w Brzeźnie na rogu Südstrasse* i Viktoriastrasse**. Posiada motorówkę, którą cumuje przy molo. W ciągu kilku najbliższych dni brzezieńskie mewy mają się najeść do syta jego mięsa. Czy jeszcze pan czegoś nie rozumie, Popielski?

Wyraz twarzy Edwarda mówił, że dopiero teraz nic nie rozumie. W jego głowie kręciło się w kółko francuskie słowo *après****, którego często używał Ajzenfisz.

– Oczywiście – rzekł kapitan. – Zaraz postawi pan pytanie: dlaczego? – Uśmiechnął się krzywo. – A oto odpowiedź. Kiedy wezwała mnie do siebie przerażona panna Leokadia, siedziałem w moim gabinecie w konsulacie i czekałem już dwie godziny na arcyważne połączenie z Bydgoszczą. Po rozmowie z panią poleciłem Ajzenfiszowi udać się do mojego gabinetu i czekać na to połączenie... A resztę nam opowie pan. – Spojrzał na przybysza, wciąż ciężko oddychającego. – Po polsku, nie po francusku.

EDWARD SIĘ MYLIŁ. Nie wszystkie jego strzały oddane w stronę motorówki Calderon, którą uciekał Reginald Vierk, były niecelne. Chwilę po tym jak Niemiec ruszył z potężnym rykiem, zarzucając lewą burtą łodzi i ujawniając przy tym jej nazwę, dosięgła go kula. Usłyszał cichy metaliczny brzęk, gdy pocisk otarł się o ozdobę czapki – orła trzymającego swastykę w szponach. A potem krew zalała mu czoło. Dławiąc się ze strachu i czując wznoszącą się w przełyku kulę wymiocin, zamknął oczy.

– Umieram – szeptał. – Umieram.

Nie umarł.

Po kilkunastu sekundach otarł krew z czoła i poczuł, że jeszcze chwila, a nie opanuje motorówki, chłostanej i okręcanej wokół własnej osi falami i morskim wichrem. Starał się usilnie, ale świadomość, że był o włos od śmierci, paraliżowała go i blokowała jego mięśnie. Wykonywał niezdarne i niewłaściwe manewry sterem i tylko rutyna nabrana poprzez kilkuletnie doświadczenie w kierowaniu motorówką i nie wyparta teraz przez strach sprawiła, że nie zapadł się w głębinę i nie zniknął na zawsze w świszczącej i wyjącej ciemności okrywającej Bałtyk. W końcu ruszył we właściwym kierunku.

Minął prawie kwadrans, zanim motorówka Calderon z wielkim trudem pokonała prawie dwa kilometry i dobiła do brzezieńskiego mola. Vierk zacumował w swoim stałym miejscu przy jednym z przęseł i z trudem wdrapał się po drabince na pomost.

Nieudane manewry tuż po postrzale spowodowały, że przez kilkanaście sekund obracał się w kółko i wystawiał na uderzenia krótkich lodowatych fal, które przemoczyły mu całkiem skórzany płaszcz. Wisiał on teraz na nim jak sztywny brezent, krępując jego ruchy. Kiedy z trudem szedł ku wyjściu z plaży, czuł, jak zamarza mu na czole strużka krwi.

Co gorsza, miał mokro w kalesonach. Doskonale wiedział, że nie jest to skutek działania morskiej wody. Owszem, jeszcze przed chwilą bryzgała ona na niego obficie, ale nie przedarłaby się przez kilka warstw odzieży. Wilgoć ta była prosta do wytłumaczenia – oto jego własny mocz zalał bieliznę. Śmiertelnie wystraszony człowiek nie powstrzymał odruchów.

Kiedy sobie to uświadomił, poczuł straszliwe upokorzenie. Wlokąc się wzdłuż plaży do kąpieliska, którędy wiodła najbliższa droga do jego willi, powtarzał sobie w myślach: „To straszne, tchórzliwe, niegodne... Jak on śmiał do mnie strzelać? Z poety zamienił mnie w sikające ze strachu zwierzę!".

Vierk nie wiedział oczywiście, kto się kryje pod zaimkiem „on". Wiegratz nie zdążył mu tego powiedzieć, ponieważ esesman nie dał mu nawet dojść do głosu. Fale furii zmąciły wtedy jego umysł i wywołały jakąś nie znaną mu wcześniej odwagę, a nawet brawurę, gdy niepomny na zbliżające się niebezpieczeństwo, torturował tego durnego pijaka.

Nie miał jednak wątpliwości, że strzelającym był jakiś Polak, może człowiek Żychonia, a może inny funkcjonariusz tajnych służb. Sprowokowany przez jego akcję odpolszczenia miasta, ze zwykłego przeciwnika stał się żądnym krwi śmiertelnym wrogiem.

– I to w dodatku wrogiem tchórzliwym i podstępnym – szeptał, czując, jak sztywnieją mu kalesony i zaczynają drapać po udach.

Vierk nie był tak naiwny, aby sądzić, że polsko-niemieckie starcia na terenie Wolnego Miasta nie będą nigdy krwawe. Żywił jednak głębokie przekonanie, iż powinny być one symetryczne. Rozumiał to jako proste odwzajemnianie – uderzenie za uderzenie, podpalenie za podpalenie, zniszczenie mienia za zniszczenie mienia. Za „symetryczną" uważałby sytuację, gdyby jego nieznani przeciwnicy wybrali sobie jakieś dwie niemieckie dziewczyny i kazali je pobić. W ten sposób atak na polskie gimnazjalistki znalazłby swoje symetryczne odbicie.

Ten ogarnięty mitomanią esesman, który zawiłymi i sobie tylko znanymi sposobami wywodził swój ród od Wolfganga Schutzbara Milchlinga, wielkiego mistrza krzyżackiego z szesnastego wieku, jedynie taki odwet uznałby za usprawiedliwiony.

Tymczasem jemu, potomkowi rycerskiego rodu, który cywilizował niegdyś mieszkających tu dzikusów, przyszło walczyć z takimiż dzikusami, którzy nie mieli pojęcia o honorze. Zamiast zmierzyć się z nim twarzą w twarz, chcieli go zabić i omal im się to udało. Próba uśmiercenia za zwykłe pobicie! Gdzież tu cudowna symetria? Śmierć wielkiego poety i niemieckiego rycerza jako kara za zwykłe spoliczkowanie dwóch głupich gąsek, których jedynym zadaniem będzie powiększanie zastępu głupków – czyli tak zwanego narodu polskiego, brudnego, zapijaczonego i zażydzonego!

– Kopnij psa chorego na wściekliznę, a on zaatakuje za węgła i ugryzie, wstrzykując swą toksynę – mówił, skręcając z plaży w Südstrasse*. – Parszywe psy! Chcecie niegodnej walki? Będziecie ją mieli!

W jasnej poświacie księżyca już z daleka widział swój dom – porządny, niemiecki, z czerwonej cegły i z belkami wmurowanymi w ściany. Z małą wieżyczką, z której mógł godzinami patrzeć w odległe spienione morze i obmyślać kolejne strofy – lakoniczne, ekspresyjne, ostre jak brzytwa.

„– Teraz też będziesz tworzył wiekopomne dzieła? – zapytał go jakiś głos wewnętrzny ze złośliwym chichotem. – W tych zasikanych gaciach? Zastraszony przez łotrów? Zapłakany jak dziecko?

– Nie! – odparł swemu utajonemu dręczycielowi. – Teraz dokonam czynu".

Wchodząc na podwórko swego domu, nie sądził, że ta zapowiedź zrealizuje się tak szybko.

* * *

TEGO ZIMNEGO I WIETRZNEGO POPOŁUDNIA służbę na brzezieńskim posterunku przy Kurstrasse** 1 pełnił wachmistrz policyjny Theodor Achsel. Ów sumienny funkcjonariusz nie uważał rotacyjnej służby w Brzeźnie zimową porą za dopust Boży, jak ją postrzegali jego koledzy z rewiru VII w Nowym Porcie. Podczas gdy oni wiecznie narzekali na zły dojazd do nadmorskiego kurortu, częste sztormy oraz

---

* Obecnie ul. Południowa.
** Obecnie ul. Zdrojowa.

niepunktualnie jeżdżące pociągi podmiejskie – za co oczywiście obwiniali polską dyrekcję kolei gdańskich – Achsel najchętniej by się stąd nie ruszał, ponieważ zimą nic się tu nie działo, przez co jego służba bardziej przypominała wypoczynek niż pracę.

Ponieważ mieszkał w Jelitkowie, drogę do Brzeźna pokonywał niezależnie od pogody rowerem i nie złościły go niepunktualne pociągi. Panował tu spokój, jakby mieszkańcy zapadli w zimowy sen. Siedzieli w domach, tylko nieliczni odwiedzali dwie tutejsze knajpy, gdzie się awanturowali nader rzadko, bo po prostu nie mieli z kim się pokłócić. Porządku skutecznie pilnowali tam sami właściciele, zwolniwszy sezonowych barmanów i kelnerów, teraz niepotrzebnych wobec braku letników.

Marynarze do Brzeźna nie przychodzili, preferując tawerny Nowego Portu, gdzie cumowały ich statki, a wobec ich nieobecności działalność dam barowych spotykała się tutaj z bardzo niewielkim zainteresowaniem. Jeśli już ktoś sprawiał problemy, to dobrze znani policji miejscowi rybacy, którzy nie mogąc wypłynąć w sztormowe morze, dawali upust swej frustracji w domach, co wyrażało się w lakonicznych, i nieczęstych zresztą, skargach i meldunkach typu „piją i biją".

Tego wieczoru Achsel nie czuł się jednak tutaj – jak zwykle bywało – odprężony i wypoczęty. Siedział na posterunku w Domu Zdrojowym jak na rozżarzonych węglach i wlepiał wzrok w Kurstrasse*, której przedłużeniem były

---

* Obecnie ul. Zdrojowa.

plaża oraz molo. To właśnie ten wybudowany trzydzieści lat wcześniej potężny pomost przyciągał całą jego uwagę. Co więcej, po raz pierwszy w czasie swej „brzezieńskiej wachty" czuł niepokój, a może raczej ekscytację – jak przed skokiem na głęboką wodę. Pływał i skakał wcale dobrze, ale głębia była dość niebezpieczna i mogła zawierać mnóstwo nieprzyjemnych niespodzianek.

Dwie godziny wcześniej na posterunek zatelefonował pan Richard Hoch, właściciel hotelu Parkowego w Jelitkowie, i zelektryzował Achsela nieoczekiwaną wiadomością:

– Przed chwilą słyszałem rozmowę dwóch moich gości w hotelowym foyer. Szykuje się gruby przemyt. Dzisiaj wieczorem przy molu w Brzeźnie.

Wachmistrz nie otrzymał żadnych dodatkowych wiadomości, a określenie „wieczorem" było nader nieprecyzyjne. Nie zlekceważył jednak informacji o przemycie i natychmiast o całej sprawie powiadomił swojego szefa z VII rewiru w Nowym Porcie, asystenta policyjnego Feliksa Fuhrmanna. Ten jednak nie przejął się zbytnio tym doniesieniem.

– Nawet pan nie wie, Achsel, ile ja dostaję takich zgłoszeń! – Roześmiał się po drugiej stronie linii. – Większość fałszywych! Wszystkie siły kieruję na ten przykład do Brzeźna, a przemytnicy w tym czasie działają w Jelitkowie! Zawracanie głowy! Nie dam panu do pomocy żadnego człowieka, bo nie mam nikogo wolnego. Niech pan tam idzie sam, jeśli pan taki łatwowierny i panu się chce, albo niech pan wyśle jakiegoś doraźnego pomocnika. Ja panu człowieka nie dam, bo nie mam!

Achsel, sprowadzony na ziemię stanowczym tonem szefa, nie machnął jednak ręką na całą sprawę. Poszedł za radą Fuhrmanna i rzeczywiście wysłał w okolice mola „doraźnego pomocnika", którym był syn miejscowego rybaka, piętnastoletni bystrzak i zawołany poszukiwacz przygód imieniem Emil. Z usług Emila wachmistrz czasami korzystał, zwłaszcza latem, i opłacał je z niewielkiego budżetu „informacyjnego", jakim dysponował.

Tak było i teraz. Emil marzł koło mola z latarką w dłoni, którą miał wypuścić umówiony świetlny sygnał, gdy tylko ujrzy przemytników.

Trzech mrugnięć latarki wypatrywał więc Theodor Achsel, wypalając papierosa za papierosem. Jak dotąd żaden błysk nie doszedł od tamtej strony.

* * *

POMIĘDZY BRZEŹNEM A NOWYM PORTEM pod koniec dziewiętnastego wieku wybudowano stanowiska dla sześciu potężnych dział kalibru 210 mm, które od południa miały bronić wejścia do portu. Potem w tym strategicznym miejscu nasadzono drzew i krzewów, przez co skutecznie zamaskowano stanowiska ogniowe. Wszystko to nazwano Baterią Plażową. Tuż przed Wielką Wojną przebudowano ją i wzmocniono kilkoma betonowymi schronami.

W jednym z nich krzyczał teraz z bólu torturowany człowiek. Ściany o grubości metra oraz wycie wichru tłumiły jednak wszystko.

Kiedy po powrocie do domu służący SS-Untersturmführera Vierka podał swemu panu ułamaną sosnową gałązkę z wyciętym znakiem runicznym, ten omal nie podskoczył z radości. Natychmiast się przebrał w czyste, suche rzeczy i w barani kożuch, a brudne, przemoczone i splugawione spodnie kazał wyprać.

Ruszył raźnym krokiem w stronę Baterii Plażowej. Oto los mu sprzyja w cichej gdańskiej wojnie polsko-niemieckiej, która – w jego imaginacji – miała się wkrótce zamienić w krwawe zapasy! Gałązka była jasnym komunikatem, znanym tylko Vierkowi oraz kilku jego najbardziej zaufanym rzezimieszkom.

„Jesteśmy w wiadomym bunkrze – mówiła. – I ktoś tam z nami jest wbrew swej woli".

„Wiadomy bunkier" był niewielkim schronem Baterii Plażowej, zamykanym na sztabę i potężną kłódkę, do której klucz mieli tylko Vierk oraz Pulchny Fritz, jak nazywano jednego z opłacanych przez esesmana ludzi od brudnej roboty. Teraz przed tym umocnieniem stał na warcie jeden z pomocników Fritza. Najpierw przyjrzał się przybyszowi z wyraźną wrogością, lecz rozpoznawszy swego zleceniodawcę, zasalutował mu z taką energią, jakby był umundurowanym żołnierzem w okopach, a wokół nich kipiała wojna. Vierk odwzajemnił pozdrowienie i wszedł do schronu.

Na środku leżał na plecach półnagi człowiek. Krztusił się napływającą do ust śliną, przez co z jego gardła dochodził bulgot bólu. Na każdej ręce i na każdej jego nodze siedział jeden oprawca. Pulchny Fritz przyciskał kolanami pierś więźnia i sapał ciężko. Rżnął mu skórę na piersi. Wraz z każdym zagłębieniem się czubka bagnetu z ciała leżącego wypływały pulsujące strużki krwi. Nagle torturowany człowiek zastygł.

– Zemdlał – powiedział Fritz. – Cucić, aby bolało, czy ciąć przez sen?

– Tnij – odparł Vierk. – Jeszcze go coś zaboli... Bardzo zaboli...

Fritz pociągnął ostrze w stronę szyi gestem doświadczonego laboranta z prosektorium. W końcu odłożył nóż i spojrzał na Vierka wzrokiem psa pragnącego pochwały. Nie doczekał się – jak na razie – pogłaskania po głowie.

– Kto to? – zapytał esesman.

– Polski marynarz – odparł Fritz. – Był pijany w jednej z bud przy Fischmeisterweg*. No to do wózka go i tutaj, zgodnie z rozkazem! Ostatnio my trochę potrzebniccy... Pieniędzy mało, co, kamraci?

Ci, przyciskając do betonu nieszczęsnego człowieka, pokiwali zgodnie głowami. Vierk zaaprobował uśmiechem ich aluzję.

– Dostaniecie więcej niż zwykle – powiedział. – Ale też zrobicie więcej niż zwykle, dobrze?

Znów potaknęli w milczeniu. Nawet nie pytali, jakie są ich dodatkowe zadania. Esesman wiedział, że to, co im każe zrobić, wykonają bez mrugnięcia okiem.

– Ocucić go! – krzyknął i roześmiał się wesoło.

Zapalił papierosa, a potem kilkakrotnie szybko zaciągnął się dymem. Po czym dmuchnął w żarzącą się końcówkę, kształtując żar w ostry szpic. Wciąż się śmiał. Jego śmiech był cienki, świdrujący, diaboliczny. Brzmiał tak, jakby pisk, zgrzyt i skowyt zlewały się w jeden dźwięk. Fritzowi zdało

---

* Obecnie ul. Wyzwolenia.

się dziwne, że *Herr Untersturmführer* wydaje takie osobliwe odgłosy. Zdaniem Pulchnego tak powinna wyć ofiara, nie kat.

I za chwilę rzeczywiście tak wyła.

Vierk chwycił Polaka za policzek i wsadził mu żar z papierosa w kącik ust. Potem zapalił kolejnego i śmiejąc się, dmuchał, zaostrzając czerwony szpic. I zrobił to samo – drugi kącik ust zamienił w popielniczkę.

O zimny szary beton uderzał wysoki krzyk bólu. Pozostawiał on oprawców całkiem obojętnymi.

Reginald Vierk wstał i ciężko dyszał. Oto się zemścił na Polakach. Ale to przecież nie była ta eskalacja przemocy, o której zamarzył; to jeszcze nie była ta spirala nienawiści, którą miał nakręcić.

– Pokaż znak! – krzyknął do Fritza.

Pulchny położył na brzuchu i na piersi jęczącego człowieka jego własną koszulę. Materiał wchłonął krew i przykleił się do włosów. Po dłuższej chwili Fritz szarpnął nim i oderwał go w kilku miejscach od skóry. Ofiara krzyknęła i znów zesztywniała.

Na jej piersi pysznił się dumny znak rasy nadludzi. Krwawa swastyka zdawała się kręcić wokół swego punktu symetrii. Tak, Vierk lubił wszystko, co symetryczne.

– Nad pętlami krwawego mięsa szorstki, zimny sufit – zaczął deklamować. – Nad wilgocią ciała, ciepłą kroplą śmierci.

Poczuł podniecenie. Spojrzał na Fritza i wskazał na wózek rybacki, którym przywieziono nieszczęsnego marynarza. Była to płaska platforma z niskimi burtami i dyszlem, usadowiona na dużych kołach.

– Załadować go tam – wskazał brodą. – I zawieźć na molo do Brzeźna. Na sam koniec. A tam niech sobie popływa... I przywiązać do mola butelkę z kennkartą! Niech wszyscy się dowiedzą, że to Polak!

Rzucił Pulchnemu zwitek pieniędzy i czym prędzej wyszedł z bunkra. Zaczął biec w stronę Brzeźna. Mimo zimna cały płonął. Kiedy już nikogo za nim nie było, wtargnął w krzaki, roztrącił gałęzie i stanął na szeroko rozstawionych nogach. Rozpiął spodnie.

I szybko sobie ulżył, powtarzając przy tym cicho swój nowy, ascetyczny wiersz, który był tak precyzyjny i mięsisty jak cięcie skalpelem.

WACHMISTRZ ACHSEL JUŻ MIAŁ ZAPALIĆ PAPIEROSA, gdy z daleka ujrzał błysk. Przetarł oczy i przylgnął nosem do szyby. Wtedy błysnęło po raz drugi. I trzeci.

Był przygotowany na tę chwilę. Siedział ubrany w policyjny szynel. Szabla pobrzękiwała u boku, a nieco za małe kepi mocno ściskało mu skronie. Wstał, a jego buty zdecydowanie zastukały o podłogę posterunku. Zamknął drzwi na klucz i wsiadł na rower. Kierował jedną ręką, w drugiej ściskał pistolet Walther.

Gdy zbliżał się do mola, ujrzał cienie czterech mężczyzn. Pomiędzy nimi majaczył jakiś pojazd – mała bryczka, a może dwudyszlowy furgon? Achsel był wściekły na Fuhrmanna, który odmówił mu posiłków. Czterej mężczyźni na jego widok na pewno rozpłyną się ciemności!

– Stać, policja! – wrzasnął i zeskoczył z roweru. – Stać, bo strzelam!

Rzeczywiście, stało się tak, jak przypuszczał. Cienie znikły w ciemności. Z ciężkim sapaniem przepalonych płuc wachmistrz dobiegł do mola. Stał przy nim zmarznięty Emil z wciąż palącą się latarką w ręku. Po chwili zgiął się wpół i oddał mewom nędzny, nie przetrawiony jeszcze posiłek.

W świetle księżyca policjant widział uciekających po plaży mężczyzn. Wiedział, że ujęcie i aresztowanie któregoś z nich jest równie prawdopodobne jak – użył entomologicznego porównania – wyciągnięcie żywcem karalucha ze szpary pod kuchennym zlewem.

Policjant wydyszał się i podszedł do wózka. Jedno spojrzenie wystarczyło, aby odpowiedzieć sobie na pytanie, dlaczego chłopak wymiotował. Na sinym od mrozu korpusie mężczyzny wyrżnięta była krwawa swastyka. Usta leżącego zadrżały.

– Coś powiedział? Powtórz! – poprosił Achsel, sądząc, że są to słowa przedśmiertne.

Powtórzył. Wachmistrz nic z tego nie zrozumiał. Zmaltretowany mężczyzna szeptał po polsku. Policjant spojrzał na Emila, który był Kaszubem.

– On powiedział, że jest Polakiem – przetłumaczył chłopak. – I marynarzem.

Spojrzał na zwiniętą w rulonik kennkartę, która spoczywała w butelce wiszącej u szyi nieszczęsnego człowieka.

– Rozbij i czytaj! – polecił Achsel.

Chłopak uczynił, co mu nakazano.

– Franciszek Andrzejewski.

Policjant otrząsnął się z osłupienia.

– Ciągnij go szybko na posterunek, bo wyzionie ducha! Ja odstawię tam rower i zaraz ci pomogę!

Kwadrans później ranny, straciwszy przytomność, jęczał coś i bredził w jasnym świetle Domu Zdrojowego. Wciąż jeszcze żył.

Achsel zatelefonował najpierw na stację Czerwonego Krzyża, skąd – jak mu obiecano – ambulans miał przybyć jak najszybciej. Kolejny numer, który wykręcił, znalazł w księdze adresowej. Należał on do Konsulatu Generalnego Rzeczypospolitej Polskiej.

Telefonistka poinformowała, że w tej chwili jeden z numerów jest zajęty, a innych nikt nie odbiera – pewnie z powodu późnej pory. W końcu odebrał ten ktoś, kto wcześniej konwersował.

Ten ktoś przedstawił się jako „Simon Eisenfisch" i dwukrotnie wysłuchał relacji Achsela o okrutnym napadzie na polskiego marynarza. Gdy tylko policjant odłożył słuchawkę, zatelefonował pan Hoch z hotelu Parkowego z Jelitkowa. Długo przepraszał policjanta za swoją pomyłkę.

– Ja źle usłyszałem, panie wachmistrzu! To chodziło o molo w Jelitkowie, tam się przed chwilą kręcili jacyś podejrzani ludzie, pewnie przemytnicy! To w Jelitkowie, nie w Brzeźnie! Ja najmocniej pana...

Achsel wcale się nie gniewał. Spodziewał się pochwały za swoją służbę. Choć nie złapał żadnych przestępców, to jednak uratował ludzkie życie.

– Polak bo Polak – szepnął do siebie. – Ale to przecież człowiek.

W DZIEŃ WIGILII PAN LEO MLYNSKI, dyrektor Miejskiej Szkoły Rejonowej w Brzeźnie, wyszedł wczesnym rankiem na spacer z psem. Zamknął starannie drzwi swojego mieszkania służbowego mieszczącego się w budynku szkoły przy Nordstrasse* 5, przeszedł przez boisko i ruszył prosto w stronę plaży.

Dzień był pochmurny, bezwietrzny i niezbyt mroźny. Kiedy nastał brzask, temperatura nieco się podniosła i ustabilizowała na poziomie zera. Śnieg sypał dużymi, lekkimi płatkami.

Taką pogodę uwielbiał i Mlynski, i jego ukochany owczarek niemiecki o dumnym imieniu Dux. Pierwszy z nich wracał w takie śnieżne dni pamięcią do szczęśliwych lat dzieciństwa i przypominał sobie chaty rodzinnej kaszubskiej wsi Chmielno, które były tak głęboko zakopane w białym puchu, że ich obecność zdradzały jedynie dymiące kominy oraz błyskające światłem okna – o ile takowe w ogóle wystawały ponad poziom śniegu. Drugi, czując pod łapami miękką i zimną powierzchnię, najpierw z radosnym szczekaniem biegał jak szalony wokół Mlynskiego, po czym tarzał się w śniegu i rył pyskiem korytarze w zaspach.

Dux jednak nigdy sobie nie pozwalał na to, aby pozostawić bez opieki swego pana. Patrzył za nim czujnym okiem i natychmiast podbiegał, gdy ten zbytnio się oddalił. Tak działo się i teraz, kiedy pan doszedł do plaży i stanął

---

* Obecnie ul. Północna.

tak blisko powierzchni Bałtyku, że jego buty były spryski-
wane kroplami wody, pulsującej rytmicznie pod lodowymi
jęzorami, w jakie zakrzepło morze tuż przy brzegu.

Mlynski poszedł ostrożnie – aby się nie poślizgnąć –
w stronę tak zwanej Głodowej Chałupy. Było to stare, roz-
padające się domostwo z poczerniałych belek ukryte wśród
drzew przy promenadzie, a jego dziwna nazwa inspirowała
różnych lokalnych historyków do mniej lub bardziej fanta-
stycznych wyjaśnień. Mlynski był nauczycielem przyrody
i choć historię szanował i słuchał zawsze z zainteresowaniem hipotez na temat osobliwej nazwy, to do tego rozpa-
dającego się budynku ciągnęło go całkiem coś innego. Wokół niego rosło bowiem sporo drzew o pniach pokrytych
mchem. Jeśli ten mech był dodatkowo ośnieżony, miłośnik entomologii mógł dojrzeć kilkumilimetrowe skaczące
owady, będące jakby skrzyżowaniem pchły i komara. Po-
śnieżek zimowy, *Boreus hyemalis* – bo tak się nazywa to
stworzenie – zawsze fascynował Mlynskiego. Przyrodnicy
zgodnie twierdzili, że nie występuje on na północ od Kar-
pat. Gdyby ów skromny samotny nauczyciel wiejskiej pod-
stawówki wykazał, że te zimowe owady upodobały sobie nadmorskie tereny, stałby się entomologiczną sławą,
o czym skrycie marzył od zawsze.

Kiedy po raz pierwszy zauważył, właśnie koło Głodowej
Chałupy, owe „zimowe pchły”, nie miał przy sobie żadnego
słoika ani siatki na owady. Ujrzał je – owszem – ale żadnego okazu nie złapał i nie przyniósł do swojego dwupo-
kojowego mieszkania. Potem los mu nie sprzyjał. Pośnieżki
jakby zaczęły omijać tę okolicę bałtyckiego wybrzeża.

Leo Mlynski był jednak człowiekiem upartym i łatwo się nie poddawał. Starał się tutaj zachodzić co drugi dzień i dokładnie lustrował mech porastający pnie sosen koło tajemniczej rudery – tam gdzie po raz pierwszy, i ostatni jak dotąd, widział zimowe owady.

Uzbrojony w siatkę oraz słoik, wszedł teraz energicznie pomiędzy białe krzewy, których splątane i kolczaste gałęzie broniły jak zasieki dostępu do Głodowej Chałupy. Wlepiwszy swój sokoli wzrok w pień, gdzie ujrzał wtedy pośnieżki, zaczął się skradać, aby ich nie spłoszyć.

Może dzisiaj się uda? Może właśnie teraz? Serce zaczęło mu mocno bić. Coś tam widział – jakieś kropki. Posuwał się w stronę kilku sosen, nie dbając o to, że bryłki śniegu i lodu dostają mu się do butów. Kiedy już nosem prawie dotknął sosnowego pnia, ogarnęło go ponure rozczarowanie. A potem złość na własną naiwność i utratę rozsądku.

„Z odległości trzech metrów widziałem plamki na śniegu! – pomyślał. – I jak jakiś głupek, jak rozemocjonowany szczeniak wziąłem je za pośnieżki. A przecież nikt nie zauważy z tak dużej odległości tych kilkumilimetrowych stworzeń!”

I wtedy w jego umyśle pojawiło się naturalne pytanie: „To co ja w takim razie zauważyłem? Co jest na tym ośnieżonym pniu?”.

Przyjrzał się. To były plamy. Większe, mniejsze – jakby rozpryski czarnych kropel. Jakby ktoś plunął na drzewo śliną czarną od żucia tytoniu. Albo krwią. Jakby ktoś bryzgnął krwią.

I wtedy rozległ się psi skowyt.

Mlynski nie zwracał uwagi na Duksa. Skradał się wokół chałupy, czując, jak kolce szarpią go za spodnie. Nagle potknął się o coś twardego. Z białego puchu wystawał walizkowy patefon bez tuby. Obecność tego drogiego i nowoczesnego sprzętu w tym właśnie miejscu przekraczała granice absurdu, a wszystko, co absurdalne, siało grozę i chaos.

Nauczyciel nienawidził chaosu i obawiał się go panicznie. Zaczął drżeć ze strachu.

Postanowił stąd odejść, tym bardziej że niczego więcej nie znalazł. Żadnych śladów, żadnych rozbryzgów.

„Nic dziwnego, wszystko przykrył świeży śnieg – pomyślał z rezygnacją. – Kiedy indziej przyjdę poszukać moich pośnieżków".

Dux nie dał mu jednak odejść. Zawył przeraźliwie i zaczął drapać podłoże łapami i ryć pyskiem korytarz w małej zaspie.

I się do czegoś dorył. Nagle wśród bieli pojawiła się inna barwa. Krwawa i sina.

Mlynski podszedł tam szybko. Czując się chronionym przez wiernego czworonoga, porzucił obawę w jednej chwili. Zaczął odgarniać śnieg, jakby chciał przyjść Duksowi w sukurs.

I wtedy ujrzał coś, co będzie już zawsze pamiętał.

Niebieskawą powierzchnię pełną żył i wybroczyn porastała rzadka sierść. Owłosienia było tym więcej, im wyżej wędrował jego wzrok, aż w końcu skłębiło się ono w jakimś zagłębieniu.

– To nie jest sierść – szepnął, przyjmując nieświadomie nauczycielski ton. – Ludzie nie mają sierści, lecz włosy.

To był ludzki tors, ludzka pacha pełna skręconych włosów. Odgarnął śnieg z twarzy człowieka. Znał go. To poeta, bogacz jeżdżący cadillakiem. Mieszkał dwie przecznice dalej w starej, pięknej willi.

Dopiero teraz dostrzegł ranę. Wycięty w skórze napis, który oprawca wyrżnął pomiędzy brodawkami. Ex. XXI 24–25.

– *Exodus*, rozdział dwudziesty pierwszy, werset dwudziesty czwarty i dwudziesty piąty – wyszeptał Leo Mlynski.

Nie wiadomo, kto pierwszy zaczął wyć z przerażenia – pies czy jego pan.

– „OKO ZA OKO, ZĄB ZA ZĄB, RĘKĘ ZA RĘKĘ, NOGĘ ZA NOGĘ, oparzenie za oparzenie, ranę za ranę, siniec za siniec" – czytał komisarz Oskar Reile, trzymając przed oczami Stary Testament w przekładzie Marcina Lutra. – Księga Wyjścia, rozdział dwudziesty pierwszy, werset dwudziesty czwarty i dwudziesty piąty.

Przekartkował opasły tom, pełen złośliwych komentarzy uczynionych ołówkiem na marginesach. Ołówek był zaostrzony, tu i ówdzie przebił papier. Niektóre wersety z pasją przekreślono, niejedna stronica została naddarta czy poszarpana. Tak, Reginald Vierk nie szanował Biblii, uważał ją za żydowską księgę przeklętą.

Reile stał w gabinecie przyjaciela, umiejscowionym w wieżyczce jego brzezieńskiej willi, i patrzył, jak wiatr przykleja do szyby płatki śniegu. Nie było widać nic – poza gęstą zadymką. Zadrżał z zimna. Czuł się tak, jakby lodowe kryształki spadały z sufitu i okrywały mu głowę i ramiona.

Odłożył Stary Testament na najniższą półkę biblioteczki, gdzie tkwiła wcześniej w ciemności i hańbiącym towarzystwie tanich i sprzedawanych na jarmarkach powieści pornograficznych. Na wyższych półkach za zielonkawymi szybkami stały księgi chwalebne – kamienie milowe w dziejach myśli ludzkiej. Pyszniły się tam dzieła Nietzschego i oprawione w skórę wielotomowe wydanie wszystkich dialogów Platona. Na specjalnym pulpicie, który wcześniej służył w jakimś kościele za podstawkę do mszału, leżała oprawiona w czerwoną skórę *Moja walka* Adolfa Hitlera.

Reile sięgnął po jakiś tom ateńskiego filozofa, z którego wystawał mały kartonik zapisany atramentem. Wiedział, że jego młody przyjaciel, który został dziś rano znaleziony w nadmorskim lasku z poderżniętym gardłem i wyciętym na torsie odsyłaczem do słynnych starotestamentowych wersetów odwetu i zemsty, miał osobliwy zwyczaj wtykania w książki zapisków terminowych. Sprawy do załatwienia, które inni zapisywali w kalendarzach lub notatnikach, on wyszczególniał na małych kartonikach; taki kartonik umieszczał następnie w jednej ze swych książek – i to najlepiej w takim miejscu, które jakoś korespondowało z owym zadaniem do wykonania.

– Wystarczy, że otworzę moją biblioteczkę, drogi Oskarze – tak kiedyś tłumaczył zmarły swój dziwny zwyczaj – albo spojrzę na książkę, którą mam na biurku, a już widzę wystający z niej kartonik. On mi mówi: „Masz coś do załatwienia!".

Reile otarł oczy z napływających łez. Reginald był prawdziwym brylantem. Dostał od natury wszystko – piękno duchowe i zewnętrzne. Talent i siłę fizyczną. Subtelny umysł oraz bezwzględną wierność pryncypiom. Złe języki mówiły, iż jest ona posunięta aż do granic okrucieństwa i bestialstwa. Reile niekiedy przyznawał im rację. Były chwile, że przyjaciel budził w nim strach – szczególnie wtedy gdy zadawał ból innym, deklamując poezję najwyższej próby. Był wtedy jak kat przystrojony w laury Petrarki.

Komisarz otarł oczy i spojrzał na tom, z którego wystawał kartonik. *Gorgiasz* Platona. Otworzył na stronicy zaznaczonej swoistą zakładką zapisaną drobnym i równym pismem. Na razie nie czytał tego wykaligrafowanego polecenia, jakie Reginald skierował do siebie samego. Wzrok Reilego spoczął na trzykrotnie podkreślonym fragmencie:

„Człowiek, który ma żyć jak należy, powinien nie powściągać swoich żądz, puścić im wodze – niechaj będą jak największe".

– Tak – szepnął Reile. – On się w niczym nie ograniczał.

Serce zamarło mu w piersi, gdy spojrzał na kartonik.

Starannym kaligraficznym pismem zmarłego było tam wypisane nazwisko mordercy.

MIMO IŻ PANI ANNA RETZLAFF JUŻ DAWNO WYŁĄCZYŁA duchówkę, w mieszkaniu i antykwariacie rozchodziła się wspaniała woń pieczonych jabłek oraz prażonych na blasze orzechów. Nowa służąca, o którą im się w końcu wystarał Żychoń, była wesołą Kaszubką dobiegającą pięćdziesiątki, swą posturą prawie dorównującą panu domu.

Pracowała u nich od tygodnia i dała się poznać z jak najlepszej strony. Poza rekomendacją kapitana, iż jest jego długoletnią współpracownicą, która z wielu gdańskich domów wynosiła arcyciekawe dla Dwójki informacje, pani Retzlaff, do której wszyscy zwracali się – jak do lwowskiej służącej – per „Haniu", odznaczała się cechami przez całą rodzinę zgodnie uznanymi za idealne. Popielski doceniał jej małomówność, Leokadia – świetne zarządzanie sprawami domowymi, a Rita – nieprzeciętny kunszt kulinarny, okazywany zwłaszcza przy wyrobie ciastek i tortów.

Właśnie teraz Hania starannie kroiła na trójkąty sernik w czekoladowej polewie, by następnie każdy taki kawałek kłaść na jednym z trzech talerzy, przeznaczonych zresztą na jeszcze inne świąteczne specjały. Nakrycia były tylko trzy, ponieważ zgodnie z tutejszymi zwyczajami nie przewidywano obecności dodatkowego gościa – jak to bywało w polskiej tradycji. Na tych tak zwanych kolorowych talerzach oprócz sernika służąca ułożyła czekoladki w złotkach, suszone owoce, orzechy, a nawet pomarańcze. Bez tych *bunte Teller** nie mogła się obyć żadna gdańska wieczerza wigilijna.

Dziewczynka sprawiała wrażenie, jakby już dawno zapomniała o przykrym zdarzeniu na kiermaszu świątecznym. Biegała po mieszkaniu, podskakiwała jak dziecko i podśpiewywała, jednym słowem – była podekscytowana już od samego rana, kiedy to wraz z ojcem ubierała choinkę. Ona przyczepiała do gałązek szklane bombki, słodycze – niekiedy je w skrytości podjadając – oraz wycięte z kartonu i pomalowane przez Hanię na brązowo figurki dzików

---

* Kolorowe talerze (niem.).

i jeleni; on montował świeczki na specjalnych uchwytach, starając się, aby ich knoty były jak najkrótsze i jak najbardziej oddalone od gałązek, które mogły się zająć ogniem.

Leokadia nie uczestniczyła w tych przygotowaniach. Podobnie jak Rita wypchnęła ze swej głowy ostatnie nieprzyjemne zdarzenia i od rana siedziała przy pianinie. Uśmiechała się do siebie tajemniczo i melancholijnie, grając coś, co można by nazwać wariacjami na temat kolęd polskich.

O godzinie czwartej po południu, kiedy już zapadł zmierzch i Rita wypatrzyła gwiazdkę na niebie, wszyscy troje usiedli do stołu.

Pani Retzlaff złożyła im wszystkim życzenia i zgodnie z umową opuściła swych państwa. Pobiegła na dworzec, skąd miała się udać pociągiem do pobliskiego Żukowa, by tam świętować Wigilię w gronie swej licznej rodziny. Leokadia, poinstruowana przez nią, gdzie są jakie potrawy i jak je podgrzewać, udała się do kuchni wraz z cioteczną bratanicą. Popielski tymczasem pozapalał świeczki na choince.

A potem wszystko było podobne do lwowskiej Wigilii. Kolędowanie, prezenty, jedzenie. To pierwsze odbyło się przy akompaniamencie pianina i zakończyło, ku wielkiej uldze Rity, na trzech tylko pieśniach. Potem nastąpił moment najbardziej oczekiwany przez wszystkie dzieci – i nastolatka Rita nie była tu wyjątkiem – a mianowicie rozdawanie prezentów.

Edward nakazał córce opuszczenie pokoju stołowego i czekanie, aż przyjdzie „Pan od Bożego Narodzenia". Było to kolejne *novum* – obok braku dodatkowego nakrycia. Pani Retzlaff zasugerowała Popielskiemu, aby ten udawał, iż przychodzi Weihnachstmann z prezentami, a potem sam dzwoneczkiem wezwał córkę na moment ich rozpakowywania. To była gdańska tradycja, kultywowana także w kaszubskich domach.

Dziewczynka dobrze wiedziała, że w zamkniętym na klucz kantorze leżą trzy pudła z prezentami. Zawartość jednego z nich doskonale znała. Był to prezent dla taty, który kupiła ciotka: pędzel z borsuczego włosia, brzytwa Solingen i pas do jej ostrzenia w ładnej skrzyneczce wyściełanej wiśniowym aksamitem. Takiego podarku zażyczył sobie zresztą sam tatuś, po tym jak ostatnia brzytwa już mocno mu się wyszczerbiła, a pędzel wyliniał.

Rita nie miała natomiast zielonego pojęcia, które z dwóch pudeł – większe czy mniejsze – zawiera prezent dla niej samej. Miała cichą nadzieję, że przypadnie jej w udziale to bardziej okazałe, zwłaszcza że domyślała się, co ono w sobie mieści. Kilka dni wcześniej zauważyła, że do kantoru przyszedł jakiś dostawca i wniósł ów pakunek. Kiedy wychodził, Rita śledziła go i dostrzegła, że wsiada do furgonu z napisem „Monochord", co – jak zapamiętała z nieszczęsnego kiermaszu – było nazwą firmy gramofonowej. Miała zatem cichą nadzieję, że jej prezentem świątecznym będzie „patefon bez trąby", którym tak się wtedy zachwyciła.

Ojciec odegrał komedię z gdańskim „Panem od Bożego Narodzenia". Kazał Ricie wyjść z pokoju i po chwili zadzwonił srebrnym dzwonkiem, nawiasem mówiąc – jednym z antykwarycznych artefaktów na sprzedaż.

Dziewczynka wbiegła do salonu i stanęła jak wryta. Na jej buzi odbiło się ogromne rozczarowanie. Nie mogła się powstrzymać od wydęcia warg i wypuszczenia ze świstem powietrza. Oto ciotka Leokadia, rozradowana i szczęśliwa, oglądała piękny nieduży gramofon Monochord, podczas gdy na nią samą czekał niewielki pakunek z jakimś głupim prezentem – pewnie szalikiem lub rękawiczkami!

Usiadła nadąsana i nawet nie raczyła spojrzeć na swój bożonarodzeniowy podarunek. Wbiła oczy w śnieżnobiały obrus, na środku którego leżał wieniec z iglastych gałązek, i machinalnie i bezmyślnie skubała gwiazdkę z kolorowego papieru – jedną z wielu, jakie leżały pod szklankami, salaterkami i pod dzbankiem kompotu z suszonych owoców.

Ojciec tymczasem śmiał się i dowcipkował, sprawdzając ostrość brzytwy na jakimś długim włosie.

– To dobrze, Lodziu, że znalazłaś na dywanie włos twój lub Rity. Gdyby nie wy, nie mógłbym się przekonać, jak ostra ta brzytwa! Chyba że obciąłbym sobie ucho!

Leokadia była w bardzo dobrym humorze. Z uśmiechem zadowolenia oglądała teraz dwie szklane płyty – jedną z dwoma koncertami fortepianowymi Chopina i drugą z takimiż utworami Mendelsohna. Granatowy kolor obudowy gramofonu dobrze współgrał z tejże barwy suknią, która nieco z boku, pod obojczykiem, ozdobiona była piękną pąsową różą.

„Nawet jej strój pasuje do prezentu! – pomyślała ze złością Rita. – Ona już o tym prezencie wiedziała wcześniej i dlatego tak się wystroiła! W granaty! Jak stara prukwa!"

– Nie ciekawi cię, kochanie, co tam dostałaś od gdańskiego Weihnachtsmanna? – Poczuła blisko zapach ojcowskiej wody kolońskiej.

Spojrzała na niego oczami pełnymi łez rozczarowania. Był ubrany w smoking i muszkę – jakby wybierał się do opery albo na raut. Wiedziała, że Wigilię uważa za jedno z najuroczystszych świąt i stąd jego wyjątkowe ubranie. Patrzył na nią z troską i niepokojem, okręcając wokół palca sygnet ze znakiem labiryntu. Blask choinkowych świeczek tworzył mu jakby aureolę wokół głowy.

Bez większego entuzjazmu zaczęła rozwijać niebieski papier, którym był opakowany jej prezent. Rozwiązała następnie tasiemkę, pod którą ktoś zatknął małą gałązkę choinkową. Odrzuciła ją ze złością za stół.

„To pewnie ciotka włożyła tę gałązkę. Jaka ona łaskawa dla mnie! – pomyślała z irytacją o Leokadii. – Tatuś nigdy by nie wpadł, że można tak pudło ozdobić".

Popielski patrzył na dziecko, które powoli podnosiło kartonową pokrywkę paczki. I zaraz ujrzał to, na co tak czekał – zdumienie i radość w oczach Rity. Paczka zawierała rekwizyty dla młodziutkiej aktorki – dwie peruki, dwie długie suknie i jedną rzymską tunikę. Były w niej oprócz tego jakieś bransolety, naszyjniki i pierścionki.

Dziewczynka rzuciła mu się na szyję z dzikim okrzykiem. Na swych policzkach poczuł jej łzy radości. Zamrugał szybko powiekami, aby ukryć wzruszenie. Uścisnął córkę, chowając twarz w jej gęste czarne włosy.

Leokadia kursowała w tym czasie pomiędzy kuchnią a salonem. Na stole pojawiły się wigilijne potrawy. Obok siebie stanęły dwie salaterki ze szczupakami w dwóch różnych wersjach – jeden był faszerowany szpinakiem, drugi podany z ostrygami. Potem pojawiły się śledzie w oleju i karp w galarecie.

Po szybkim – wręcz ekspresowym – przeczytaniu przez głodną Ritę stosownego fragmentu Ewangelii Świętego Łukasza o Narodzinach Pańskich i po wspólnej modlitwie obecni złożyli sobie wzajemnie życzenia świąteczne, łamiąc się opłatkiem.

– Smacznego! – Edward dał sygnał do konsumpcji, po czym uniósł karafkę i nalał Lodzi i sobie po kieliszku białego wina.

Zgodnie z tradycją, nie jadł nic od rana i rzucił się wygłodniały na te wszystkie specjały. Leokadia i Rita nie były aż tak głodne, bo wcześniej zjadły to i owo, kiedy służąca dokładnie im tłumaczyła w kuchni sposób odgrzewania tej czy innej potrawy.

Kuzynka, krytykując w skrytości ducha obyczaje gdańszczan i Kaszubów, którzy na wigilię nie jedli ani barszczu, ani zupy grzybowej, nałożyła sobie na talerz kawałek szczupaka i dwie ostrygi. Zamknęła oczy z kulinarnego zadowolenia. Brak tych zup był rekompensowany wybornym smakiem innych potraw.

Rita natomiast ryb nie lubiła wcale. Popijała zatem tylko kompot i sięgała co chwila do sztucznej małej choinki, która stała na środku stołu, a zamiast bombek miała małe marcepanki posypane proszkiem kakaowym. Nie odrywała przy tym oczu od swych teatralnych strojów.

– Tatusiu, kiedy będę mogła się przebrać? No kiedy? – pytała co chwila.

– Kiedy zjesz kolację – odpowiadał niezmiennie.

Ten warunek był o tyle nieprecyzyjny, że Rita nieustannie zapewniała, iż właśnie skończyła posiłek, a Edward, kierowany ojcowską troską, wciąż dodawał:

– Jeszcze zjedz trochę sałatki, proszę cię, kochanie, i może spróbuj smażonego karpia, który właśnie ciocia przyniosła. Nasza Hania wyjęła z niego ości...

Rita, słusznie biorąc te wszystkie „proszę cię" oraz „może" za oznaki słabnięcia ojcowskiej woli, wykręcała się, jak mogła, od jedzenia, wiedząc, że tato niedługo ustąpi w sprawie przebierania – tak dla świętego spokoju.

Wzięła za to ze sztucznej choinki-bombonierki jeszcze jedną marcepanową kulkę, zwaną przez służącą kartofelkiem. Spojrzała na ojca i tak już pozostała z otwartymi ustami.

Jedna świeczka, topniejąc, zmieniła nieco swą pozycję i jej płomień sięgnął wiszącej nad nią gałązki. Edward rzucił się do drzewka, by zdusić pożar w zarodku.

Wtedy rozległo się mocne walenie w drzwi.

Leokadia ze zdumieniem wypisanym na twarzy ruszyła szybkim krokiem, aby zobaczyć, co to za nieoczekiwany gość tak gwałtownie się dobija. Rita pobiegła za ciotką.

Ta otworzyła i zastygła w przerażeniu. Stojąca przy niej dziewczynka poczuła, jak jej stopy wrastają w zimny granit posadzki. W drzwiach rozpierał się, najwyraźniej pijany, ten sam drab z blizną na twarzy, który kilka dni temu usiłował ją porwać w czasie kiermaszu świątecznego przy Kohlenmarkt*.

– Wyjedź stąd, ty polska kurwo, bo i ciebie, i tę małą wydupczę! – powiedział do Leokadii z silnym niemieckim akcentem.

---

* Obecnie Targ Węglowy.

Kuzynka krzyknęła cienko i przeraźliwie, a Rita – być może pod wpływem tego krzyku – nagle odzyskała władzę w nogach. Pomknęła w stronę salonu, gubiąc po drodze pudełko z teatralnymi akcesoriami. Po kilku sekundach wpadła na ojca, który ugasił już był pożar i teraz wychodził do przedpokoju zaniepokojony dochodzącymi stąd odgłosami.

– To on! – krzyknęła do Edwarda kuzynka, wskazując palcem na łotra ze szramą, który wciąż stał w drzwiach. – To on chciał porwać Ritę!

Przybysz parsknął śmiechem i zniknął w ciemności korytarza. Popielski, nie zważając, iż jest bez płaszcza i w lakierkach, w których bardzo łatwo o poślizg, gdy się biegnie po śniegu, runął za nim.

Pokierował nim gwałtowny zwierzęcy instynkt, który – zgodnie z ustaleniami Platona – jest tak odmienny od rozumnej części duszy. Gdybyż w tym natłoku nagłych zdarzeń uświadomił sobie, że niedoszły porywacz mógł przecież nastraszyć Leokadię zawsze i wszędzie – niekoniecznie w czasie wieczerzy wigilijnej. Jego odwiedziny teraz mogły mieć zupełnie inny cel. Gdybyż zapytał sam siebie o ten cel! Gdybyż zdał sobie sprawę, że to była misterna prowokacja, i przewidział, że w ciemnej sieni budynku stoją pomocnicy draba uzbrojeni w grube drągi!

Nie zadał sobie takich pytań, w jego umyśle nie pojawiły się żadne wątpliwości ani przewidywania. Nie było na to czasu. Rozumna część duszy pozostała uśpiona, podczas gdy jej część popędliwa aż kipiała od gniewu i chęci pomszczenia niedawnego ataku na córeczkę.

Wyskoczył do sieni. Natychmiast na jego głowie i plecach zadudniły pałki. Czterech silnych mężczyzn waliło bezlitośnie. Piąty trzymał na muszce przerażonego stróża kamienicy.

Ostatnie, co zobaczył, to Leokadia stojąca w drzwiach i obiema dłońmi zakrywająca usta, i klęcząca u jej stóp Rita z oczami we łzach.

Mężczyzna trzymający stróża na muszce uniósł teraz kapelusz i szeroko uśmiechnął się do Polek. Leokadia go poznała. W czasie gdy zbiry tłukły leżącego i osłaniającego głowę Edwarda, komisarz Andreas Hoppe z Okręgu Kryminalnego Śródmieście szczerzył do niej wesoło zęby.

Po chwili podnieśli go i wrzucili do furgonetki stojącej pod kamienicą. Koła zabuksowały i sypnęły śniegiem.

Kiedy samochód znikał w zawiei, Leokadia i Rita stały przed bramą i szlochały z rozpaczy.

Ta Wigilia różniła się od wszystkich poprzednich nie tylko wymyśloną postacią Pana od Bożego Narodzenia czy też brakiem dodatkowego nakrycia na stole.

KOLACJA WIGILIJNA U KOMISARZA OSKARA REILEGO skończyła się około ósmej wieczorem. Policjant w odróżnieniu od Popielskiego uwielbiał rodzinne kolędowanie, znał całe mnóstwo bożonarodzeniowych pieśni z różnymi wariantami i licznymi zwrotkami. Śpiewał i śpiewał, celowo opóźniając obdarowanie swej jedynaczki prezentami. Chciał, aby jego siedmioletnia córka o pięknym germańskim imieniu Friederun potrafiła okiełznać dziecięce ciągoty, aby już teraz kształtowała swój charakter.

Po rozdaniu prezentów i najedzeniu się do syta Reile przeprosił swoją żonę Helene i udał się na cygaro do gabinetu. Małżonka znała ten zwyczaj i nie oponowała. Wiedziała, że po kilku chwilach samotności jej mąż wróci do salonu i znów zacznie kolędować.

Kiedy Reile przycinał cygaro nad popielnicą, zaterkotał telefon. Odebrał.

– Ulepiliśmy bałwana – usłyszał.

Uśmiechnął się i odłożył słuchawkę na widełki. Tajemniczy komunikat po stosownej deszyfracji mówił mu: mamy go!

Reile spojrzał na notatkę, którą sporządził jego zmarły przyjaciel i wetknął do *Gorgiasza* Platona.

„Von Luzerius. Obraz do sprzedania. 23 XII o północy koło Głodowej Chałupy. Transakcja w świetle księżyca. Obiecałem przynieść patefon i płytę. *Podróż zimowa* Schuberta. Będzie romantycznie".

CZĘŚĆ III

STYCZEŃ 1934
AKCJA „*CASUS BELLI*"

I

WSCHODNIE SKRZYDŁO WIĘZIENIA W SZTUMIE było owiane złą sławą. Mieściły się tam izolatki, w których lokowano nieposłusznych więźniów. Z grubsza dzielili oni się na dwie grupy. Pierwsza byli to brutale katujący współwięźniów dla uzyskania wysokiego prestiżu, a wśród nich erotomani, którzy ze słabszych robili swych cielesnych niewolników. Do drugiej grupy należały natomiast jednostki sprytne i oczytane w przepisach, które – idąc pozornie za literą prawa – ciągle domagały się spełnienia jakichś swoich dezyderatów. Ponieważ pryncypialny dyrektor zakładu karnego emerytowany oficer Heinrich Ruhmberger uważał za niezasłużony przywilej to, co ich zdaniem było elementarną potrzebą – na przykład częstszą korespondencję z rodziną – dochodziło do konfliktów, które zawsze wygrywał silniejszy.

Niebezpieczni więźniowie i domorośli prawnicy ponosili porażkę i trafiali do małych ciemnic – zimnych i zarobaczonych. Ruhmberger ostatnio rzadko wymierzał taką karę, toteż odizolowani nie zajmowali nawet jednej piątej przeznaczonych dla nich cel. To było dla Edwarda Popielskiego prawdziwym przekleństwem. Wiele cel było bowiem pustych i przerzucano go z jednej do drugiej, założywszy mu pierwej na głowę czarny worek, nie przepuszczający światła. Uniemożliwiało mu to policzenie, ile to już dni tu przebywa od momentu wigilijnego porwania.

Jeśli już udało mu się dokonać rachuby snu i jawy – mniej więcej, przyjąwszy, iż sen trwa godzin siedem, a czuwanie siedemnaście – i obliczyć, jak długo przebywa w jednej celi; jeśli już wyskrobał na ścianie jakiś znak, który mu zdradzał liczbę spędzonych tu dni, to zaraz go wywlekano z jednej ciemnicy i wrzucano do innej. Często czyniono to kilka razy w ciągu nocy, budząc go tuż po zaśnięciu i brutalnie okładając jego ciało – i tak już mocno obolałe po wigilijnym łomocie. W ten sposób oderwano więźnia od najbardziej ludzkiego doświadczania upływu czasu.

Popielski nie do końca się poddał. Pozostał mu inny sposób rachuby – jeszcze bardziej przybliżony. Po zaroście na twarzy ocenił, że przypuszczalnie już około dwóch-trzech tygodni przebywa w tych ciemnicach, gdzie za jedynych towarzyszy ma jakieś stworzenia łaskoczące go po skórze – najpewniej pająki.

Na początku jego mali towarzysze przejmowali go wstrętem i nie pozwalali zasnąć, czasami go kąsali, niespecjalnie zresztą boleśnie; po jakimś nieokreślonym czasie przyzwyczaił się do nich. Znalazł w swej sytuacji nieoczekiwane pocieszenie i szeptał do siebie w chwilach desperacji:

– Co tam pająki! Trochę połaskoczą za uchem i tyle. Ciesz się, że nie ma tu szczurów!*

Przyzwyczaił się też do smrodu nie zamykanego nigdy wiadra oraz do swego własnego odoru, którym już przesiąkło więzienne sztywne i drapiące ubranie. Ten pedant, który na wolności higienę miał za najwyższą wartość dnia codziennego i nieogolony nie wyszedł na ulicę, teraz starał się nie przejmować brudem, powtarzając w ciemnościach:

---

* O musofobii Popielskiego zob. M. Krajewski, *Arena szczurów*.

– Dobrze, że choć zdjęli z ciebie smoking. Może gdzieś go powiesili i będzie kiedyś znów do użytku? Kiedyś zrzucisz ten wstrętny uniform i wrócisz do swoich. Może cię Żychoń na kogoś wymieni? Smoking nada się jak znalazł na powitanie wolności.

Kluczowy w jego więziennych medytacjach był wyraz „kiedyś". To on dawał mu całą nadzieję na istnienie słońca, jasnych dni i życzliwych ludzi.

Człowiek, który się nim najczęściej zajmował, na pewno do nich nie należał. Popielski drżał ze wściekłości, gdy poczuł zapach kiepskiej wody kolońskiej i dotyk dłoni, które były twarde i szorstkie jak tarka. Dane mu było też odczuć jego szczypanie, szturchańce i kopnięcia. Nade wszystko zaś poznał dobrze przekleństwa, obelgi i groźby, jakimi ów człowiek nieustannie go obrzucał. Udało mu się też usłyszeć jego imię i nazwisko.

To pierwsze doszło do jego uszu, gdy któryś z kolegów zawołał: „Josef, chodź! Mamy tu jakiegoś nowego ancymonka!", to drugie – gdy jakiś władczy głos wydarł się w korytarzu: „Nagel, natychmiast do mnie!", a oprawca Popielskiego przestał wymierzać mu kułaki, szepnął do siebie: „Znów ten skurwysyn mnie wzywa!", i wepchnął więźnia do kolejnej ciemnicy.

Po upływie trzech, może czterech tygodni, gdy zarost na twarzy stawał się coraz dłuższy i miększy, Edward po raz pierwszy ujrzał strażnika.

Nie spał, gdy usłyszał, jak otwierają się pierwsze drzwi do izolatki. Drugie były oddalone o jakiś metr, a przestrzeń pomiędzy nimi przypominała wiatrołap. Strażnik zwykle te pierwsze drzwi zamykał na potężną klamkę, aby żaden promień światła nie dotarł do oczu więźnia, otwierał następne i dopiero wtedy świecił latarką i zarzucał nieszczęśnikowi worek na głowę.

Popielski, usłyszawszy szczęknięcie zamka u pierwszych drzwi, zaczął szybko przełykać ślinę. Jeśli jego ciemiężcom chodziło o to, aby go zamienić w bojaźliwy strzęp człowieka, to nie byli już daleko od swego celu. Czuł, że nadchodzi jakiś kryzys, przełom, haniebne załamanie.

Powodem tego stanu ducha nie były wcale strach ani troska o najbliższych. Te emocje potrafił jeszcze okiełznać. To stan jego ciała doprowadzał go powoli do rozpaczy. Od dłuższego czasu oblewały go zimne poty, serce tłukło się jak oszalałe pod żebrami, które już mocno sterczały, a każda próba zmiany pozycji – choćby z leżącej na siedzącą – wywoływała zawroty głowy, mdłości i szarpiące, bolesne wymioty.

Usłyszał szczęk klucza w zamku izolatki, ale – i to nadzwyczaj go zdziwiło – nie poprzedzał tego dźwięk zamykania pierwszych drzwi, odgradzających izolatkę od korytarza.

Gwałtownie rozwarły się te drugie. Z jasnego prostokąta buchnęło do celi światło. Popielski zacisnął powieki i przywarł policzkiem do posadzki. Czuł, że po twarzy przemykają lekkie odnóża jakiegoś jego współlokatora. Wtedy światło jakby przygasło. Poczuł woń kiepskiej wody kolońskiej. W drzwiach na szeroko rozstawionych nogach stanął Josef Nagel. Coś mówił, śmiał się, chyba dowcipkował.

Edward otwierał powieki bardzo powoli. Trwało to minutę, może dwie. Pierwszym od tygodni widokiem był ciemny zarys pękatej sylwetki strażnika, który coś trzymał w rękach – kij, może końcówkę węża rażącego lodowatą wodą? Stał tak cierpliwie i czekał, aż więzień całkiem otworzy oczy. Kiedy to nastąpiło, strażnik odłożył na bok trzymany przez siebie przedmiot, wpadł do celi i chwycił leżącego mężczyznę za kołnierz. Ciężko sapiąc, wyciągnął go na korytarz i posadził pod ścianą.

O ile blask światła był trudny do zniesienia dla oczu człowieka, który kilka tygodni spędził w ciemnicy, o tyle błysk magnezji trzaskającej w wąskim korytarzu prawie poraził jego wzrok. Nic już nie widział, za to słyszał jakby stukot drewna – pewnie po zrobieniu fotografii składano właśnie drewniany statyw. Wtulił głowę w ramiona i czekał na dalszy rozwój wypadków, czyli na szarpnięcia, ciosy, kopniaki.

Nic podobnego nie nastąpiło. Strażnik, prychając z obrzydzenia, wciągnął go z powrotem do celi, mówiąc:

– Zrobiłem ci zdjęcie przedśmiertne. Dziś jeszcze pójdziesz do łaźni. Masz ładnie wyglądać w trumnie!

Przy akompaniamencie posapywań i pokaszliwań wrzucił go do ciemnicy i zamknął tylko jedne drzwi – te oddzielające izolatkę od korytarza. Popielski podpełzł do nich i cieszył się jak dziecko z wąziutkiej, prawie niewidocznej z oddali strużki światła nad progiem celi.

Zapowiedź kąpieli spełniła się szybciej, niż myślał. Po upływie czasu, który wydał mu się chwilą, zobaczył w drzwiach trzech strażników: Nagla i dwóch innych, którzy trzymali nosze. Właśnie ci dwaj ujęli leżącego Edwarda za ręce i nogi, po czym niezbyt troskliwie położyli go na noszach. Kiedy go nieśli, patrzył w umykające do tyłu odrutowane płaskie lampy sufitowe ziejące żółtym trupim światłem.

Mimo że kąpiel – chłodna woda lejąca się pod ciśnieniem z gumowego węża – nie była zbyt wykwintna, zdała mu się prawie pieszczotą. Choć pomieszczenie, w którym się później znalazł – pokryty w całości zieloną olejną farbą bezokienny pokój – było brzydkie i odpychające, wydało mu się ono najelegantszym hotelowym apartamentem. Chociaż jedzenia, które dostał – czterech kromek czarnego twardego chleba pokrytego marmoladą – na wolności nawet by nie tknął, to teraz uznał je za potrawę godną uczty Trymalchiona.

Kiedy wypijał ostatnie krople zbożowej kawy i ocierał usta wierzchem dłoni, usłyszał lekkie pukanie. Pilnujący go Nagel przekręcił klucz i do pokoju wszedł szczupły mężczyzna średniego wzrostu w ciemnym, dobrze dopasowanym garniturze i w krawacie – wąskim i ledwo widocznym wśród skrzydeł dużego kołnierzyka. Przez eleganckie złote binokle spojrzał na Nagla i ten wyszedł z pokoju, grożąc Popielskiemu palcem.

Przybysz stanął po przeciwnej stronie stołu i przyglądał się więźniowi z zainteresowaniem. Nie miał więcej niż czterdzieści lat. Jego gęste jasne włosy, tu i ówdzie przetykane siwizną, były zaczesane z przedziałkiem. Zmrużone oczy patrzyły teraz nieco drwiąco spod krzaczastych brwi. Od nosa do ust biegły dwie głębokie bruzdy, które mogły świadczyć o tym, iż ich posiadacz często obdarzał bliźnich swym uśmiechem. Budziłby sympatię, gdyby nie duży, zadarty nos, który go szpecił i upodabniał do świni.

Kiwał w milczeniu głową, jakby widok Popielskiego potwierdzał jakieś jego domysły.

Nagle wyciągnął ręce. W wypielęgnowanych palcach trzymał dwa kartonowe prostokąty. Wolnym ruchem oparł je na stole dolnymi krawędziami i obrócił dokoła osi. Do jednego z nich przyczepione było zdjęcie Popielskiego, zrobione gdzieś z ukrycia na lwowskiej ulicy. Uśmiechnięty Edward prowadzi za rękę swą dziesięcioletnią może córeczkę.

Przypomniał sobie. Tak, szedł wtedy z Ritą do cukierni Zalewskiego przy ulicy Akademickiej, by kupić małej ulubionych pierników – juraszków. Było ciepłe lato, a on właśnie uporał się z trudną sprawą kryminalną.

Do drugiego kartonika przyczepione było zdjęcie chudego, łysego starca z obwisłymi ciemnymi workami pod oczami i siwą szczeciną porastającą brodę i policzki. W szeroko otwartych oczach tego człowieka błyskała może nie rozpacz czy desperacja, ale wewnętrzna słabość. Tak patrzyli na Edwarda kryminaliści i bandyci, gdy czuli, że przegrali.

– Nie udawajmy już, panie Popielski – powiedział mężczyzna. – Skończył się czas udawania, przebieranek, wchodzenia w cudze buty. Teraz pozostała nam tylko szczerość... Naga i bezlitosna.

Jego niemczyzna była wyszukana i piękna. Postukał palcem w zdjęcie rodzinne.

– Myśli pan, że nie dowiedziałem się w końcu, w jakim polskim mieście zapodział się mój człowiek nazwiskiem Adelhardt? – Mężczyzna uśmiechnął się i bruzdy nad kącikami jego ust się pogłębiły. – Myśli pan, że w tym dalekim mieście nie mam nikogo? Jeśli tak pan sądzi, to głęboko się myli. Moi ukraińscy przyjaciele zostali poproszeni o pomoc. Powiedzieli mi o tajnym policyjnym więzieniu, gdzie Adelhardt przebywał i pewnie dokonał swego grzesznego żywota... Jeden z nich dowiedział się, że wczesną jesienią zniknął z miasta pewien legendarny policjant o pseudonimie „Łyssy". Dobrze wypowiadam po polsku ten przydomek?

Popielski milczał. Czuł, że ze strachu o Ritę podnosi mu się przepona. Oto już dużo wcześniej, trzy lata temu, znalazła się ona na celowniku bezwzględnych wrogów.

– Tak pan wygląda dzisiaj... – przesłuchujący postukał paznokciem po drugim zdjęciu. – Ale mogę sprawić, że będzie pan wyglądał lepiej lub znacznie gorzej... Ma pan wybór. Albo pan trafi do więziennego fryzjera i poczuje na swej brodzie ciepłe, pachnące i pieniące się mydło do golenia, a potem spotkają pana równie miłe chwile... Albo wrzucę go znów na kilka tygodni do ciemnicy i pozwolę mu zarastać brudem, a jego siwej szczecinie dalej bujnie się krzewić. No co, Popielski? Którą fotografię wybierasz?

Mówienie o starcu na zdjęciu w trzeciej osobie było znamienne – był on kimś obcym, kimś, kto wśród ciemności i robactwa ma swoje środowisko naturalne. Edward od początku nie żywił najmniejszej wątpliwości, kogo przedstawia to drugie zdjęcie. A jednak to potwierdzenie, że na nim jest on sam, było jak dotkliwe pchnięcie nożem. Oto w mocy prześladowców jest dokonanie jego przemiany – zepchnięcie do pozycji zwierzęcia, jeszcze bardziej przerażonego, jeszcze brudniejszego. Zamknął oczy, co nie uszło uwagi przesłuchującego.

– Edward Popielski. – Blondyn wyciągnął papierośnicę w stronę rzekomego antykwariusza. – Absolwent Uniwersytetu Wiedeńskiego, który nauki pobierał po niemiecku, który w tym języku napisał doktorat. A tu taka afazja... Czyżby zapomniał pan języka, w którym jeszcze niedawno głosił pan piękne mowy na przyjęciu w pewnym antykwariacie?

Więzień nie przyjął papierosa. Wciąż milczał.

– Rozczarował mnie pan, Popielski – szeptał teraz albo raczej syczał mężczyzna. – Tak łatwo dać się podejść. Jak początkujący wywiadowca, a nie doświadczony policjant, przed którym drżał cały Lwów! Najpierw to udawane porwanie, a potem nagle, jak diabeł z pudełka, pojawia się u was porywacz. Na kolacji wigilijnej! Koniecznie ze szramą na twarzy, żeby pani Leokadia go rozpoznała i powiedziała: „To on chciał porwać Ritę". Intryga szyta taką grubą nicią... I pan dał się złapać. Wstyd, wstyd, Popielski.

Nie dał się sprowokować. Ugryzł się w język, aby nie powiedzieć: „Ten pański Hoppe wcale nie musiał mnie wywabiać z domu osobą porywacza! Z tyloma drabami mógł wejść do mojego mieszkania przez wszystkie drzwi i okna, po czym zawinąć mnie w dywan i wynieść".

– No cóż... – kontynuował przesłuchujący. – Milczenie, milczenie... To ja będę mówił. Jako że jesteśmy przy temacie pułapek, to powiem słowo na temat wilczych dołów... Ostatnio wykopała jeden i usiłowała mnie weń wepchnąć pani Irena Arendarska.

Popielski drgnął.

– No, widzi pan? Znane jest mu to nazwisko... Ślicznie, ślicznie pan zadrżał. To ta nasza gdańska Greta Garbo... Wie pan, co mi zaoferowała? Że mi da pana w prezencie. Na tacy. To oczywiście była pułapka. Wilczy dół.

Założył ręce za głowę i wyciągnął nogi przed siebie. Był swobodny i zrelaksowany.

– Myśli pan, że nie wiem, iż ona mnie nienawidzi? Może sobie głosić *in publico* na gdańskich salonach, że mąż ją zdradzał, że go nie kochała, że jego zaginięcie i śmierć pozostawiły ją obojętną. A tak naprawdę w skrytości ducha to mnie oskarża o jego zaginięcie. I co jest strasznie przerażające, doprawdy spać przez to nie mogę, tak bardzo się boję... – Uśmiechnął się drwiąco. – Otóż ona chce krwawej zemsty.

Jeszcze raz otworzył papierośnicę.

– Może jednak? – uśmiechnął się. – Pańskie ulubione. Kasino. Jak pan widzi, wszystko o panu wiem.

Popielski nawet nie spojrzał w kierunku papierosów.

– No cóż – rzekł Reile. – Może by się nawet udało wspomnianej damie złapać mnie w sidła, to znaczy podsunąć mi pana jako agenta, który *de facto* byłby człowiekiem mojego ukochanego przyjaciela Żychonia... Tylko wie pan co? Zrobiła błąd. Ogarnęła ją megalomania. Nie tylko pragnęła zemsty. Ona chciała zmienić świat. Jej marzeniem było, aby na gdańskim bruku zadudnił krok polskich żołnierzy. Rozpoczęła grę, w której pan był tylko pionkiem...

Popielski otworzył usta ze zdumienia. Na twarzy mężczyzny pojawiło się zadowolenie.

– No... Coraz lepiej nam się rozmawia. Ja mówię, a pan reaguje bardzo czytelnymi dla mnie grymasami. O, przepraszam, nie przedstawiłem się. Oskar Reile, do usług. Poza tym mamy dzisiaj dwudziesty piąty stycznia. A tak z nowszych wiadomości... Wie pan, jutro zostanie podpisany polsko-niemiecki pakt o nieagresji.

NOCĄ Z DWUDZIESTEGO PIĄTEGO na dwudziesty szósty stycznia we wsi Kałdowo Jan Henryk Żychoń siedział w swoim chevrolecie i usiłował przebić wzrokiem mrok i mgłę zalegające nad rzeką Nogat. W świetle granicznych reflektorów ledwo było widać zarysy rogatek Malborka i potężną basztę z flankami stojącą po lewej stronie drogi, tuż obok posterunku celników, słupa granicznego i szlabanu oddzielającego niemieckie Prusy Wschodnie od Żuław, należących administracyjnie do Wolnego Miasta Gdańska. Przez dwie godziny – odkąd zaczął obserwować granicę – przejechały przez nią dwa samochody osobowe i żaden z nich nie był daimlerem, o którym mu mówił jego nowy agent.

Każdy z nich został przez kapitana zlustrowany. Wykorzystując podrobioną odznakę gdańskiej policji kryminalnej, zatrzymywał samochody i dokładnie się przyglądał kierowcom i pasażerom. W żadnym z nich nie rozpoznał człowieka, którego szukał.

– Czyżby „Słowik" się pomylił? – mruczał do siebie, myśląc o pełnym napięcia głosie swojego nowego współpracownika, gdy ten w zaszyfrowany sposób przekazał mu telefonicznie arcyważną informację. – No cóż. Czeka mnie znów sześciogodzinna droga powrotna...

Czując na sobie badawcze spojrzenia celników i gdańskich, i niemieckich, wiedział, że jest tylko kwestią czasu, aż któryś z nich, zszedłszy już ze służby, wspomni przy kolacji w pobliskiej knajpie o gdańskim policjancie, który szuka jakiegoś przestępcy przekraczającego granicę. Ta wieść się pewnie rozejdzie, aż jakiś miejscowy stróż prawa z posterunku w Kałdowie zechce mu pomóc. A on nie chce pomocy. Musi działać sam.

Rozdrażniony zimnem i uciążliwą podróżą w zawiei śnieżnej, wsiadł do auta z małą butelką gdańskiej Goldwasser dla rozgrzewki. Dla zabicia czasu zaczął sobie przypominać szereg zdarzeń, z których ostatnim było to żmudne czekanie na gdańsko-niemieckiej granicy. Pierwszym zaś była rozmowa z panną Leokadią Tchórznicką w jej nowym gdyńskim mieszkaniu.

– Marszałek osobiście nawet palcem nie kiwnie w sprawie porucznika Popielskiego – powiedział kapitan Żychoń. – Przykro mi, że przynoszę łaskawej pani taką smutną wiadomość pierwszego dnia nowego roku.

Za oknem sypał śnieg i całkiem już pokrył trawniki i młodziutkie, niedawno posadzone drzewka przy gdyńskim skwerze Kościuszki. Siedzieli w salonie tajnego mieszkania Dwójki, które mieściło się na trzecim piętrze nowoczesnej kamienicy Peszkowskiego. Otaczały ich bezduszne – zdaniem Lodzi – modernistyczne meble wypożyczone z hotelu Centralnego i obrazy w stylu kubistycznym przedstawiające morze o połamanych prostokątnych falach. Pod oknem stał fortepian, którego klawiszy Leokadia nawet nie tknęła, a pomiędzy rozmówcami – szklany stolik z paterą z pokrojonym plackiem drożdżowym, który zresztą cieszył się takim samym jej zainteresowaniem jak instrument.

Od czasu porwania Edwarda jego kuzynka nie jadła prawie nic, w odróżnieniu od Rity, która pochłaniała ogromne ilości jedzenia. Służąca Anna Retzlaff, która wraz z nimi wprowadziła się do gdyńskiego mieszkania, gotowała zatem sporo, lecz jedynie panienka doceniała jej kunszt.

To była zresztą jedyna różnica w zachowaniu córki i kuzynki Popielskiego. Poza tym obie zagłębiały się w czarnej rozpaczy. Chodziły bez celu po mieszkaniu, kłóciły się, w nocy targane były bezsennością, a przez większość dnia stały w oknie, wypatrując masywnej sylwetki mężczyzny, którego kochały.

Żychoń patrzył teraz na Leokadię współczującym wzrokiem. Zdawał sobie sprawę z uczuć, jakie miotają kobietą, zwłaszcza po wzmiance o obojętności Piłsudskiego. Czekał na jej słuszny zarzut: to pan go w to wciągnął! To pan pozbawił nas ukochanego opiekuna i ojca!

– Oznajmił mi to mój szef pułkownik Furgalski. – Kapitan zapalił papierosa. – Sam rozmawiał z Piłsudskim twarzą w twarz o pani kuzynie...

– Przecież on uratował życie temu Litwinowi!* – krzyknęła nieoczekiwanie Leokadia. – Ocalił go, a teraz ten starzec pluje na jego los?!

---

* Zob. M. Krajewski, *Dziewczyna o czterech palcach*.

Żychoń powoli wypuścił dym nosem. Spojrzał na ciasto. Poczuł mdłości na myśl, że miałby coś teraz zjeść. Po wczorajszym przyjęciu sylwestrowym w konsulacie miał potężnego kaca alkoholowego, a wobec tej damy – jeszcze większego, bo moralnego.

– Polsko-niemiecki pakt o nieagresji jest winny tej znieczulicy Marszałka – powiedział powoli. – Już pod koniec listopada z rozmowie z ambasadorem von Moltkem wyraził nań zgodę. W styczniu ma zostać zawarty...

– A co to ma wspólnego z Edwardem!? – Leokadia rzuciła się wściekle w fotelu.

Kapitan ciężko westchnął.

– Pułkownik Furgalski, jak mówiłem, interweniował w sprawie pana porucznika na osobistej audiencji. Piłsudski mu powiedział, cytuję: „Pakt to najważniejsze, co przed nami. Jest ważniejszy nawet niż życie mojego najwierniejszego oficera".

Panna Tchórznicka wstała gwałtownie.

– Ja nic nie rozumiem! – krzyknęła. – Dlaczego mój Edward miałby umrzeć za jakiś pakt?

Żychoń zdusił papierosa i również wstał.

– Gdybyśmy poruszyli piekło i niebo – rzekł chrapliwym głosem, zdartym przez dziesiątki wypalonych poprzedniego dnia papierosów i przez liczne kieliszki lodowatego płynu – i wyciągnęli porucznika z łap Reilego, a potem poinformowali wszystkie gazety świata, że funkcjonariusze z oficjalnie neutralnego Wolnego Miasta porywają polskich obywateli... Jeślibyśmy udowodnili, że palce maczała w tym Abwehra, to wtedy cały pakt by runął...

Leokadia opanowała się. Kiwnęła głową. Tak szybko przyjęła to wyjaśnienie do wiadomości, że zaniepokoiła podejrzliwego Żychonia. Czuł przez skórę, iż ta dystyngowana kobieta jest gotowa do działania, które skomplikuje wszystkim życie. Już widział oczyma wyobraźni, jak endeckie gazety, teraz zdawkowo akceptujące ów układ, po interwencji panny Tchórznickiej zaczynają wrzeć i pisać o niewinnych polskich ofiarach złożonych na ołtarzu krwawej dyplomacji. O wybawicielu Marszałka, zasłużonym, znanym na całą Polskę policjancie, którego ten porzucił jak zużytą chustkę do nosa!

Poczuł mdłości. Nie powiedział jej wszystkiego.

– Gdyby się okazało, że Edward Popielski został porwany przez gdańską policję, a Senat Wolnego Miasta by temu zaprzeczył, co z pewnością by uczynił, to Rzeczpospolita Polska, udowadniając senatowi gdańskiemu kłamstwo, a podległej mu policji przestępstwo, miałaby *casus belli* wobec Wolnego Miasta Gdańska. Ten pretekst do wojny byłby jak najbardziej prawomocny i musiałaby go uznać nawet Liga Narodów. A wtedy, gwarantuję pani, znaleźliby się u nas ludzie, którzy parliby do wykorzystania tego *casus belli*. Nie ukrywam, że ja sam nie miałbym nic przeciwko przyłączeniu Gdańska do Polski raz na zawsze... Gdyby się udało uprawomocnić *casus belli*, nasze wojsko w ciągu jednego dnia zajęłoby teren Wolnego Miasta. I to by była katastrofa dla wielu. Przede wszystkim dla Sowietów, którzy panicznie się boją ugruntowania władzy polskiej na Bałtyku. A Sowieci mają u nas wielu pożytecznych idiotów, którzy nawet nieświadomi, iż pracują na rzecz

Rosji, będą szeptać: „Czyż nie jest lepiej nie dopuścić do wojny z Niemcami, przemilczając jedno nieważne porwanie?". Tak, droga, pani... Znalezienie pani kuzyna nikomu nie jest na rękę, nie licząc beznadziejnych militarystów, takich jak ja, którzy chcieliby rzucić Berlinowi rękawicę prosto w twarz.

Tak wyjaśnił przypadkowe uwikłanie jej Edwarda w wielką politykę. Aby załagodzić smutne konstatacje płynące z wygłoszonej przed sekundą wypowiedzi, dorzucił coś pocieszającego, co zostawił sobie na koniec rozmowy.

– Droga pani, Piłsudski wydał mi przez Furgalskiego zapewnienie o protekcji moich wszelkich działań.

Leokadia patrzyła na niego pytającym wzrokiem.

– To oznacza, że mogę rzeczywiście poruszyć niebo i piekło, aby znaleźć pana porucznika – mruknął. – Mogę porywać, torturować i zabijać, aby z powrotem przyprowadzić go do domu. A Furgalski ma rozkaz ochraniania moich akcyj. A kiedy już pana porucznika oddam w pani ręce, wszyscy będziemy milczeć, rozumie pani!? W obawie przed *casus belli*! – Sapnął i rozejrzał się po pokoju, jakby obawiając się, że ktoś ich podsłuchuje. – A jeśli poniosę klęskę – rzekł cicho – i na przykład zostanę przez Niemców złapany, Warszawa się mnie wyprze, Furgalski nie będzie mnie znał. Powiedzą: „Nie wiemy, kim jest ten Żychoń". Ja tu bardzo ryzykuję. Całą karierą, a nawet życiem. Ale pani kuzyn jest wart tego ryzyka.

Myślał, że tą deklaracją zrobi na niej pozytywne wrażenie. Tymczasem natrafił na zimne spojrzenie, pełne nieufności. Zdenerwowało go to.

– Mamy niewiele czasu – syczał przez zęby, przełykając gorzką ślinę. – Pakt zostanie podpisany pod koniec stycznia. W tajnym protokole będzie mowa o tak zwanych porwaniach wywiadowczych. I my, i Niemcy mamy ich sporo na swym sumieniu. Porywaliśmy agentów wroga, aby ich wymienić na naszych. To taka szpiegowska rutyna. Pakt tego zabroni, a obie strony uznają, że nie będą wyciągać żadnych konsekwencyj za porwania dokonane do dnia podpisania paktu. Innymi słowy, obie strony zdeklarują: „Odkreślamy wszystko grubą kreską. Nic nas nie obchodzą ci, których porwaliście do końca stycznia". Rozumie pani, co to znaczy? Pani kuzyn zostanie przez Warszawę spisany na straty. Jeśli go nie uwolnię do tego momentu, to już nikt się o niego nie upomni. Nikt!

Ostatnie słowa wypowiedział tonem groźby. Leokadia spojrzała na niego ironicznie.

– Och, jakiż pan biedny, tyle ryzykując! – rzekła nieco podniesionym głosem. – Po co mi pan to mówi? Jest pan moim rycerzem? Mam pana pocałować w przyłbicę czy wręczyć szarfę z moim imieniem? Darujmy sobie takie ceremonie. Sprawa jest bardzo prosta. Nawarzył pan piwa, to teraz czas je wypić. Zresztą przydałoby się ono panu w sensie dosłownym. Na dole jest restauracja. Trafi pan do wyjścia?

Uśmiechnęła się lekko, lecz jej oczy były poważne.

Intuicja podpowiedziała Żychoniowi, że ta kobieta niedługo pokrzyżuje im plany. Wiele razy widział podobny uśmiech, którym maskuje się skok do gardła.

Tego typu przeczucia jeszcze nigdy nie zawiodły jednego z najbardziej doświadczonych funkcjonariuszy polskiego wywiadu.

– Tak, tak właśnie było – mruknął do siebie i spojrzał na zegarek. – I bez jej impertynencyj ruszyłbym do akcji.

Właśnie minęła północ. Był dwudziesty szósty stycznia.

II

OSKAR REILE UNIÓSŁ PUSTĄ KARAFKĘ PO WODZIE i spojrzał wymownie na Nagla. Ten pochwycił naczynie swymi sękatymi palcami i natychmiast wyszedł, by napełnić je wodą.

Komisarz tymczasem wyjął z kieszeni ołówek i włożył go do temperówki przymocowanej do stołu małym imadłem. Kilka razy pokręcił korbką, po czym wyciągnął naostrzony ołówek i uważnie zlustrował jego szpic. Dmuchnął nań kilkakrotnie, a potem przeniósł swój wzrok na drugi koniec stołu – na Popielskiego.

– Irena Arendarska chciała wywołać wojnę gdańsko-polską, która dla mojego ukochanego miasta skończyłaby się tragicznie. Jestem pewien, że miała tutaj cichą akceptację Żychonia. Przedstawię panu jej plan, bardzo ryzykowny. Jej mąż Mieczysław Arendarski działał na wielu szpiegowskich frontach, mnie również przynosił różne wiadomości. Żona przekonała go, aby informował mnie o małych, nieistotnych sprawach i żądał za to nieproporcjonalnie dużych pieniędzy. A ja, wierząc naiwnie temu dżentelmenowi, płaciłem, mając nadzieję na jakąś prawdziwą szpiegowską rewelację. Mijał czas, naprawdę sporo czasu upłynęło, a tu nic. Byłem coraz bardziej rozdrażniony jego postawą. I o to jej chodziło. Chciała mnie rozwścieczyć. To się udało. Pierwszy punkt jej planu został zrealizowany.

Nagel przyniósł karafkę wody i na znak Reilego rozlał ją do szklanek.

– Niech tylko panu nie przyjdzie do głowy rozbijać tej szklanki i robić z niej ostrego narzędzia, którym nas pan zaatakuje – mruknął groźnie komisarz. – Ja się nie boję, a Josef takie szklanki zjada na śniadanie.

Popielski chciwie wypił i odezwał się po raz pierwszy w czasie tego przesłuchania.

– A co pan robi, *Herr Kriminalkomissar* Reile, kiedy się pan wścieknie? Tupie pan ze złości i gryzie dywany?

Zapytany przymknął oczy i przez chwilę kręcił palcem koło ucha, jakby chciał złapać jakąś melodię.

– Tak – otworzył oczy. – Nienaganna południowa niemczyzna. Z charakterystycznym „r" w nagłosie wyrazu *Kriminal*. A przy tym jakież to inteligentne pytanie! Pełne aluzji... Wszak „dywanowym gryzoniem"* nazywają naszego wielkiego kanclerza nieżyczliwi. Widać, że ma pan za sobą filologiczną formację!

– Przecenia mnie pan, Reile. – Na twarz przesłuchiwanego wypełzł drwiący uśmieszek.

– Otóż myli się pan, Popielski. – Komisarz postukał po blacie tępą końcówką ołówka. – Ja pana cenię naprawdę bardzo wysoko. Jest pan moim kolegą. I jako policjant, i jako funkcjonariusz wywiadu.

– Masz chusteczkę, Nagel? – Popielski zaczął trzeć palcami oczy. – Bo się zaraz popłaczę z radości... Że tak wysoko mnie ceni *Herr Kriminalkommissar*!

Strażnik mruknął coś groźnie i oderwał się od ściany, ale na znak Reilego znów do niej przywarł.

– Moja dobra ocena pańskiej osoby jest jednym z powodów, dla których opowiem panu dalszy ciąg historii pod

---

* Niem. *Teppichbeisser* – „ten, co gryzie dywany ze wściekłości".

tytułem „*casus belli*" – ciągnął komisarz. – Jest też powód drugi, ale o nim za chwilę. No cóż, panie komisarzu, przełamaliśmy pierwsze lody, zaczął się pan do mnie odzywać, to może przełamiemy i następne, co?

Podsunął mu papierośnicę, a kiedy więzień chciwie wyszarpnął zza gumki papierosa, Nagel na znak Reilego podał mu ogień.

– Kolejnym punktem jej planu było sprowokowanie mnie do porwania jej męża. Arendarski, ilekroć przychodził do mnie do prezydium policji, najpierw odwiedzał Adelhardta i ubliżał mu przy świadkach najgorszymi słowy, najczęściej wyzywając go od pijaków i głupców. W ustach tego dystyngowanego pana brzmiało to znacznie gorzej, bolało bardziej dotkliwie, niżby te przekleństwa na przykład bełkotał jakiś włóczęga. A nerwowy Otto, w którego mózgu alkohol rzeczywiście dokonał spustoszeń, natrętnie nalegał i męczył mnie kilka razy dziennie, aby Arendarskiemu dać nauczkę, porwać go i w naszych piwnicach udzielić mu lekcji dobrych manier. Uległem mu, choć mi to odradzał mój nieodżałowany przyjaciel Reginald Vierk...

Przerwał i długo patrzył na Popielskiego. Jego wzrok najwyraźniej sugerował, żeby Edward nie przyzwyczajał się zanadto do grzecznych słów i obłych komplementów. Ostrzegał, że Reile w jednej chwili może się stać drapieżnikiem, który rozpłata mu gardło.

– I pozwoliłem na to porwanie – westchnął i spuścił wzrok, jakby się wstydził. – To był trzeci punkt planu. Do tej pory tańczyłem tak, jak tego chciała piękna Irena. A czwarty punkt jej planu zakładał, że ktoś z prezydium policji, najpewniej jakiś wasz agent wśród moich ludzi, ma wyśledzić, gdzie trzymamy porwanego. Jeśliby to odkrył, do akcji przystąpiłaby Warszawa. Oficjalnie zapytałaby senatorów Wolnego Miasta Gdańska: trzymacie w waszych lochach naszego obywatela czy też nie trzymacie? Senat oczywiście zaprzeczyłby, bo naprawdę o niczym by nie wiedział. A wtedy mój kochany Jan Henryk i jego ludzie wtargnęliby do prezydium policji, najpewniej w otoczeniu waszych żołnierzy z Westerplatte, wyciągnęliby Mieczysława Arendarskiego z celi i ryknęliby na cały świat: gdańska policja aresztowała bezprawnie polskiego obywatela, a senat temu zaprzecza! Byłby to *casus belli* i na gdańskim bruku wkrótce rozległby się stukot buciorów maszerującego polskiego wojska.

– Misterny plan, doprawdy... – szepnął Popielski. – Ale pełno w nim dziur. A największą jest ów nasz rzekomy agent w pańskich szeregach. Skąd Arendarska miałaby do niego dostęp? Skąd w ogóle wiedziałaby o jego istnieniu? Czyżby Żychoń jej powiedział? Czyżby był taki nieostrożny?

Reile roześmiał się głośno.

– Och, nie docenia pan pięknej Ireny! Kapitan jest wielkim koneserem damskich wdzięków. W chwilach niebiańskich uniesień wszystko jej na pewno powiedział!

Popielski zgasił papierosa i odetchnął głęboko.

– Już teraz rozumiem. Pani Arendarska chciała wywołać wojnę. Tylko po co? Bo tego chciał Żychoń?

Reile pobębnił palcami po blacie.

– Wrócimy jeszcze do kwestii po co, panie poruczniku, obiecuję, że wrócimy... Teraz jednakże przejdźmy od misternych planów do bezlitosnych faktów. Intryga Arendarskiej zawaliła się jak domek z kart, ponieważ przed akcją porwania jej męża ten idiota Adelhardt zbyt dużo wypił i na widok nadobnej Polki zapałał do niej żądzą. I zgwałcił ją, jak mi później ze skruchą wyznał, na kuchennym stole, wśród huśtających się lamp.

Popielski przypomniał sobie teraz dwie sceny. Krupier w sopockim kasynie, wstając gwałtownie od stołu do bakarata, uderza w lampę, a ta zamienia się w wahadło. Ten widok budzi w wychodzącej z sali Arendarskiej dziwną irytację. Scena druga. Irena, gdy Edward wychodzi z jej domu, z pasją zatrzaskuje drzwi kuchenne. Jakby nie chciała patrzeć na rozpalone światłem statki płynące pod sufitem.

„Jeśli Reile gdzieś blefuje, to raczej nie tutaj" – pomyślał.

– I po tym gwałcie Arendarska postanawia się zemścić na swym oprawcy – ciągnął komisarz. – Ten akurat wyjeżdża do Polski w pewnej tajnej misji. Ona za nim. On przepada jak kamień w wodę w dalekim polskim mieście, ona wraca do Gdańska. Ciekawa zbieżność, nieprawdaż, panie poruczniku?

Popielski poruszył się na krześle i syknął. Pośladki już go rozbolały od długiego siedzenia.

– W tym samym czasie Żychoń wpada w furię. Nie ma pojęcia, gdzie jest Arendarski, bo o tym wiemy tylko ja i dyrektor tego przybytku. Obawiając się, że ktoś w prezydium policji pracuje dla Żychonia, usunąłem Arendarskiego w bezpieczne miejsce, czyli tutaj. W ten sposób nieświadomie zniweczyłem całą intrygę *casus belli*. Tutaj, na niemieckiej ziemi, interwencja Żychonia z chwatami z Westerplatte byłaby niemożliwa.

Rozprostował kości.

– A tymczasem mój ukochany Jan Henryk jakoś wpada na ślad Ottona. Wie, że on wyjechał do Polski. Ma jedną jedyną szansę: złapać go i wymusić na nim przyznanie się, że porwał Arendarskiego. W ten sposób będzie miał swój upragniony pretekst do wojny.

– Ale to się nie udaje, bo Arendarska ze względów osobistych sama chce wymierzyć sprawiedliwość, choćby niszcząc akcję *casus belli*... – szepnął Popielski.

– Nie wiem, czy jakieś wiatry nie zagnały Ottona – uśmiechnął się znacząco – do Lwowa, bo to tam ten biedak zaginął i umarł, prawda? – Reile pociągnął nosem, jakby płakał. – Co się działo w tym Lwowie, to tak naprawdę dokładnie nie wiem. I nie zamierzam z pana wydobywać zeznań na ten temat. Adelhardt był dla mnie już niepotrzebnym brzemieniem. Arendarska tymczasem wróciła do Gdańska i prawdopodobnie postanowiła się zrehabilitować. Natychmiast po jej przyjeździe wpadli na pomysł akcji „Rogacz". Na razie jednak brakowało im rogacza. A tu los zrobił im prezent, bo oto pan Siegfried von Luzerius z małżonką zjawił się nad Motławą. Idealny kandydat.

BYŁA PIĄTA RANO DWUDZIESTEGO SZÓSTEGO STYCZNIA, gdy sen zmorzył Jana Henryka Żychonia. Na krótko, trwało to może kwadrans. Przebudzenie było gwałtowne – choć nie zostało wywołane przez żaden impuls zewnętrzny. Tak mu się przynajmniej zdawało. Po prostu poczuł jakieś wewnętrzne dźgnięcie. Znał je. To był niepokój. Coś się stało.

Przetarł oczy i przeciągnął zdrętwiałe, zziębnięte kości. Spanie w aucie przy siedmiostopniowym mrozie nie było najbardziej komfortowym sposobem nocowania. Wyszedł na zewnątrz i rozejrzał się wokół. Do jego uszu dobiegł odległy szum silnika – jakby w stronę Gdańska oddalał się automobil. Wytężył wzrok. Nie przebił mroku. Nic nie było widać. Splunął gęsto w śnieg i zaczął uderzać się po bokach – jakby to cokolwiek dawało. Znów pomyślał z niechęcią o swoim nowym agencie „Słowiku". Zwerbował go prawie dwa tygodnie temu.

W niedzielę czternastego stycznia kapitan Żychoń w przebraniu wędkarza przyjechał pociągiem do Sztumu. Prosto z dworca udał się nad Jezioro Sztumskie, wyrąbał przerębel i oddał się łowieniu ryb. Po kwadransie, około pierwszej po południu, nie był tu już sam. Nauczyciel ze szkoły więziennej Erich Suckau wyrżnął w lodzie przerębel dwa metry dalej, zarzucił wędkę i wdał się z Żychoniem w leniwą pogawędkę na temat ryb. Jak to wędkarz.

Nazwisko pedagoga jako kandydata na agenta kapitan do swojego notatnika wpisał już dawno – w lipcu minionego roku. Wtedy to bowiem dzięki Suckauowi polski wywiad upewnił się, iż Mieczysław Arendarski zmarł w sztumskim więzieniu w niewyjaśnionych okolicznościach. Suckau podczas letniej wycieczki odkrył, iż w ciuchci więziennej, zwykle wywożącej trupy, znajdowało się ciało nie znanego mu Polaka – „bardzo kulturalnego pana, więźnia politycznego", jak go określił nauczyciel w rozmowie ze studentem Piotrem Błaszczykiem, narzeczonym swojej szwagierki. Ów młody człowiek opowiedział o odkryciu Suckaua swojemu koledze od bridża, pracownikowi biura podróży „Orbis" Anatolowi Piesiewiczowi, ten zaś był człowiekiem Żychonia. Oprócz przekazania tej arcyważnej wiadomości Błaszczyk doniósł, iż nauczyciel bardzo krytycznie wypowiadał się o władzach oświatowych Rzeszy Niemieckiej, które skazują go na „wieczną poniewierkę", bo tak nazwał swoją pedagogiczną tułaczkę po różnych wsiach i miastach. Żychoń wiedział, że odpowiednia suma może narzekającego Ericha Suckaua zamienić w pożytecznego agenta, choć – niestety – tymczasowego, z uwagi na to, że już niedługo może być oddelegowany do innej szkoły w innym rejonie Niemiec.

Na szczęście w styczniu nauczyciel wciąż jeszcze pracował w Sztumie i Piotrowi Błaszczykowi, który tymczasem ożenił się był z jego szwagierką, nie zajęło dużo czasu, aby przekonać powinowatego do spotkania z tajemniczym wędkarzem.

Już po kilku minutach rozmowy i wręczeniu rozmówcy pięćdziesięciu guldenów umysł kapitana doświadczył dwóch uczuć – najpierw pojawiła się nadzieja, potem zaś desperacja. Suckau, ciesząc się w duchu, iż będzie mógł za całkiem przyjemną sumkę kupić żonie płaszcz zimowy z futrzanym kołnierzem, wyjawił to, o czym od świąt ćwierkają wszystkie więzienne wróble.

– W czasie świąt trafił do izolatki jakiś potężny wróg państwa niemieckiego – mówił, patrząc na pokryte śniegiem drzewa stojące na brzegu jeziora. – Jest tam trzymany w całkowitej ciemności.

Spojrzał na oddalonego o sto metrów innego wędkarza, który wyciągnął potężną rybę, pewnie karpia.

– Jeśli ten arcywróg jeszcze nie zwariował, to pewnie wkrótce go to spotka – dodał. – A jeśliby chciał pan go stamtąd wyciągnąć, to proponowałbym tu przyjechać z batalionem zaprawionych w boju wojaków. Nasze więzienie jest niezłą twierdzą, a ja nie jestem Efialtesem i nie znam żadnych tajnych ścieżek.

Żychoń jeszcze chwilę pogawędził z nauczycielem, jeszcze przez chwilę go wypytywał o różne szczegóły gmachu więziennego, ale wynik tej rozmowy był dla jego planów zgoła beznadziejny. W drodze powrotnej do Malborka, a następnie Gdańska rozważał nawet militarną możliwość. Zdał sobie nagle sprawę, że pomysł zbrojnego uratowania więźnia jest wyrazem najwyższej, rozpaczliwej niemocy.

– Jednak porwanie Reilego albo jego pomagiera Hoppego już nie jest takie głupie – szepnął do siebie, kiedy wysiadał na gdańskim Dworcu Głównym. – Przecież do podpisania paktu mamy jeszcze kilka dni...

Dwa tygodnie później Żychoń ciepło wspominał podróż ciepłym pociągiem. Aby ogrzać stopy, poszedł na posterunek celny. Tam celnicy zaproponowali mu gorącą kawę. Nie lubił wodnistej niemieckiej lury, wolał „polską" – „odwróconą". Nie odmówił jednak. Z przyjemnością parzył sobie wargi i gardło.

Wdał się z nimi w pogawędkę. I wtedy się dowiedział, że dwadzieścia minut temu granicę przekroczył duży daimler.

– TAK, KILKA LAT TEMU WYMYŚLIŁEM AKCJĘ „ROGACZ" i ten *modus operandi* poznali niektórzy ludzie o zbyt długich językach – powiedział wolno Reile. – I gdzieś to wyszło, i jakoś to doszło do Arendarskiej. To bardzo proste. „Rogaczem" jest starszy, zamożny mężczyzna, przynętą ładna, dużo młodsza od niego kobieta. Ona go uwodzi, owija wokół paluszka i porzuca dla innego mężczyzny, co dotychczasowemu kochankowi wyznaje z całą szczerą bezwzględnością. On szaleje z zazdrości, płacze i cierpi. I wtedy pojawiam się ja. „Mogę panu pomóc zemścić się na tym nicponiu, co uwiódł pańską piękną przyjaciółkę – tak mu mówię. – Mogę go skompromitować, usunąć gdzieś daleko... Ale w zamian będzie pan dla mnie pracował". Tylko tyle i aż tyle, poruczniku.

Popielski przypomniał sobie Pokój Miliarderów w sopockich Delikatesach Mühlinga. We wspomnieniu ujrzał eleganckiego starszego, łysego mężczyznę w świetnie dopasowanym garniturze. Naprzeciwko niego siedziała trzydziestokilkuletnia powabna kobieta podobna do Grety Garbo i lekko ruszając czubkiem pantofla, pytała: „Chce pan, abym została jego kochanką?".

– Ja miałem być tym rogaczem? – Edward roześmiał się gorzko. – Paradne! Bardzo pewna siebie ta pani! Może ja wcale bym nie płakał, nie cierpiał. Może bym po prostu spędził z nią jedną czy dwie upojne noce, a potem powiedział sobie: i tak już mam zysk. A pan by nie zrobił ze mnie żadnego agenta, panie komisarzu. I straciłby pan niemałe fundusze, bo pewnie Arendarska nie za darmo zaproponowała wymierzoną przeciwko mnie akcję „Rogacz". Wdowa potrzebowała pieniędzy i głośnego sukcesu, bo mało kto traktował poważnie kobietę prowadzącą samodzielnie prywatną agencję wywiadowczą.

Reile klasnął w dłonie i spojrzał na ściany pokryte w całości zieloną lamperią, jakby przywoływał je na świadków. Potem pochylił się w stronę przesłuchiwanego i wykrzyknął:

– Otóż to! Jest pan marnym kandydatem na romantycznego kochanka. Pan nie będzie błagał kobiety, żeby do pana wróciła. Pan albo ją weźmie siłą, albo plunie jej pod nogi i odejdzie. Wie pan, skąd się u mnie wzięła tak trafna charakterystyka pańskiej osoby?

– Ukraińscy przyjaciele ze Lwowa? – zapytał Edward.

Reile zamknął powieki i pokiwał głową.

– „Miłośnik uciech cielesnych – cytuję z pamięci ich raport. – Jurny. Bierze po dwie dziewczyny do salonki i jedzie z nimi nocnym do Krakowa". Koniec cytatu. Jest pan rozpustnikiem, poruczniku, a rozpustnicy nie cierpią, nie płaczą. Oni szybko znajdują pociechę w ramionach przypadkowej dziewczyny... No, chyba że pani Arendarska pokazałaby panu nie znane mu miłosne sztuczki. Ale czy mężczyzna, który bierze „po dwie dziewczyny na noc", może być jeszcze czymkolwiek zaskoczony w alkowie? Do takich wniosków doszedłem i odrzuciłem jej propozycję. Przyznaję, że Arendarska jest bardzo trudną przeciwniczką. Gdyby nie informacje o panu od moich lwowskich przyjaciół, dałbym się jej podejść.

Reile zapalił papierosa i wypuścił dym zadartym nosem. Wstał.

– Nadszedł czas, aby wyjawić panu drugi powód, dla którego tak się rozwodziłem nad moją drogą Ireną i jej planami. Powiedziałem o tym wszystkim, wie pan dlaczego? Bo trupowi wszystko można powiedzieć bezkarnie.

Ujął zdjęcie, na którym Edward szedł z Ritą lwowską ulicą. Teraz bruzdy nad kącikami jego ust pogłębiły się, ale nie z powodu uśmiechu, lecz w jakimś ponurym grymasie.

– Pan jest prawie nieboszczykiem, Popielski. – Mówiąc to, machał zdjęciem, jakby się nim wachlował. – Po zawarciu paktu o nieagresji wszyscy w Warszawie o panu zapomną i zmuszą do amnezji nawet Żychonia. Pan przestanie istnieć i tylko pańska kuzynka oraz córeczka postawią panu gdzieś w ogródku kenotaf i zapalą tam świeczkę na pańskie imieniny, bo wy, Polacy, obchodzicie imieniny, nieprawdaż? Ja pana zabiję, Popielski, bo porwałem pana dla zemsty za śmierć mojego przyjaciela. Zduszę pana jak karalucha, wszak „*alle Polacken sind Kakerlaken*", jak mawiał pewien gamoń, którego do zadań specjalnych wynajmował mój drogi Reginald.

Ostry ołówek wraził w fotografię, przebijając na wylot korpus przedstawionego tam Edwarda.

– Teraz zabiłem pana *in effigie** – sapnął. – Ale jutro zabiję pana naprawdę. Własnoręcznie wrzucę pana żywcem do niedalekiego dołu z wapnem... – Usiadł i zaczął cedzić słowa. – Chyba że pan przyjmie moją propozycję i będzie dla mnie pracował. Może pan teraz pomyśleć: „Co za naiwniak ten Reile! Owszem, przyjmę jego propozycję, wrócę do Polski, a potem wyślę mu liścik z jednym tylko słowem: *Adieu*". Ale zapewniam cię, drogi przyjacielu, że nigdy mi nie powiesz *adieu*.

---

* Na wizerunku (łac.).

Przedarł na pół zdjęcie, a linia przedarcia rozcinała figurkę śmiejącej się Rity.

– Jeśli nie będziesz dla mnie pracował, moi lwowscy przyjaciele rozerwą ją koniem na strzępy! – powiedział prawie że ze śmiechem. – A jak wiesz, mają ją cały czas na oku.

Popielskiemu zdawało się teraz, że ściany pomieszczenia zaczynają się do niego zbliżać. Już nie widział Reilego ani Nagla, stracił z oczu karafkę i rozerwane zdjęcie. Widział tylko zielone pęcherzyki – tam gdzie farby położono zbyt dużo, i zacieki, gdzie niedbale pociągnięto pędzlem. Poczuł, jak pory skóry na jego czaszce zaczynają tłoczyć lepki, gęsty pot.

Nie zemdlał tylko dlatego, że Nagel wylał mu na głowę całą karafkę wody. Patrzył przez chwilę na Reilego błędnym wzrokiem przez drgające przezroczyste strużki lejące mu się po oczach. Mrużył powieki, aby wyostrzyć ciemną mgłę, jaką był teraz w jego polu widzenia funkcjonariusz Abwehry. W końcu go dojrzał w całej ostrości.

– Co mam robić? – wydusił z siebie ostatkiem sił.

– Ponoć grywa pan we Lwowie w bridża z profesorem Weiglem. – Reile się uśmiechnął. – A nas bardzo interesują szczepionki, nad którymi on pracuje.

Nagle zgasło światło. Zapaliło się i znów zgasło.

– Pytał pan, po co Arendarskiej *casus belli*, prawda? Może ją pan sam o to zapytać. Jest w pokoju przesłuchań tuż obok, a z nią moje dwie najlepsze współpracowniczki. A Irena wyśpiewuje im wszystko, co tylko wie...

Buty Edwarda zaczęły stukać o posadzkę. Światło znów się zapaliło i zgasło. Chwilowa przerwa w dostawie prądu z więziennego transformatora. Blask i ciemność – w przerywanym cyklu.

W ostatnim mgnieniu jasności Reile ujrzał epileptyka wyginającego się w spazmach pod stołem.

Kiedy Popielskiego wyniesiono na noszach do zwykłej pojedynczej celi, Josef Nagel otworzył kluczem drzwi sąsiadujące z pokojem przesłuchań. Wszedł tam zdecydowanym krokiem i donośnym głosem oznajmił:

– Wasz szef zarządził: na dzisiaj koniec. Ja się zajmę panią!

Pokój był identyczny jak ten, w którym przed chwilą siedział Popielski. Zielone lamperie aż po sufit, brak okna, stół z temperówką przymocowaną do blatu. Jedyną różnicę stanowiła liczba krzeseł – było ich o jedno więcej, bo i osób było więcej. Dwie kobiety przesłuchiwały trzecią. Jedna z przesłuchujących, tęga i w średnim wieku, ubrana była jak urzędniczka – w granatową sukienkę z koronkowym kołnierzykiem. Druga – niewysoka i przysadzista – miała na sobie spódnicę, męską brunatną koszulę i czarny krawat z wpiętym weń okrągłym znaczkiem ze swastyką.

Przesłuchiwana była ładną blondynką o słowiańskiej urodzie.

III

PO ATAKU EPILEPTYCZNYM POPIELSKIEGO OSKAR REILE
wrócił do willi dyrektora Ruhmbergera. Przebrawszy się po
obiedzie, leżał teraz na szezlongu w dużym i wygodnym
pokoju gościnnym na poddaszu. Suty obiad – kotleciki cie-
lęce w sosie chrzanowym i dwa kieliszki czerwonego wina –
spowalniał bieg myśli szefa gdańskiej Abwehry. Paląc papierosa, patrzył na oleodruki wiszące na ścianach, na szare
prążki eleganckiej tapety, na guzy spinające malowniczo
pofałdowany materiał na szezlongu. W myślach dobierał
jakieś frazy i porównania, jakby pisał o tych przedmiotach
wiersz w stylu Vierka – nie dlatego, iżby naszło go jakieś
poetyckie natchnienie. On po prostu nie chciał zasnąć.

Nie mógł sobie teraz pozwolić na sen, musiał kuć żelazo,
póki gorące. Zaraz wstanie, pójdzie znów do pokoju przesłuchań i spojrzy Popielskiemu w oczy. Już nie będzie się
przymilał, teraz będzie groźny i brutalny. Zacznie od szy-
derstwa z mimowolnego oddania moczu podczas napadu
grand mal. Zada dotkliwy cios człowiekowi zawsze czys-
temu i nienagannie ubranemu. Reile uważał, że natrząsa-
nie się z kaleki zawsze działa.

Snucie tych najbliższych planów nie pomogło mu w walce
z sennością. Ostatkiem woli zdusił papierosa w kryształowej
popielniczce, której obręb imitował czerwone mury krzyżackiego – pewnie malborskiego – zamczyska z flankami
i wieżyczkami. Kiedy przymykał oczy, a binokle zsuwały
mu się po gorsie koszuli, usłyszał za drzwiami nieznany
podniesiony głos, strofujący ostro Ruhmbergera:

– Co to ma znaczyć, ja się pytam, dyrektorze! Co to ma znaczyć?

Ktoś zapukał mocno w drzwi pokoju Reilego, a potem, nie czekając na zaproszenie, bezceremonialnie je otworzył. Komisarz usiadł na szezlongu i po omacku poszukał binokli. Na szczęście były one umocowane na łańcuszku do kołnierza bonżurki, nie trwało to zatem zbyt długo. Włożył je na nos i natychmiast się wyostrzył zamazany obraz jakiegoś niskiego, pękatego człowieka, za którym stał dyrektor Ruhmberger i rozpaczliwymi gestami usiłował wyjaśnić leżącemu gościowi, dlaczego ten natręt zburzył jego popołudniowy spokój.

Przybyły mężczyzna stał w progu i podpierał się pod boki. Spoza mięsistej, czerwonej i napuchniętej od złości twarzy białe włosy wystawały w sterczących, jakby wylakierowanych kępkach. Gdyby nie ich niechlujny wygląd, można by przy odrobinie fantazji porównać je do srebrnej aureoli. Reile w swej poetyckiej wyobraźni widziałby w nich raczej sztylety, tym bardziej że senatora Ericha von der Nieeuwego, starego liberała i masona, organicznie wręcz nie znosił.

– Dzień dobry, *Herr Kriminalkomissar*! Cieszę się, że widzę pana w pełnym relaksu, sennym nastroju, i martwię, że zaraz będę go musiał zepsuć!

– Dzień dobry, panie senatorze!

Reile wstał i patrzył z niechęcią, jak przybysz wchodzi do pokoju i zaczyna krążyć w tę i z powrotem, zabawnie przy tym podskakując na krótkich nogach i łopocząc połami niemodnego surduta. W końcu zatrzymał się przed komisarzem i wyciągnął dłoń.

Ale nie po to, aby się przywitać. W krogulczych palcach tkwiła koperta opatrzona pieczęciami Senatu Wolnego Miasta Gdańska.

– To jest wezwanie na jutrzejsze przesłuchanie przed specjalną komisją senacką, której będę przewodniczył ja i która weźmie pana w krzyżowy ogień pytań – krzyknął wysokim, piskliwym głosem. – Przesłuchujący zamieni się w przesłuchiwanego, n'est-ce pas?

– A w jakiejż to sprawie będę przesłuchiwany? – zapytał lekko zaniepokojony Reile.

Von der Nieeuwe cofnął się kilka kroków, założył ręce na pierś i przyglądał się komisarzowi dłuższą chwilę. Jego złość jakby się ulotniła. Twarz stężała w pozornym kamiennym spokoju, głos stał się niższy, powolny i nabrał głębi.

– To wezwanie jest podpisane przez dwie najpotężniejsze osoby w naszym mieście. Radca stanu doktor Ernst Ziehm oraz radca stanu Helmut Froböss. Mówią panu coś te nazwiska?

Mówiły. Dwaj prezydenci. Pierwszy – senatu, drugi – policji.

– Proszę się ze mną nie droczyć – rzucił ostro Reile. – Wciąż nie wiem, o co chodzi. I proszę pohamować swoje oratorskie zapędy. Nie jest pan moim zwierzchnikiem i nie muszę w ogóle z panem rozmawiać! No, pytam! O co chodzi?

Von der Nieeuwe rzucił się w fotel tak energicznie, że sprzęt ten zatrzeszczał niebezpiecznie.

– O wojnę chodzi, człowieku! – powiedział cicho. – Ona może wybuchnąć, jeśli dzisiaj nie zostanie uwolniony i nie wróci ze mną automobilem do Gdańska polski obywatel

Siegfried von Luzerius, który jest bezprawnie przetrzymywany w tutejszym więzieniu. Podobnie jak polska obywatelka Irena Arendarska, która dzieli tu jego los. No, co się pan tak patrzy, Reile? Są jeszcze w prezydium policji prawdziwi gdańscy patrioci, którzy doskonale wiedzą o pańskich kontaktach z tym oto Ruhmbergerem, i nie dali się długo prosić, aby mi o nich powiedzieć.

Nagle zaktywizował się dyrektor, tkwiący dotąd w progu. Wszedł do pokoju, starannie zamknął drzwi i stanął naprzeciw niemile widzianego gościa. Założył ręce na plecy i rzekł drżącym ze złości głosem:

– Przypominam panu, senatorze, że jesteśmy na terenie Rzeszy Niemieckiej, poza jurysdykcją Wolnego Miasta Gdańska. Pan nie ma prawa mi rozkazywać, a tym bardziej żądać, abym zwolnił jakiegokolwiek polskiego więźnia, o ile takowego w ogóle posiadam.

Von der Nieeuwe przeniósł powoli wzrok z szefa gdańskiej Abwehry na szefa sztumskiego więzienia. Wstał i ukłonił mu się z pełną powagą.

– Tak jest – powiedział wojskowym tonem i omal nie strzelił obcasami. – Ma pan rację, drogi dyrektorze. Nie ośmielam się wywierać presji na pana... To zadanie pozostawiam jemu! – Zakrzywionym palcem wskazał na Reilego. – Ja go teraz przekonam, a on, wierzę w to mocno, zaraz porzuci swój upór. Bardzo pana proszę, kochany dyrektorze, niech pan pozostanie z nami, niech pan będzie świadkiem tej przemiany komisarza!

Dłonie zacisnął w pięści, a potem rozprostował palce i chwycił się z obu stron brzucha guzików swego surduta.

– Jesteś idiotą, Reile, skończonym idiotą. – Cedził słowa, kiwając się lekko na swych wysokich obcasach w tył i w przód. – Przejrzałem cię na wylot. Wydaje ci się, że możesz bezkarnie zatłuc tu tego Polaka, bo jutro zostanie podpisany pakt o nieagresji? Pozwól, że krótko ci przedstawię kalendarium najbliższych dyplomatycznych wydarzeń. Owszem, jutro zostanie ogłoszony polsko-niemiecki pakt o nieagresji. W Berlinie za rząd polski podpisze go ambasador Lipski, a za rząd niemiecki minister spraw zagranicznych von Neurath. Dokument ten zostanie przewieziony do Warszawy i tam piętnastego lutego, powtarzam: dopiero piętnastego lutego, zostanie podpisany przez polskiego prezydenta Mościckiego, premiera Jędrzejewicza oraz ministra spraw zagranicznych Becka. Dopiero potem, dwudziestego czwartego lutego, jeśli, podkreślam to ostatnie słówko... A zatem jeśli pakt zostanie ratyfikowany dwudziestego czwartego lutego przez polski parlament, to dopiero wtedy wejdzie w życie.

Podszedł do policjanta, zadarł głowę – sięgał mu do tylko brody – i spojrzał nań ostro od dołu.

– A co zrobi Berlin? Oto jest pytanie. Co zrobi, panie komisarzu, jeśli jutro, czyli w dzień pańskiego przesłuchania przed moją komisją, jutro, prawie miesiąc przed ratyfikacją paktu, zostanie ujawnione *in publico* – a nie będę unikał prasy, zapewniam – iż policja podległa Senatowi Wolnego Miasta Gdańska bezprawnie porywa polskiego obywatela, a niemiecki urzędnik państwowy, którym pan niewątpliwie jest, Ruhmberger – przeniósł wzrok na „świadka przemiany" – uczestniczył w tym procederze? Powiem panu,

Reile, co zrobi Berlin. – Nabrał tchu. – Natychmiast zareaguje. Nie może dopuścić, aby przed ratyfikacją wszystkie polskie gazety pisały o porwaniu szanowanego polskiego policjanta, znanego na cały ich kraj, bo nie ukrywajmy, wszyscy wiemy, kim jest ten von Luzerius i że naprawdę nazywa się Edward Popielski.

Sapnął ostrzegawczo i przestał się kiwać. Jego twarz stała się purpurowa, głos jednak wciąż był spokojny.

– Mogą panowie mi teraz coś zasugerować. Mogą panowie szepnąć: „A może by pan nie ujawniał, senatorze, obrad jutrzejszej komisji? Może by pan przemilczał całą sprawę Popielskiego?". A ja wam powiem: „Nie"! – Teraz podniósł głos i ryknął: – Bo zbyt kocham moje miasto! I nigdy nie dopuszczę, aby zostało zajęte przez polskie wojsko, a właśnie tak Polska może zareagować. Wiesz, co to jest *casus belli*, Reile? Uczyłeś się łaciny, nieuku? – Usiadł. – Czekam teraz na pańską przemianę, kochany komisarzu. – Otarł czoło z potu. – Bo jeśli ona nie nastąpi teraz, to nastąpi jutro, choć może ta jutrzejsza będzie dla pana bardziej przykra. Po obradach komisji zatelefonuje do pana pański szef komandor porucznik Conrad Patzig, mój bliski przyjaciel. I pożegna się pan z Abwehrą. A potem wezwie pana do siebie prezydent policji Helmut Froböss. Da panu dwa dni na to, aby wziął pan na plecy swoje przepiękne meble z gabinetu i poupychał je gdzieś we własnym mieszkaniu. – Klepnął się rękami po udach. – To tyle, moi panowie. – Uśmiechnął się wesoło. – Pana komisarza chyba przekonałem. No to zejdę na dół, zaczerpnę świeżego powietrza i zaczekam, aż on przekona pana dyrektora.

Jemu za nic się nie ośmielę wydawać poleceń na niemieckiej ziemi!

I znów ukłonił się Ruhmbergerowi. Z pełną powagą.

– Proszę o godzinę do namysłu! – usłyszał głos Reilego, gdy wychodził z pokoju.

Kiwnął głową na zgodę.

EDWARD MIAŁ WŁADZĘ NAD SWOJĄ *EPILEPSIA PHOTOSEN-SITIVA** dopóty, dopóki zażywał przeciwdziałające atakom lekarstwa. Brał jedną tabletkę luminalu codziennie rano, a zwiększał dawkę leku, gdy przewidywał oddziaływanie na swój mózg przerywanego światła, na przykład w słoneczny dzień w lesie albo podczas wieczornej miejskiej przechadzki wśród migających neonów.

Gdy go pozbawiono przytomności i porwano w wigilijny wieczór, luminal leżał sobie spokojnie w szafce nocnej. Do więziennej ciemnicy światło nie dochodziło i dopiero dzisiaj pojawił się bodziec uruchamiający atak padaczki. Krótkotrwała i niewielka awaria więziennego transformatora została szybko naprawiona, ale podczas prac miejscowy elektryk musiał kilka razy włączać i wyłączać światło.

To wystarczyło, aby wywołać w mózgu wyładowania, a tym samym pozbawić epileptyka świadomości i zepchnąć go w otchłań osobliwych rojeń. Widział w nich dziwną postać w kapturze i w długiej szacie. Miała ona kobiece rysy, lecz przedramiona wystające z szerokich rękawów szaty były męskie – umięśnione, owłosione i wytatuowane.

---

* Padaczka światłoczuła (łac.).

Ów hermafrodyta kręcił się w tej wizji wokół Edwarda, a nawet tańczył, wysoko unosząc nogi. W pewnym momencie swym mocarnym ramieniem chwycił za kaptur i odrzucił go szybkim ruchem. Z szaty wyłoniła się wielka łysa głowa pokryta czerwonymi plamami. Popielski nie rozpoznał tego człowieka. Nie miał natomiast najmniejszych wątpliwości, że owe czerwone znamiona to odciśnięte ślady szminki, zarys kobiecych ust.

I wtedy się ocknął. Leżał na zimnej posadzce celi i drżał. Jego ciało przenikał dotkliwy chłód. Nie tylko dlatego, że dyrektor Ruhmberger nie rozpieszczał swoich pensjonariuszy nadmiernym, jego zdaniem, ogrzewaniem cel. Zimno biegło od mokrych spodni. To były smutne i upokarzające skutki epilepsji.

Wstał, ściągnął z siebie dolne odzienie i słaby jak dziecko, na czworakach przesuwał swe ciało w stronę pryczy. Marzył tylko o tym, aby wejść pod koc i zasnąć. Odciąć się od przerażających wizji i od ponurej myśli, która nagle mu zaświtała w głowie – że oto dostał się w sieć, z której już nigdy nie wyjdzie. Że oto Rita została namaszczona na dożywotnią zakładniczkę wrogów ojczyzny, a on sam będzie już zawsze musiał dla nich pracować. Zostanie dożywotnim zdrajcą.

Otulając niezdarnie swe nagie, wychłodzone kończyny śmierdzącym kwaskowato kocem, wiedział, że ma tylko dwa wyjścia – wyprowadzić się ze Lwowa w miejsce, gdzie nie sięgają długie ręce Reilego. Albo go zabić.

I jak to często bywało po ataku padaczki, natychmiast zapomniał o tym, co przed sekundą przyszło mu do głowy. Zasnął wyczerpany wypadkami dzisiejszego dnia.

Nie usłyszał zatem, jak leciutko trzaska miażdżone pod nogą pryczy pudełko po zapałkach. Taśma izolacyjna, którą było wcześniej szczelnie zaklejone, teraz tu i ówdzie pękła. Przez powstałe w ten sposób szpary wyszły małe, głodne stworzenia. Poczuły ciepło dalekiego ludzkiego ciała i zaczęły się mozolnie i uparcie wspinać po kiepsko oheblowanych deskach w stronę nieprzebranego źródła krwi – swego jedynego pokarmu.

OPADY ŚNIEGU BYŁY DZISIAJ TAK OBFITE, że właściciel hotelu Zentral Fritz Behrendt nie spodziewał się żadnego gościa. Mimo to trwał na swym posterunku w recepcji i patrzył z nadzieją na obrotowe drzwi wpuszczające przybyszów.

Jego zakład był jednym z sześciu sztumskich hoteli. Ich klientelę stanowili goście zażywający wywczasów w okolicznych lasach i na plażach nad jeziorem. Teraz jednak była zima, lasy uginały się od śniegu, a jezioro skuł gruby lód. Mimo to – jakby wbrew zdrowemu rozsądkowi – dwoje hotelarzy, ów Behrendt oraz pani Dreyer, właścicielka konkurencyjnego przybytku o szumnej nazwie Królewski Dwór, nie zamykali w zimie interesu. Czasami ich wytrwałość się opłacała.

Tak się właśnie stało tego wczesnego popołudnia, kiedy przy recepcji hotelu Zentral pojawił się posłaniec dyrektora więzienia pana Heinricha Ruhmbergera i wynajął dwa pojedyncze numery.

Kilka godzin później pojawili się i sami goście, na których czekały już pokoje. Wyglądali przedziwnie – jakby dopiero co wyszli z któregoś z licznych w tym okresie roku balów karnawałowych.

„Licznych, ale w Gdańsku, nie tutaj, niestety" – tak Behrendt w myślach podsumował swoje skojarzenie.

Wyszedł zza lady, rozłożył ręce w geście powitania i kłaniał się nisko.

Pani była zmęczona, a głębokie cienie pod oczami pana wskazywały, zdaniem Behrendta, że poprzedniego wieczoru jego nieoczekiwany gość wypił niejedną lampkę szampana. To jednak nie wyczerpanie malujące się na ich twarzach było tu osobliwe, lecz brak okryć wierzchnich. Szczupła, zgrabna blondynka miała na sobie tylko elegancką suknię balową z gołymi plecami, natomiast jej towarzysz – ogolony na łyso, dużo od niej starszy wymizerowany pan ze świeżymi zacięciami po brzytwie na brodzie i na głowie – nosił smoking i lakierki. Dyrektor Heinrich Ruhmberger nie uprzedził hotelarza, że jego nowi goście będą wyglądali tak, jakby uciekli z przyjęcia karnawałowego, zostawiwszy tam swe futra.

Zdziwienie i radość właściciela hotelu wzrosły, gdy – nie przerywając sobie zapisywania nazwisk kobiety i jej towarzysza – ujrzał dwóch nowych gości. Starszy z nich, niewysoki i tęgi, z burzą siwych włosów otaczających łysą głowę na skroniach i potylicy, władczym głosem zażądał kolejnych dwóch pokojów – dla siebie i dla swego szofera. Tenże zapytał o najlepsze miejsce do zaparkowania automobilu marki Daimler-Benz, aby był choć trochę chroniony przed zadymką. Były to jedyne słowa, jakie od niego Behrendt usłyszał.

Zameldował ich wszystkich, konstatując z pewnym zdumieniem, że cała czwórka stanowi jedną grupę. Przez chwilę patrzył, jak jego dziwni goście wspinają się po schodach – kobieta i szofer dość żwawo, obaj starsi mężczyźni wolno i z sapaniem godnym parowozów. Na każdego z gości czekało pojedyncze ogrzewane lokum na pierwszym piętrze.

EDWARD POPIELSKI OTWORZYŁ DRZWI i usiadł ciężko na łóżku. Był półżywy ze zmęczenia. Podczas krótkiego snu, pełnego koszmarów, w jaki zapadł po epileptycznym ataku, pokąsały go dotkliwie wszy siedzące w kocu – spadek, jak sądził, po poprzednim lokatorze celi. Po tym kiepskim doświadczeniu został poddany innemu – niewiele lepszemu – zwanemu „zabiegiem higienicznym". Jeden z więźniów, który na wolności był fryzjerem, sparzył mu zarost na głowie i twarzy gorącą wodą i ogolił – szybko, niechlujnie – pozostawiwszy Edwardowi pamiątki w postaci krwawych zacięć.

Szykujący się do wyjścia więzień, gdy w czasie tej toalety stwierdził z całą pewnością, że wszy znalazły swe schronienie również wśród jego włosów na torsie, pod pachami i na podbrzuszu, poprosił golibrodę o pożyczenie brzytwy i ogolił je – powoli i bardzo ostrożnie. Mimo osłabienia zrobił to sam – nie był skłonny komukolwiek pozwolić na manipulowanie brzytwą w okolicach swej męskości. Ponieważ czynił to po raz pierwszy w życiu, a przy tym – wobec braku lustra – prawie na ślepo, to poranił się dotkliwie. Przy drugim goleniu użył dla zatamowania krwi kilku grudek ałunu, toteż wszystkie podrażnione miejsca piekły go teraz żywym ogniem w okolicach intymnych i pod lewą pachą.

Wspominając tę daninę zapłaconą bogini Hygiei, wyciągnął się na hotelowym łóżku. Zaburczało mu w brzuchu.

Tak, był głodny, ale odrzucił zaproszenie na kolację reklamowaną przez hotelarza. Nie miał najmniejszej ochoty konwersować przy jedzeniu. Nie znosił tego. „*Aut edere, aut garrire*, albo jeść, albo gadać" – to było jego motto w sytuacjach kulinarnych. Poza tym nawet gdyby milczeli przy jedzeniu, co było nader prawdopodobne wobec irytacji senatora i zmęczenia Arendarskiej, to i tak Edward nie chciał marnować czasu. Każda godzina snu wzmacniała jego siły.

Bojąc się o nadmierne pogniecenie garderoby, zmusił się do wstania. Zdjął marynarkę i umieścił ją w szafie. Długo przykładał jedną nogawkę spodni do drugiej, aby nie były krzywo powieszone i aby nie porobiły się na nich podwójne kanty. Nie posiadając piżamy, wszedł pod pierzynę w kalesonach i w koszuli. Wodząc wzrokiem po bezdusznym pokoju, usiłował zredukować w swym umyśle liczbę znaków zapytania.

Namnożyły się one szybko, a najważniejsze były trzy. Nie pozwalały skleić żadnego logicznego ciągu, w który usiłował ułożyć opowieści Reilego oraz zdarzenia dzisiejszego dnia.

– Co się takiego wydarzyło, że sam senator von der Nieeuwe zainterweniował i stał się moim wybawcą? – zapytał sam siebie i zaraz sobie odpowiedział, myśląc z rozczuleniem o kuzynce. – Kochana Lodzia! To na pewno ona powiadomiła Żychonia, a kapitan... No cóż. Ma swoje dojścia i kontakty. Ale czyżby miał jakieś argumenty dla tego aroganckiego polityka? Może zadziałał we właściwy sobie sposób i porwał Hoppego? A może sam wpadł na groźbę *casus belli* i postraszył nią senatora?

Von der Nieeuwe nie pomógł mu w wyjaśnieniu tej kwestii. Kiedy Edward w automobilu, którym był wieziony z Ireną do hotelu, podziękował mu za ocalenie, a potem zapytał go wprost, czemu zawdzięcza jego interwencję, senator prawie grubiańsko burknął, że są pewne sprawy, które należy pozostawić bez odpowiedzi.

– Zwłaszcza że mam teraz ważniejsze kwestie na głowie – mruknął niezadowolony. – Z powodu śnieżycy musimy nocować w tej dziurze!

Druga wątpliwość Popielskiego również nie została wyjaśniona, choć tutaj nie spodziewał się utajnienia odpowiedzi. Arendarska zresztą już jej częściowo udzieliła, kiedy strażnik Nagel wszedł do poczekalni, brutalnie jej przerwał i donośnym głosem kazał się wynosić obydwojgu.

– Jestem tu tylko jeden dzień – mówiła, zanim nadszedł cerber. – Przywieziono mnie rano. Nawet nie nocowałam tutaj, lecz w Gdańsku. Zmuszono mnie wczoraj do opuszczenia pewnego przyjęcia...

Tak właśnie odpowiedziała na pytanie Popielskiego o powód, dla którego jest wciąż w sukni wieczorowej, a ta wcale nie jest pognieciona.

Chciał potem zapytać: „Dlaczego tak szybko, w ciągu kilku godzin, wszystko pani powiedziała Reilemu? O swoich akcjach, intrygach. Przecież nikt pani nie zmuszał, nie torturował?". Nie zdążył. Przeszkodził im Nagel, a potem wraz z senatorem jechali już automobilem, gdzie rozmawianie po polsku byłoby afrontem wobec ich wybawcy.

Nurtowała go też trzecia wątpliwość. Reile powiedział w pewnym momencie:

– Arendarska wróciła do Gdańska i postanowiła się zrehabilitować. Natychmiast po jej przyjeździe wpadli na pomysł akcji „Rogacz".

Filologiczny zmysł Popielskiego, w latach gimnazjalnych i studenckich wyostrzony na lekturze trudnych tekstów starożytnych, zaprotestował. Jako dociekliwy czytelnik Platona czy Liwiusza, usiłujący zawsze wyjaśnić wszelkie gramatyczne zagadki i pozorne sprzeczności, nie mógł pojąć, dlaczego Reile najpierw powiedział „wróciła", a potem użył liczby mnogiej „wpadli na pomysł".

Z kim mianowicie Arendarska wpadła na pomysł akcji „Rogacz"? Z Żychoniem? Jeśli tak, to kapitan wiedział o intrydze od dawna, przynajmniej od końca lipca, kiedy to wrócił ze Lwowa! Skąd to przypuszczenie? Otóż zdaniem Reilego tajemniczy „oni" postanowili podjąć akcję „natychmiast po przyjeździe Arendarskiej z Polski do Gdańska". Jeśli Arendarska właśnie w lipcu wróciła nad Motławę, to Żychoń na pomysł „Rogacza" wpadł wraz z nią w tymże miesiącu!

„A jeśli tak, to czemu mi o tym słowem nie wspomniał? Czemu o tym milczał w Warszawie, gdy byliśmy u Furgalskiego, oraz przez trzy miesiące w Gdańsku!?" – myślał Popielski, kręcąc się pod kołdrą i instynktownie czekając na ukłucia insektów.

Ponieważ takowych nie było, zgasił lampkę na nocnym stoliku, przekręcił się na lewy bok i zamknął oczy.

Nagle je otworzył. W pokoju zaległa miękka ciemność. Od pieca buchało przyjemne ciepło. Znienacka zrobiło mu się wręcz gorąco. Dotknął bowiem czyjejś gładkiej skóry, ktoś lekko dmuchnął mu w ucho.

Zerwał się z łóżka i zapalił górne światło.

Irena Arendarska uniosła nieco pierzynę.

– Chodź! – szepnęła. – Gdzie ty mi uciekasz?

Zgasił światło i przyjął zaproszenie. Kiedy wszedł pod pierzynę, natychmiast do niego przywarła całym ciałem – jak dziecko, które się boi. Zachowanie jej było jednak zupełnie nie dziecięce. Westchnęła cicho. Oplotła jego nogę swymi udami, wsunęła mu dłoń pomiędzy guziki koszuli i przesunęła nią po jego gładko ogolonym torsie. A potem znacznie niżej. Zahaczyła o zacięcie brzytwą. Syknął z lekkiego bólu, ale pozwolił jej działać dalej.

– Dziękuję ci – szepnęła. – Gdyby nie ty, nikt by się nie zainteresował moim losem. To dzięki tobie przyjechał tu senator...

Popielski nie czuł nawet śladu podniecenia. To go mocno zaniepokoiło. Owszem, po miesiącu w ciemnicy i po dzisiejszym ataku epilepsji nie mógłby się z wygłodzonego więźnia przeistoczyć w jurnego casanovę, ale żeby tak zupełnie nic? Przy takiej kobiecie? Może sam powinien zacząć działać, licząc, że ta aktywność pobudzi zmysły? Dotknąć kobiecej skóry, rozchylić jej usta...

Przesunął dłonią po gładkim udzie, wślizgnął się pod jej halkę i wędrował dalej w kierunku *antrum amoris**. Jego uśpione męskie siły zaczęły się powoli budzić.

Lecz nagle znów przygasły. Poczuł pod palcami jakąś chropowatość. Jakieś jakby grudki. Irena syknęła lekko.

– Tam zostaw!

---

* Jaskinia miłości (łac.).

W głowie Popielskiego rozdzwonił się alarm. W jednej chwili wyskoczył z łóżka i znów rozświetlił pokój. Nie przejmując się zawrotami głowy, które na chwilę wybiły go z równowagi, szarpnął pierzyną. Irena trzymała ją mocno. Chwycił pościel obiema rękami i zdarł ją z łóżka z taką siłą, że drobna kobieta omal nie wypadła na podłogę.

– Dlaczego to robisz? – krzyknęła i rzuciła się w stronę wezgłowia.

Podciągnęła kolana pod brodę i patrzyła na niego ze złością.

Tymczasem Edward, mrucząc jak zwierzę, ruszył ku niej z wyciągniętymi rękami. Mimo że chciała uciec, zdążył chwycić za śliski materiał halki. Szarpnął. Materiał pękł. Upadł na nią, przygniatając jej kruche ciało całym swym ciężarem. Prawą ręką uczepił się gumki jej majtek ściskającej udo. Podciągnął ją i rozerwał. Rozszerzył jej nogi swym kolanem.

I zobaczył to, co – jak przypuszczał – znajdowało się na górnej partii jej uda. Czerwony mały prostokąt na skórze. Pogryzienia przez wszy. Przez jego mózg przeleciały dwa skojarzenia: „We Lwowie w Pralni była kobieta podszywająca się pod Perlę Milchman" – to stwierdziła policja. „Spod jej peruki wysunął się blond kosmyk" – tak zeznała pani Weiglowa.

– Chciałaś mnie zabić w więzieniu, prawda? – zapytał, widząc jej rozsypane jasne włosy. – Tak jak Adelhardta we Lwowie?

– Adelhardta tak – szepnęła. – Chciałam i zabiłam. Ale ciebie? Po co? Dlaczego miałabym zabijać ciebie? Przestań gadać i chodź do mnie!

Edward wstał. Całkiem go opuściły męskie siły.

Racjonalna część duszy – opisana przez Platona jako woźnica – okiełznała część pożądliwą, przedstawioną jako parskający rumak. Powożący rydwanem ściągnął mocno cugle, a rozszalały koń zarył w miejscu kopytami.

Kobiecie nie podobała się ta przemiana. Spojrzała na niego z rozczarowaniem.

– Podobała mi się twoja brutalność. Taki dobry wstęp... A teraz co?

– A mnie się nie podoba twoja ranka po karmieniu wszy. Te, które dzisiaj weszły pod mój więzienny koc, też napoiłaś krwią? Tak jak w laboratorium Weigla?

IV

IRENA ARENDARSKA SIEDZIAŁA Z KOLANAMI podciągniętymi pod brodę. Drżała, choć po pokoju rozchodziło się ciepło, a ona sama otulona była pierzyną.

Wyglądała bardzo młodo bez śladu pudru i tuszu na twarzy. Uroda, pokreślona starannym makijażem, była zawsze podstawową jej bronią – przynajmniej wobec takich mężczyzn jak Popielski, którego zainteresowanie już na przyjęciu w antykwariacie stało się dla niej oczywiste. Myliłby się jednak ten, kto sądziłby, że pozbawiona swego oręża, zacznie teraz wyglądać bezbronnie i niepewnie. Wręcz przeciwnie – była bardzo pewna siebie. W jej oczach kryła się niebezpieczna mieszanka desperacji i zdecydowania.

Edward siedział na krześle ubrany w swój absurdalny w tych okolicznościach smoking. W ustach miał gorącą saharę. Chociaż papierosy by ją jeszcze bardziej wysuszyły, żałował, że ich nie ma przy sobie.

– Przechodziłem tyfus w okopach wojny, droga panno Milchman – powiedział powoli. – Jestem uodporniony. Pani chyba też, skoro karmiła te stworzenia...

To były pierwsze słowa, jakie wymówił po tym, gdy kilkakrotnie wcześniej pytał ją: „Chciałaś mnie zabić?", i na to pytanie nieodmiennie odpowiadała mu cisza.

– Ja też jestem uodporniona – to były pierwsze jej słowa. Wypowiedziane poważnym, rzeczowym tonem, bez uwodzicielskiej nuty.

– Skąd pani wzięła teraz te wszy zarażone tyfusem? – zapytał.

Nie czekała długo z odpowiedzią.

– Wiem, że stawiam na szali cały mój byt, honor, a nawet życie – rzekła cicho. – Jeśli pan przekaże moją opowieść Żychoniowi, będę zgubiona...

– Żadnych warunków – mruknął. – Żadnych podstępów. Nie negocjuję z ludźmi, którzy przed chwilą chcieli mnie zabić.

– Ja nie pana miałam zabić, lecz Reilego...

Zapadła długa cisza. Popielski czekał cierpliwie.

– Wyrwał mnie pan z łap Reilego – wyrzekła w końcu.

– Senator uratował pana, a mnie niejako przy okazji. Dzięki panu uniknęłam tortur, do których już się paliły te dwie zboczone harpie. Jestem panu winna szczerość.

– Skąd pani miała wszy? – ponowił pytanie.

– Od Bolesława – odpowiedziała. – Bratanka mojego męża.

Popielski przymknął oczy, by ukryć zdumienie. Czyżby gdański donżuan chędożący pannę von der Nieeuwe na jego własnym biurku w kantorze był zainteresowany, tak jak Reile, badaniami profesora Weigla?

„Ile jeszcze osób będzie zamieszanych w tę sprawę? Jak szerokie zatoczy ona kręgi?" – pomyślał, a głośno zapytał:

– A skąd on je miał? Ten Bolesław.

Westchnęła.

– Żadnych podstępów – powtórzyła jego słowa. – Bezwzględna szczerość, jak to mówi Reile. Odpowiadam. W lipcu przywiozłam wszy ze Lwowa, po tym gdy jako panna Milchman wywarłam zemstę na tym bydlęciu... Jedno pudełeczko jechało ze mną pociągiem do Gdańska, karmiłam je własną krwią w przedziale sypialnym. Ta rana, którą pan wyczuł pod palcami, nie chce się zagoić i boli. Mam jakieś uczulenie na jad wszy. Zrobiłam to wtedy dla Bolesława. Prosił mnie o to, bo wiedział, że wyjeżdżam do Polski, aby zniszczyć bydlaka. Prosił mnie o przysługę...

– Bolesław Arendarski ma na panią duży wpływ. A jaka jest jego rola w całej tej sprawie? Po co mu były te wszy?

Westchnęła ciężko.

– Był... Jest mi bardzo bliski. Razem ze mną prowadzi naszą prywatną agencję wywiadowczą. Mieczysław odsuwał go zawsze od bieżących zadań. Nie ufał mu, uważał go za birbanta i kobieciarza. Ta opinia zawsze budziła u Bolka sprzeciw. Kłócił się ze stryjem. Po śmierci mojego męża został moim cichym wspólnikiem.

– No dobrze – mruknął Edward. – Ale wciąż nie wiem, po co były mu te wszy?

– Bolek znał Adelhardta. Zanim mnie ten bydlak zniewolił, powiedział Bolkowi po pijanemu, że wybiera się do Lwowa. A potem napadł mój dom i porwał męża. Minęło kilka strasznych dni, kiedy leżałam w tej wielkiej willi w Sopotach chora z melancholii i nienawiści do Adelhardta. Bolek nie odwiedzał mnie wtedy, pewnie nocował u jednej ze swoich nimf. Gdy w końcu przyszedł i zobaczył, jak jestem sponiewierana, wpadł w straszną furię. Wspólnie postanowiliśmy ukarać Adelhardta. Nasze rozumowanie było proste. Zabić go we Lwowie, tam, dokąd jechał. A potem ukarać, to znaczy zabić, jego zleceniodawcę, Reilego. Ani Bolesław, ani ja nie mieliśmy najmniejszych wątpliwości, kto stał za Adelhardtem.

Musiał ją najść silny ból głowy, bo przyłożyła do skroni smukłe palce i zaczęła ją masować.

– Lwów to Weigl, a Weigl to wszy i tyfus – powiedziała w końcu. – Bolek wystarał się dla mnie o fałszywe dokumenty niejakiej Perli Milchman. Poprosił mnie, abym ukradła w laboratorium jedno z pudełeczek z wszami. Powiedział mi tak: zabijesz bydlaka wszami, a potem zabijemy jego zleceniodawcę Reilego. Te wszy, które wiozłam ze Lwowa, miały być na Reilego. Bolek sprawdził, że ani jeden, ani drugi nigdy nie chorowali na tyfus. No i stało się, co się stało. Zrealizowałam mój plan. Bydlę zdechło, a wszy trafiły do Gdańska. Co pan chce więcej wiedzieć? Już późno, a jestem bardzo zmęczona. Musimy wstać nad ranem, jak zarządził senator. Boli mnie głowa.

Popielski przetarł palcami oczy. Chyba miał odpowiedź na pytanie, do kogo odnosiła się liczba mnoga: „wpadli na pomysł akcji »Rogacz«”. Bynajmniej nie do Żychonia.

– Razem z Bolesławem wymyśliła pani intrygę, by mnie uwieść i dać na tacy Reilemu jak zazdrosnego Pajaca ze słynnej włoskiej opery? – upewniał się.

– Tak – odparła. – Potrzebowałam pieniędzy. Willa w Sopotach kosztuje. No to postanowiłam pana wykorzystać w słusznej sprawie, zwłaszcza że jako mężczyzna nie był mi pan niemiły. Bolek by mi wybaczył, tak jak ja wybaczam jemu chwilowe febliki. Jesteśmy nowocześni. Poza tym byłam pewna, że przez akcję „Rogacz” nie uczynię żadnej szkody Rzeczypospolitej. Przecież wiedziałam, kim pan jest. Współpracując z Reilem, zostałby pan podwójnym agentem. Działałby pan na naszą korzyść. Żychoń o tym planie wprawdzie nie wiedział nic, ale na pewno by go za- akceptował. A ja przy okazji dużo bym zarobiła i utarła nosa Reilemu, który wydawałby na mnie ciężkie berlińskie pieniądze.

– Rozumiem wszystko oprócz jednego – rzekł Popiel- ski. – To czemu w końcu bratanek pani męża nie wypuścił na Reilego tych wszy?

Arendarska drgnęła.

– Te wykradzione przeze mnie wszy przebywały w la- boratorium jakiegoś profesora w Królewcu, zaufanego przyjaciela Bolka. Tam były karmione i tam się rozmna- żały. Czekaliśmy z Bolkiem na właściwy moment. I on nad- szedł, wczorajsze przyjęcie w magistracie. Zabrałam na nie ze sobą pudełeczko z tymi zarażonymi wszami. Miał tam być także Reile i moim zadaniem było podrzucenie mu do płaszcza całego roju. To był według Bolka najlepszy plan. Tymczasem Reilego nie było na przyjęciu, za to pojawili się jego pretorianie, którzy mnie wyprowadzili stamtąd do automobilu, przeszukali, odebrali wszy i przywieźli tutaj. A Reile włożył pudełko z owadami pod pana pryczę albo sam, albo zlecił to temu troglodycie strażnikowi.

Poruszyła się gwałtownie i pierzyna się zsunęła, odsła- niając ramiączka halki. I wtedy w głowie Popielskiego po- jawiła się asocjacja: halka – wieczorowa suknia. A potem znów rozjarzyły się błyskawice – znaki zapytania. Dlaczego jej suknia jest czysta i nie pognieciona?

„Bo nie była zbyt długo w więzieniu, zaledwie pół dnia – odpowiedział sobie w myślach. – Była przesłuchiwana, nie torturowana. Nie puściła, jak twierdzi, pary z ust..."

I wtedy pojawił się kolejny znak zapytania. Jeśli słowa nie rzekła „zboczonym harpiom", to skąd Reile wiedział o jej akcji *casus belli*, którą – jak przed chwilą rzekła – opracowała była wspólnie z bratankiem męża? Skąd Reile znał tak szczegółowo intrygę „Rogacz", w której on, Popielski, miał odegrać niepoślednią rolę? Odpowiedź nasuwała się sama: Reile wiedział to wszystko od tego, kto te działania planował. A jeśli nie była to Arendarska – w co wierzył Edward – to mógł to być tylko „gdański Apollo".

Poczuł olśnienie pewności. Wstał i oparł dłonie o małe biurko.

– No to ja pani powiem, dlaczego jego pretorianie na wczorajszym przyjęciu panią przeszukali. Bo wiedzieli, że ma pani przy sobie wszy. A skąd? Powiedział im o tym Bolesław Arendarski. Dlaczego „piękny Bolek" wcześniej nie zabił Reilego albo nie podsunął pani jakiegoś planu zabicia go? Bo był jego agentem. Ale po kolei. Reile chciał mnie zmusić, abym zbierał dla niego informacje o lwowskim laboratorium profesora Weigla. Bardzo się tematem interesował. Niemców intryguje zapewne broń biologiczna, a na ten temat Weigl miałby dużo do powiedzenia. Dlaczego Bolek, jak go pani nazywa, pomógł jej w przeprowadzeniu zamachu na Adelhardta? Dlaczego wystarał się o fałszywą tożsamość Perli Milchman? Bo chciał, aby pani ze Lwowa przywiozła Weiglowe wszy. A te stworzenia wcale nie miały być zemstą na Reilego, one miały być dla niego prezentem. Reile z pewnością wykarmione przez panią wszy już dawno przekazał uczonym niemieckim. Wspomniała pani coś o profesorze biologii z Królewca?

Irena patrzyła na niego wielkimi ze zdumienia oczami. Jej pięści się zacisnęły, policzki i nos zadrżały w nagłym skurczu. Po kilku sekundach jej mięśnie się rozluźniły, a twarz zastygła w kamienną maskę.

– Oczywiście! – szepnęła bez najmniejszego drżenia głosu. – Zabicie Adelhardta wszami to był pomysł Bolka, i to właśnie Bolek stwierdził, że Adelhardt nigdy nie chorował na tyfus. Wyjazd do Lwowa to był pomysł Bolka! A ja myślałam, że ta cała niebezpieczna historia z wszami to wyłącznie moja zemsta! Byłam marionetką w jego ręku!

Wstała gwałtownie i wyskoczyła z łóżka, nie zważając, że rozerwana halka całkiem odsłania jej ciało.

– Bolek jest hazardzistą! – krzyknęła. – Nałogowym hazardzistą. Od czasu lwowskiej akcji zaczął nagle wygrywać. Twierdzi, że to ja przynoszę mu szczęście...

– A owe wygrane – przerwał jej Popielski – komisarz Oskar Reile księgował jako koszt swych wywiadowczych działań, po czym bilans trafiał przed oblicze szefa Abwehry Conrada Patziga.

W jej oczach zalśniły kolejne łzy. Aby odwrócić od nich uwagę Edwarda, odgarnęła włosy z czoła.

– Późno już – szepnęła. – Chodźmy w końcu spać. Śpij tutaj. Nie chcę być sama.

Weszli pod pierzynę. Kiedy ją objął, jej drobnym ciałem wstrząsały krótkie drgawki. Płacz oszukanej kobiety. Pierwszy Arendarski zdradzał ją w ramionach prostytutek i fordanserek, drugi – młodszy – z płochą boginią Fortuną w sopockim kasynie.

Zasypiając, zrozumiał, że to Reile chciał go dzisiaj zabić. Tylko on i jakiś profesor mieli dostęp do zarażonych wszy. Ale dlaczego?

„Mniejsza o to" – pomyślał i przytulił się mocniej do Ireny.

Po raz pierwszy w swym życiu Popielski spędził przy boku powabnej niewiasty, przebywając z nią w jednym łóżku, całkiem bezerotyczną noc.

I nigdy tego nie żałował.

NASTĘPNEGO DNIA W POŁUDNIE OSKAR REILE stał na sopockim molo i patrzył na strzępy podartego przez siebie dokumentu, które osiadały na falach Bałtyku – wyjątkowo dzisiaj spokojnych jak na zimową porę.

Wezwanie przed senacką komisję okazało się blefem Ericha von der Nieeuwego. Reile i jego dwie współpracowniczki, nazwane przez Irenę „harpiami", przez całą noc jechali do Gdańska automobilem nieżyjącego Vierka. Cudem udało się pokonać tę trasę bez większych kłopotów – nie licząc wyciągania końmi z zaspy z samego rana.

Kiedy komisarz pojawił się w gmachu senatu, wszyscy pracujący tam ludzie indagowani przez niego – od portiera po zaufanego sekretarza prezydenta Ziehma – robili wielkie oczy, słysząc o jakiejś nadzwyczajnej komisji.

Rozwścieczony Reile, prawie tratując na swej drodze wystraszonego pierwszego sekretarza senatu, wpadł do gabinetu najważniejszego w Gdańsku człowieka, przerwał mu rozmowę z Berlinem i podsunął pod oczy dokument z jego sfałszowanym, jak sądził, podpisem. Ziehm długo przyglądał się kartce papieru, a potem zapytał wolno:

– Czy ma pan świadków, że senator von der Nieeuwe wręczył panu wczoraj to fałszywe wezwanie?

Komisarz pomyślał o jedynym świadku – śmiertelnie wystraszonym dyrektorze Ruhmbergerze. Pokręcił przecząco głową. Przeprosił pokornie prezydenta, a ten przebaczył mu zuchwałe wtargnięcie z właściwą sobie wyrozumiałością.

Kiedy Reile wychodził, na ustach Ziehma błąkał się wieloznaczny uśmieszek.

Szef Abwehry musiał teraz ratować Bolesława Arendarskiego, swojego – jak go nazywał – „najzaufańszego eksperta do spraw polskich". Wpadł jak bomba do prezydium policji i kazał się wieźć do Sopotów policyjną furgonetką – jedną z pierwszych, jakie niedawno znalazły się w inwentarzu sprzętów ruchomych gdańskich stróżów prawa.

O godzinie dziesiątej rano poszukiwania Arendarskiego skazane byłyby na przegraną. Komisarz o tej porze nie dałby rady ustalić, u której ze swoich licznych kochanek „piękny Boleslaus" właśnie otworzył oczy. Miał natomiast pewność, że o drugiej po południu – a właśnie tę porę wybijały teraz gdańskie zegary – siedzi on od przynajmniej dwóch godzin w sopockiej jaskini hazardu.

Reile rzeczywiście go tam zastał, w Wielkiej Sali Ruletkowej – rozognionego i szczęśliwego z powodu chwilowego sukcesu. Oto Arendarski wymyślił nowy system – jeden z wielu, które tu już wcześniej wypróbowywał. Ale ten właśnie dziś zadziałał.

Zadowolony z siebie gracz nie dał się przekonać do natychmiastowego opuszczenia hazardowego stolika. Wściekły komisarz szepnął mu do ucha, że czeka na niego tylko przez kwadrans na molo, a potem go porzuca na pastwę Żychonia.

Dwadzieścia minut później Reile ujrzał z daleka postawną sylwetkę Arendarskiego. Groźba chyba zadziałała, bo gdyby nie ona, to triumfujący przy ruletce hazardzista dodałby do żądanego kwadransa jeszcze jeden, teraz zaś wyznaczony czas przekroczył jedynie o pięć minut.

Podszedł do natrętnego gościa pełen werwy, krokiem sprężystym – jak u byłego wojskowego, którym był w istocie. Niezbyt silny tego dnia nadmorski wiatr lekko muskał fałdy jego rozpiętego płaszcza oraz pieścił gęstą fryzurę, w której tu i ówdzie migały siwe pasma włosów. Bolesław był gładko ogolony i z daleka pachniał wytworną korzenną wodą kolońską. Promienny uśmiech białych równych zębów zwiastował, że mimo wszystko nie przejął się zbytnio niebezpieczeństwem „porzucenia go na pastwę Żychonia".

Reile spojrzał na kilku spacerowiczów, którzy kręcili się niebezpiecznie blisko, i dał swemu agentowi znak, by podszedł do barierki. Po chwili obaj się o nią opierali. Jeden patrzył na falujące morze, drugi zezował niecierpliwie w stronę kasyna.

– Możliwe, że zacznie się panu grunt palić pod nogami – powiedział Reile. – Popielski spędził noc z pańską wspólniczką i kochanką w pewnym hotelu w Sztumie. A to świadczy o ich wielkiej zażyłości. Ludzie będący blisko siebie dużo rozmawiają, tym bardziej że obydwoje wykonują zawód, którego istotą jest skłanianie rozmówcy do zwierzeń. Być może Popielski zwierzy się pani Arendarskiej, że pogryzły go wszy w więzieniu w Sztumie, być może ona przypomni sobie, że karmiła wszy, które rzekomo miały mnie zabić. Zastanowią się wspólnie, dlaczego jeszcze żyję. W tych rozmowach pojawią się liczne znaki zapytania. Aż w końcu pan stanie się bohaterem ich łóżkowych konwersacji. I to właśnie pan wypełni niewiadomą w ich równaniach.

Milczeli przez chwilę. Nagle Reile odwrócił się do swojego rozmówcy. Spojrzał mu w oczy, przytrzymując melonik, bo wiatr od morza nagle się wzmógł.

– Z bólem muszę zawiesić naszą współpracę, Arendarski – rzekł twardo. – Ostrzegam pana! Czas się przygotować na atak. Wymyślić fałszywe wyjaśnienia spraw lwowskich, akcji gdańskich. Ale tak z ręką na sercu, to raczej polecałbym panu ucieczkę, ukrycie się w mysiej dziurze, bo inaczej znajdzie się pan w ukochanym toruńskim więzieniu Żychonia. W okrąglaku, jak je nazywacie. Ten zły człowiek przetrzymywał kilku moich najlepszych ludzi i wiem, do czego jest zdolny. Jeśli z nich wiele wyciągnął, to i z pana wyciągnie. A mnie jest to bardzo, ale to bardzo nie na rękę, aby pan tam opowiadał o Lwowie, o wszach i o Weiglu. Dlatego pomogę panu. Proponuję kryjówkę, taką właśnie przyjemną mysią dziurę, spokojną wioskę w Turyngii, gdzie jest pełno młodych, rumianych i niezbyt cnotliwych wieśniaczek.

Arendarski roześmiał się wesoło.

– Wątpię, panie komisarzu, czy są tam kasyna i tak piękne kobiety jak gdańszczanki. Co bym tam robił? Z czego żył?

A zresztą... – Wskazał dłonią na trzech ludzi idącym w ich kierunku szybkim krokiem i z rękami w kieszeniach. – Już jest chyba za późno.

Reile obejrzał się. Jedyną drogą ucieczki był skok w zimne morze.

Lecz Reile nie umiał pływać.

* * *

POPIELSKI I DWAJ JEGO KASZUBI STANĘLI przed Reilem i jego agentem. Wszyscy trzej mieli dłonie wepchnięte głęboko w kieszenie płaszczy. Zbyt duże jak na rozmiar pięści wypukłości w materiale ich wierzchnich okryć świadczyły o tym, iż dłonie były na czymś zaciśnięte – najpewniej na kolbach pistoletów lub na rękojeściach noży. Popielski szybko wyjaśnił tę wątpliwość.

– Browning M1910, kaliber dziewięć – powiedział. – Robi bolesne dziury. Zostają po nich krwawe rany, dużo większe niż po ukąszeniach twoich wszy, Reile. A takie dziurkacze moi ludzie i ja właśnie trzymamy w kieszeniach...

Stali nieporuszeni.

– Ręce na barierki! – krzyknął Edward. – Ale już! Obaj!

Zrobili, co im nakazano. Arendarski parsknął śmiechem. Za tą dziwną reakcją poszły następne. „Gdański Apollo" ryknął śmiechem. Zgiął się wpół i dłonie oparł na kolanach.

– Zabijesz, pobijesz, a może aresztujesz swojego wybawcę, co, Popielski? – Arendarski krztusił się ze śmiechu. Mówił po polsku, szeroko otworzywszy usta, a pomiędzy jego równymi zębami rozrywały się nitki śliny. – Byłbyśże aż takim niewdzięcznikiem? A ty, Janku, i ty, Florianie, pociągniecie za spust, by zabić swojego pracodawcę?

Zapadła cisza. Uścisk dłoni obu Kaszubów na kolbach ich pistoletów stał się słabszy. Popielski zrozumiał, że zrobił błąd. Grzenc i Szultka to – owszem – ludzie do wynajęcia, ale przecież nie musieli być pozbawieni poczucia lojalności. On sam jeszcze mocniej zacisnął pięść na rękojeści browninga.

– Jesteś moim wybawcą? – zapytał również po polsku i rzucił ostro. – Jaśniej proszę!

Reile nic nie rozumiał, ale wyczuł wahanie w zdecydowanych dotąd ruchach Kaszubów. Rozejrzał się wokół – szybko i ukradkowo. Jednak nie dość prędko i nie dość dyskretnie. Jego ruchy zostały przez nich dostrzeżone. Szultka zaszedł go z jednej strony, Grzenc z drugiej.

Piątka mężczyzn wzbudzała zainteresowanie spacerowiczów – głównie staruszków oraz kobiet z dziećmi. Patrzyli z zaciekawieniem na dwóch z nich jakby osaczonych przez trzech innych. Najwyraźniej przywódcą tych ostatnich był wysoki mężczyzna o twarzy z zacięciami po brzytwie. Mówił coś podniesionym głosem i zaciskał pięści w kieszeniach, jakby miał zamiar zaraz coś stamtąd wydobyć.

Było jasne, że ich rozmowa nie jest lekką towarzyską pogawędką. Wyglądali na kłócących się szulerów, zwłaszcza że widoczne w rozpięciach płaszczy smokingi łysego oraz innego z panów – przystojnego bruneta – świadczyły, iż ich właściciele przed chwilką opuścili kasyno. Spacerowicze omijali ich zatem szerokim łukiem. Ale nie wszyscy. Młoda dama pchająca przed sobą wózek z dzieckiem spojrzała zalotnie na pięknego, nieco szpakowatego mężczyznę koło czterdziestki, niedbale opartego o barierkę mola.

– No cóż... – właśnie to on się teraz odezwał, odprowadziwszy ją wzrokiem. – Naprawdę jestem twoim wybawcą, Popielski. Kilka tygodni temu, tuż po świętach, zatelefonowałem do pięknej i fascynującej panny, z którą dokazywałem na twoim biurku. Spotkałem się z nią kilkakrotnie w hotelu, przypomniałem jej o naszych harcach... Przyjemnie było, czasami towarzyszyła nam jej przyjaciółka. Polubiliśmy się z córeczką senatora i pewnego dnia poprosiłem ją o przysługę. Ona zgodziła się bez większych ceregieli i umówiła mnie ze swoim tatusiem. A ten jest wielkim gdańskim patriotą i nie chce, aby do miasta weszły polskie wojska...

Reile stracił panowanie nad sobą.

– Ty idioto! Przestań sobie gawędzić po polsku z tym łysolem! – wrzasnął i wymierzył palec w Popielskiego.

Popielski nigdy nie miał kompleksów na punkcie swego owłosienia na głowie. Była ona kształtna i podobała się kobietom, które chętnie ją głaskały. Odrobinę odstające uszy upodabniały go – jak się wyraziła jedna z lwowskich heter – do „łagodnego demona". Teraz, gdy komisarz określił go mianem „łysola", poczuł się jednak dotknięty.

Przeszywało go przenikliwe zimno. Był niewyspany, potargany przez epilepsję i nieludzko wręcz zmęczony. Głowa pulsowała mu tępym bólem wywołanym przez nadmiar faktów i związków przyczynowych. Tak było zawsze, gdy ścigał się z czasem. Przebudzenie nad ranem, szaleńcza jazda do Gdańska w śnieżycy, z rozdrażnionym jak szerszeń senatorem, użeranie się z niemieckimi celnikami, którzy żądali paszportów od niego i Ireny, nie zważając początkowo na pogróżki i pokrzykiwania pana von der Nieeuwego, potem szukanie Kaszubów we Wrzeszczu – na szczęście krótkie i zakończone sukcesem – następnie kupienie w aptece luminalu i przekazanie przez Ajzenfisza wiadomości dla Żychonia, który nadzwyczaj zaniepokojony czekał na nich na granicy i najwidoczniej przeoczył daimlera senatora – to wszystko było ponad siły tego czterdziestoośmioletniego mężczyzny przetrzymywanego przez miesiąc w straszliwych warunkach więziennej ciemnicy. Stany przemęczenia były u niego często impulsem do zachowań gwałtownych. Stawał się wtedy nieprzewidywalny.

Podszedł do Reilego i wymierzył mu siarczysty policzek. Komisarz cofnął się, oparł o barierkę i spojrzał z nienawiścią na napastnika.

– Grzeczniej proszę! – mruknął ostrzegawczo Edward.

Pewien starszy pan, widząc to zajście, przyśpieszył kroku. Zdawało mu się, że przed samym molem jest posterunek policji, gdzie zaraz zgłosi bulwersującą go bijatykę – jakieś łotrowskie porachunki w miejscu publicznym, w środku wspaniałego kurortu!

– A cóż to pana do tego skłoniło? – ciągnął Popielski w ojczystym języku, patrząc na Arendarskiego. – Dlaczego w ogóle zwrócił się pan o pomoc do tej rozpustnej panny?

Bolesław położył sobie dłoń na piersi z lewej strony, gdzie wedle powszechnych wyobrażeń bije ludzkie serce.

– Nie cóż, ale któż! Kto mnie skłonił, że stałem się twoim wybawcą? No przecież Leosia! Ty nic nie wiesz?

Popielskiemu zakręciło się w głowie.

– Kto?! – krzyknął.

Arendarski z miną zblazowanego amanta wyjął papierosa i zapalił go złotą benzynową zapalniczką.

– Leosia – powtórzył. – Wolę to zdrobnienia niż pospolite „Lodzia" albo nadęte „Leokadia". To pewna piękna pięćdziesięciolatka o ciele trzydziestolatki! Wiesz co? Jeszcze nigdy nie miałem kobiety w jej wieku, a ja bardzo lubię nowości... Lubię zdobywać pozornie niezdobyte twierdze...
– Spojrzał na Edwarda z udawaną smutną miną. –Była w rozpaczy, widziała, jak cię porywali. Poprosiła mnie, abym ci pomógł. W zamian obiecała ofiarować mi siebie. Zgodziłem się, ale długo trwałem w bezczynności. Jestem bardzo zgodny, gdy prosi mnie interesująca i dystyngowana dama, ale też trochę leniwy. Owszem, wykorzystałem moją znajomość z ekscentryczną i trochę zboczoną panną. Jej tatuś, stary mason i liberał, zgodził się mnie przyjąć, ale jakoś wciąż się wahałem, aby przyjść do niego ze swą prośbą. Dopiero kiedy ten drań – pogroził palcem nic nie rozumiejącemu i zdezorientowanemu Reilemu – porwał wczoraj moją piękną stryjenkę, przybiegłem do starego tej nocy i wytłumaczyłem, jakie niebezpieczeństwo dla całego miasta tkwi w działaniach Reilego.

Na jego twarzy pojawił się grymas, który Popielski wziął za przekonanie o własnej przebiegłości. Dalsza wypowiedź Arendarskiego potwierdziła to przeczucie.

– Stary ze swoimi poglądami politycznym jest już trochę *passée* wśród tych wszystkich hitlerowców. Dzięki moim wiadomościom postanowił zaistnieć znowu w gdańskiej polityce! Zdradził mi, że zyska bardzo w oczach prezydenta

senatu, jeśli zapobiegnie katastrofie! No i pewnie zyskał...
A mnie kapnęło parę guldenów. – Zaciągnął się i wypuścił
dym, natychmiast rozwiany przez wiatr. – I co teraz, Popielski? – zapytał. – Wydasz Żychoniowi twojego zbawiciela?
Człowieka, który uratował ci życie, bez którego pływałbyś
teraz w wapnie? To byłoby nie *fair*, nie sądzisz? A poza tym,
jeśli trafię do okrąglaka w Toruniu, twoja kuzynka utonie
we łzach! Takiś ty dla niej nieczuły?

Dwóch policjantów zbliżało się do nich szybkim krokiem. Spod daszków czapek typu kepi błyskały surowe
spojrzenia, szable brzęczały im przy pasach.

Oskar Reile ciężko sapnął. Zauważył, jak Kaszubi zacis-
nęli w kieszeniach palce na kolbach pistoletów. Byli gotowi
na wszystko, podobnie jak Popielski – wściekły po tygodniach udręczeń. Reile nie mógł ryzykować tu strzelaniny.
Wyjął swoją odznakę gdańskiej policji kryminalnej. Długo
ją oglądali.

– Rozmowa służbowa! – powiedział, gdy skończyli. – Od-
maszerować!

– Tak jest, *Herr Kriminalkommissar*!

Zasalutowali i odeszli, oglądając się jednakowoż kilkakrotnie za siebie.

V

PAN EUSTACHY KOŁODZIEJCZYK, PORTIER nowoczesnej gdyńskiej kamienicy przy skwerze Kościuszki, nie był bynajmniej zdziwiony, że oto pojawił się nowy lokator mieszkania pod numerem 9. Doskonale wiedział, że kamienicznik pan Zygmunt Peszkowski ma na wynajem tego lokalu stałą umowę z tajemniczymi panami, którzy kilkakrotnie i wyraźnie dali do zrozumienia portierowi, aby się zbytnio nie interesował często zmieniającymi się najemcami tego mieszkania.

Kołodziejczyk obojętnie zatem przywitał łysego postawnego pana z krwawymi zacięciami na głowie, brodzie i policzkach, który nie wyglądał zbyt sympatycznie. Pierwsze wrażenie portiera nie zostało zniwelowane ani uprzejmym pozdrowieniem, ani krzywym uśmiechem, ani widokiem jego eleganckiego stroju, który świadczył, iż noszący go człowiek należy do najlepszego towarzystwa.

Przybysz, nie przedstawiwszy się, oznajmił krótko, że będzie „przez jakiś czas mieszkał z żoną i córką w wiadomym mieszkaniu", i udał się tam, ciężko i z wyraźnym znużeniem wspinając się po pięknych schodach ze szlachetnego drewna.

– On chyba wczorajszy – mruknął do siebie pan Eustachy. – Zbyt dużo wypił soku z ziemniaków, taki owaki!

Nie był zachwycony. Pijak, choćby z najwyższych sfer, zawsze stanowił kłopot w domu wielorodzinnym. Zrobiło mu się słabo na myśl o przyszłych skargach innych lokatorów na głośne kłótnie, dzikie tańce i inne alkoholowe ekscesy. Już kilka razy wprowadzali się tutaj tacy burzyciele porządku, którzy lekceważyli interwencje portiera opryskliwym słowem, a wezwanych przez niego policjantów szybko jakoś przekonywali, by ci zajęli się innymi, ważniejszymi sprawami.

Popielski, nieświadom obaw pana Kołodziejczyka, stanął przed drzwiami z numerem 9 i nacisnął dzwonek. Natychmiast drzwi się otwarły i stanęła w nich służąca, pani Anna Retzlaff.

Edwarda ogarnęła tak wielka radość, że znalazł się wśród swych najbliższych, że potężną kobietę porwał w ramiona, a nawet nieco uniósł w swym niedźwiedzim uścisku.

Gdzieś w głębi przedpokoju rozległ się okrzyk radości. Leokadia stała w swojej szarej eleganckiej podomce, spiętej dzisiaj pod szyją wielokolorową szklaną broszą autorstwa słynnego René Lalique'a, przedstawiającą dużą ważkę. Popielski wcześniej nie lubił tego stroju. Teraz uznał go za najpiękniejsze odzienie, w którym jego kuzynka wygląda zachwycająco.

Po chwili czuł w swych ramionach jej szczupłe ciało, a na policzkach i szyi – jej łzy radości. Jak przystało jednak na dystyngowaną damę, nie wydała teraz z siebie żadnego dźwięku. Ta bezgłośna euforia była potwierdzeniem jej eleganckiego umiarkowania.

– Dziękuję ci, kochana Lodziu – powiedział, oderwawszy się od niej. – To dzięki tobie wydostałem się z kazamatów... Zaraz ci wszystko opowiem. Gdzie Rita?

– Na ślizgawce – odparła Leokadia. – Po opieką dwóch rosłych marynarzy nic jej nie grozi. Chodź, pokażę ci mieszkanie.

Zdjął płaszcz i melonik, po czym udał się za kuzynką na zwiedzanie dużego, jasnego i bardzo nowoczesnego mieszkania. Machinalnie kiwał głową, okazując swą aprobatę i dla zachwytów Lodzi nad prostotą, elegancją i funkcjonalnością sprzętów, i dla kolejnych propozycji służącej Hani, że „zaraz herbatki i knedli przyniesie ze śliwkami z kompotu, bo z obiadu nic już nie zostało, taki apetyt ma panienka".

Ta krótka przechadzka zmęczyła go w końcu. Usiadł ciężko na fotelu w salonie i zapatrzył się przez wysokie balkonowe okno w białą śnieżną dal. Wciąż w głowie huczały mu słowa Lodzi, że Rita jest pod opieką dwóch rosłych marynarzy. Nie podobało mu się to towarzystwo. Jego córka była dorastającą panienką i młodzi mężczyźni, kipiący wręcz siłami witalnymi, nie byli dla niej odpowiednimi kompanami. Oczywiście nawet w najgorszym scenariuszu wydarzeń nie zakładał, że któryś z nich będzie próbował uwodzić dziewczynkę, wiedział jednak, że bez wątpienia postawni młodzieńcy rozbudzą w tym dziecku zainteresowanie niewłaściwe dla jej wieku.

– Dlaczego jesteś taki markotny, Edwardzie? – zapytała Leokadia, gdy Hania postawiła przed nim talerzyk z knedlami, błyszczącymi od smakowitego tłuszczyku.

Nie wiedział, jak to ująć w słowa. Popatrywał bezradnie na kubistyczny morski pejzaż na ścianie, na szklany stolik, na tę całą otaczającą go nowoczesność, jakby tam szukał podpowiedzi.

– Uratowałaś mnie. Dziękuję! – powtórzył bez sensu, żeby tylko coś powiedzieć.

– Nic nie rzekłeś w odpowiedzi na moje pytanie! – Leokadia nie ustępowała. – Źle się czujesz? Nie tknąłeś knedli... Może się położysz?

Westchnął ciężko. Nie mógł dłużej unikać tego tematu. On stał mu jak ość w gardle. Postanowił ją wyciągnąć, zanim się zadławi.

– Przyszłaś mi na ratunek – szepnął. – Współczuję ci kosztów, które musiałaś zapłacić...

Kuzynka roześmiała się nieco zbyt głośno.

– O jakich kosztach ty mówisz?

Popielski potarł dłonią o podbródek i syknął, natrafiwszy na zacięcie. Brakowało mu słów.

– Chodzi mi o to – wydusił z siebie – że... za to, że Bolesław Arendarski poszedł do senatora... a ten wyciągnął mnie z więzienia w Sztumie... Za to musiałaś....

Leokadia wstała powoli z fotela. Była bardzo spokojna.

– „Musiałaś mu się oddać", tak? To właśnie chciałeś powiedzieć?

Edward spuścił głowę. Czuł pustkę i zniechęcenie. Chciał powiedzieć: „Po co w ogóle poruszałem ten temat, po co?". Wiedział jednak, że to wywołałoby u niej kpiny na temat użalającej się nad sobą Hadrianowej duszyczki.

– Tak – odchylił się na oparcie fotela. – Właśnie to chciałem powiedzieć.

Leokadia sięgnęła po papierosa. Odsunęła się, kiedy wstał ciężko i wyciągnął rękę po zapalniczkę. Jego dłoń natrafiła na pustkę. Kuzynka była szybsza. Pstryknęła, dotknęła płomieniem tytoniu i zaciągnęła się głęboko.

– A jakie koszta ty ponosisz, kiedy bierzesz do salonki do Krakowa te swoje wywłoki, te wszystkie podmiejskie

piękności? Co masz w zamian za pieniądze, które im pła-
cisz? Co masz oprócz euforii?

– Nudę – odparł szczerze i nagle przyszły mu do głowy
brakujące słowa. – Wszechogarniające znudzenie, które mi
potem okazują. Kiedy już wracamy do Lwowa, one siedzą,
wpatrują się w okno i ziewają. Czasami widzą niezręczność
sytuacji, widzą, że się męczę w tym nudnym milczeniu. Pró-
bują mi wtedy coś opowiadać. O swoim życiu, o rodzinie.
O jakichś swoich konfliktach, na przykład relacjonują mi
kłótnię z wredną sąsiadką we wspólnej kuchni. To dla nich
ważne, wiem... Może nawet okazują mi w ten sposób sympatię, zaufanie? Nie panuję jednak nad nudą, choć staram się
jej nie okazywać. Słucham, patrzę w okno, ziewam. Nuda...
Tak, to mój koszt.

Leokadia była zdumiona jego szczerością. Jeszcze nigdy
się nie przyznał do swych salonkowych ekscesów, o których na cały Lwów trąbili ludzie „życzliwi". Patrzyła na
niego długo, nie przerywając palenia.

– Tak, Edwardzie, to rzeczywiście rozpaczliwe, rozdzie-
rające serce koszta – odezwała się w końcu. – Ale ja ci ich
nie współczuję, bo nie musisz ich ponosić. Nikt ci nie
każe z tymi dzierlatkami siedzieć ani rozmawiać. Okaż
swą hojność i wynajmij im na powrót wagon drugiej klasy!
Doprawdy, bardzo jesteś biedny. Taki zmęczony, smutny sa-
tyr słuchający głupiutkiego szczebiotania. Byłoby to nawet
poetyckie, gdyby nie było tak żałosne!

Poczuł, że ość tkwiąca mu w gardle zaczyna go dławić.
Kuzynka złapała go jednak na żenujących skargach i teraz
dworowała z nędznej duszyczki pogrążonej w wielkim żalu
nad sobą.

– Mam do ciebie prośbę – warknęła. – Nie współczuj mi niczego, bo niczego nie zrobiłam pod przymusem!

Siedział w skamieniałym milczeniu. Tkwił w kleszczach – z całą siłą, z całym świętym oburzeniem chciał z jednej strony rzucać gromy na Leokadię za rozpustę, której się oddawała z Arendarskim, lecz z drugiej – gdyby nie te cielesne uciechy, gryzłby teraz ziemię.

– Nie współczuję ci dlatego, że taką, a nie inną daninę musiałaś zapłacić. – Wstał gwałtownie. – Jeśli to ci przyniosło... przyniosło... – przełknął gorzką ślinę – radość i rozkosz. Jeśli radość ci przyniosło... Ale tego ci współczuję, że akurat z nim, z tym gogusiem, z tym... – Coraz mocniej się zapalał. – Z tym adoratorem damskiej bielizny, wycierającym kurze po alkowach. Co to kilka razy w roku posypuje głowę popiołem i jak inni przy konfesjonale, tak on wysiaduje w dermatologicznych poczekalniach...

– Tak, sprawiło mi to rozkosz! – krzyknęła kuzynka i podeszła do niego, drżąc z wściekłości. – A poza tym milcz, jeśli nie znasz wagi słów! Jakiego ty słowa używasz? Danina, danina...

Przedrzeźniała go, wciąż w górnych rejestrach głośności. Ktoś u dołu zaczął stukać w sufit.

– Znaj wagę słów! – Leokadia nie ściszyła głosu ani o ton. – Danina to coś mniej wartościowego, czym się płaci za coś bardziej wartościowego! Jak chłopi pańszczyzną płacili za to, by przeżyć! Taką niby sobie przypisujesz wartość w porównaniu ze mną?! Że jesteś dla mnie bardziej wartościowy niż ja sama i moje życie? – Usiadła i zgasiła papierosa w popielniczce. – Zapewniam cię, Edwardzie, ono jest wartościowe – powiedziała cicho. – I mogę je wieść tak, jak chcę. Nawet z daleka od ciebie.

Podeszła do drzwi prowadzących z salonu do przedpokoju. Nagle się odwróciła.

– Ach, jeszcze jedno. Bolesław zaczął mnie adorować krótko po tym nieszczęsnym przyjęciu z okazji otwarcia antykwariatu. Szybko wyczułam, że jestem dla niego egzotyczną zabawką, bo nigdy nie miał kobiety w moim wieku. Nawet mi się to podobało. Zawsze miałam słabość do uroczych łobuzów. Trzymałam go na dystans i doskonale widziałam, jak się w nim żądza rozpala. Nie ukrywał tego, błagał mnie o chwilę upojenia, roił sobie... Wprost mi mówił, że chciałby mnie nagą otulać futrem. Bawiło mnie to i wiedziałam, że się zgodzę. I zdecydowałam się na to, umówiliśmy się u niego w domu po kolacji wigilijnej. Może ja chciałam, aby taki łotr i donżuan dał mi poczucie, że żyję własnym życiem, nie tylko twoim i twojej córki? Może chciałam, by mi był egzystencjalną przyprawą? Ale wtedy ty zostałeś porwany. I zamieniłam się w lwicę. Poszłam do niego, a on szalał z żądzy. Wyobraź sobie, że można mnie pożądać! I wtedy mu powiedziałam: niech pan uratuje Edwarda poprzez swoją znajomość z córką senatora. Jeśli Edward znajdzie się na wolności, przyjdę do pana naga pod futrem. I on to zrobił, a córka senatora wymogła na ojcu, by ten nikomu o całej sprawie słowa nie pisnął. Bolesław dotrzymał słowa. Dotrzymałam i ja. Wczoraj do niego poszłam. I nie żałuję tego.

Edward uśmiechnął się złośliwie.

– Jeśli takim był dla ciebie nic niewartym pyłkiem, to nie będziesz chyba przeciwna, kiedy ja ten pyłek zetrę... – powiedział.

Ani drgnęła.

– „Zemsta jest przyznaniem się do cierpienia" – zacytowała słowa Seneki. – Czyżbyś teraz pokazał, jak bardzo jesteś biedny i cierpiący?

Trafiła w sedno. Mógł teraz albo na długo zamrozić wzajemne stosunki, albo się pojednać. Wybrał to drugie. Pojednanie jest postępem w życiu, zamrożenie – żałosnym regresem.

Rozłożył ręce i podszedł do niej. Pozwoliła mu się objąć, ale wciąż była spięta.

– Obiecaj mi – szepnęła. – Że nic złego mu nie zrobisz.

– Obiecuję ci, że mu włos z głowy nie spadnie – szepnął. – W końcu mnie uratował od śmierci.

Ta obietnica podziałała na nią jak balsam. Poczuł, że z jej mięśni znika napięcie. Już odprężona, objęła go mocno. I nagle zdał sobie sprawę, że musi o Arendarskim powiedzieć Żychoniowi, a nie mógł przewidzieć, jak w tej sytuacji postąpi kapitan – „odwróci" Bolka, czyli zrobi z niego podwójnego agenta, czy też zacznie go maglować w toruńskim okrąglaku?

Nie wiedział, że „gdański Apollo" decydował właśnie o swojej przyszłości. Stał w kuchni sopockiej okazałej willi przy Rickertstrasse*. U jego stóp pełzała we krwi Irena Arendarska.

---

* Obecnie ul. Obrońców Westerplatte.

– Mnie się nie zdradza, ty kurwo! – krzyknął i pochylił się nad nią. – Mnie się nie traktuje jak zużytej serwety. Teraz to już cię nikt nie zechce!

Do jej policzka przyłożył ostrze brzytwy.

Chwilę później wykręcił numer prezydium policji. Przedstawił się i poprosił o połączenie z komisarzem Reilem.

– Z tą mysią dziurą w Turyngii to poważna propozycja, panie komisarzu?

EPILOG

RECEPCJONISTA Z HOTELU GEORGE EDMUND POMYKAŁO sięgnął po słuchawkę telefonu i wykręcił numer komisarza Edwarda Popielskiego. Słuchał długo sygnału i wodził dokoła niepewnym wzrokiem. Omiótł nim siedzącego tuż przed recepcją gościa z trzeciego piętra pana Izydora Sigmana, który z sykiem bólu przykładał kompres z lodu do zaczerwienionego i siniejącego już na krawędziach podbródka. Patrzył też na podwójne piękne i lekko skręcone u szczytu schody prowadzące z góry do westybulu. To stamtąd kwadrans wcześniej zbiegł w podskokach zakrwawiony potężny mężczyzna w smokingu, powalił na ziemię jakiegoś angielskiego dżentelmena tanecznym krokiem wychodzącego z sali balowej oraz mocno poturbował boya.

Sygnał wolny. Nikt nie odbiera. Pomykało odłożył słuchawkę. Ręce mu drżały.

– Wacek! – krzyknął na boya, który przybiegł z kuchni z nowym wiaderkiem lodu. – Stań no teraz przed wejściem i nikogo nie wpuszczaj do środka! Mów, że awaria kanalizacji i zapach nie ten tego! Chyba że pogotowie albo sam pan Borowski przyjedzie!

Portier wykonywał w ten sposób polecenie wspomnianego przed sekundą właściciela hotelu, który przebudzony straszliwą wieścią, już pędził automobilem do miasta ze swej willi w podlwowskich Brzuchowicach.

Pomykało bał się rozmowy ze swoim pryncypałem. Nie dopełnił formalności, czyli nie wylegitymował czterdziestoletniego na oko wysokiego bruneta o urodzie amanta filmowego, który wraz z pewną damą przyszedł po południu w odwiedziny do pana Leopolda Kucharskiego z Delatyna, wynajmującego apartament na trzecim piętrze. Krótko po przyjściu swych gości pan Kucharski zszedł na dół i oznajmił Pomykale, że na chwilę wychodzi, aby kupić dla nich kwiaty i bombonierę.

Było pewne, że już nie wróci. Portier znał dobrze takich jak on figurantów. Zatrudniali ich często kochankowie z wyższych sfer, którzy w takim pierwszorzędnym hotelu nie mogli przecież wynająć sobie pokoju na godziny, a przepisy bardzo dbały o moralność i nie pozwalały na moszczenie sobie miłosnego gniazdka pozamałżeńskim parom.

Pozostawienie natomiast w numerze osób nie zameldowanych w hotelu było wbrew przepisom i recepcjonista, słysząc o kwiatach i bombonierce, przez chwilę się wahał, czy nie zaoponować. Moneta dwuzłotowa wypłacona przez figuranta przyjemnie zabrzęczała na ladzie i szybko stłumiła pracownicze wyrzuty sumienia.

A zatem Kucharski rzeczywiście zniknął na zawsze, a jego goście zostali sami w apartamencie i mogli cudzołożyć do woli.

I tak mijały kwadranse, a uwagę Pomykały zajęły inne pilne sprawy, jakich nie brakowało w czasie Targów Wschodnich, podczas których do „Żorża" zjeżdżał się tak zwany cały świat – pełen dzikich pretensji i osobliwych potrzeb. Zewsząd wołano o szampana do numeru, o lód, wódkę i kawior, a nawet o wodę miętową dla ukochanego pudla.

Czujność portiera obudziła tuż po zapadnięciu zmroku wizyta dobrze mu znanego komisarza Wilhelma Zaremby z Komendy Wojewódzkiej Policji Państwowej. Ten oznajmił mu nie znoszącym sprzeciwu głosem, iż ma mieć na oku parę, która przybyła do numeru pana Kucharskiego. W razie gdyby coś wzbudziło podejrzenia Pomykały, ma on natychmiast zatelefonować pod taki a taki numer – do samego komisarza Popielskiego, który jest nader zainteresowany całą tą sytuacją, z daleka pachnącą nierządem.

– Gdyby pan komisarz nie odpowiadał, masz pan dzwonić do mnie, zrozumiano? – mruknął wtedy Zaremba, wypisując inny numer na hotelowym firmowym papierze.

Recepcjonista rzeczywiście – zgodnie z domysłami Sigmana – pobierał w komendzie policji przy Łąckiego całkiem spory comiesięczny dodatek do swej hotelowej pensji. Zameldował zatem posłusznie, że na pewno uczyni to, czego się od niego żąda, i wrócił do swoich spraw.

W najgorszych przewidywaniach nie sądził jednak, że znanemu z brutalności i gwałtownych reakcji Łyssemu będzie musiał zameldować to, co zobaczył, kiedy już ów amant uciekł z hotelu, omal nie rozwalając w drobny pył obrotowych szklanych drzwi. Że będzie musiał opisać widok, jaki stanął mu przed oczami, gdy wjechał windą na trzecie piętro: leżącego na progu nieprzytomnego pana Sigmana i tę dystyngowaną kobietę z twarzą w kałuży krwi. Kiedy wyjął z jej torebki legitymację Sekcji Bridżowej

Klubu Towarzyskiego Rady Grodzkiej i ujrzał jej nazwisko, zrobiło mu się słabo. Znał je i wiedział, jakie są rodzinne koligacje tej niewiasty.

Pomykało bardziej od swego szefa pana Borowskiego bał się jednej tylko osoby. Tej, przed którą drżał i którą na swój sposób szanował cały podziemny Lwów. A Pomykało był w tym podziemiu dość dobrze zadomowiony.

Drżącymi rękami sięgnął znów po słuchawkę i poprosił o połączenie z numerem 31-46. Serce mu zabiło gwałtownie, gdy patrzył, jak dwaj pielęgniarze wynoszą przykryte prześcieradłem nosze. Leżała na nich ta elegancka i dystyngowana dama, której szczupła, zgrabna sylwetka, tajemniczy uśmiech Giocondy oraz dyskretna woń perfum obudziły w nim były wcześniej wszeteczne ciągoty, mimo iż rozkwit młodych lat niewieścich ta dama miała już dawno poza sobą.

„Martwa i zimna" – pomyślał wtedy ze zgrozą.

Po raz drugi słuchając tego samego sygnału linii nie zajętej, starał się opanować tętnienie krwi w skroniach. Przez przeszklone drzwi restauracji widział stoliki, przy których biesiadowali goście, oraz ostrołukowe sklepienia ozdobione meandrami. Jego wzrok przesuwał się powoli po tych greckich ornamentach – liczenie zakrętów linii miało go uspokoić.

Po drugiej stronie w końcu podniesiono słuchawkę. Rozległ się w niej spokojny baryton:

– Popielski.

– Tu nocny portier Pomykało Edmund. Z „Żorża" – powiedział to sprawnie, ale nagle zaczął się jąkać. – Pani...

pa-ani, co to przy... przybyła z panem... Takim przystojnym jak aktor panem... Ta pani... co to miałem ją mieć... na o-oku... Znaczy się...

– Co z nią!? – zahuczał zniecierpliwiony baryton. – Mów!

– Chyba nie żyje. – To poszło mu bardzo sprawnie, zwłaszcza że w ostatniej chwili zdecydował się na owo „chyba".

– Została pobita przez tego przystojnego pana. Zabrało ją pogotowie. Do kostnicy Wincentego à Paulo.

Popielski rzucił słuchawkę na widełki.

LWÓW, ŚRODA 12 WRZEŚNIA 1934 ROKU.

KWADRANS NA PIERWSZĄ W NOCY

GDY TELEFON Z „ŻORŻA" ZADZWONIŁ PO RAZ PIERWSZY, Edward z trudem wstał z łóżka. Czuł się źle. Był rozpalony, a węzły chłonne przesuwające mu się pod szczęką miały wielkość guzików od policyjnego munduru. Bolały go też plecy i podbrzusze. A to wszystko zaczęło się po dwóch tygodniach od momentu, gdy koleżanka Rity przyniosła do ich domu małego kotka, który w czasie zabawy pacnął Popielskiego łapką w skroń i zostawił tam jątrzące się, a później zastrupiałe zadrapanie. Potem zaczęły się w tym miejscu rozwijać różne zmiany skórne, do tego doszła gorączka. Zaniepokojony tymi objawami Edward porozmawiał z doktorem Iwanem Pidhirnym. Nie mógł uwierzyć, gdy medyk tę dolegliwość zdiagnozował jako chorobę kociego pazura.

Trapiony gorączką, nie zdążył za pierwszym razem odebrać telefonu. Usiadł na krześle koło aparatu i czekał.

Wkrótce rozległ się kolejny brzęczący dźwięk. Chory podniósł słuchawkę i usłyszał coś, co do końca życia wryło mu się w pamięć; co wyrwany z najgłębszego snu potrafił – słowo w słowo – powtórzyć.

Trzasnął słuchawką. Stał przez chwilę przy stoliku telefonicznym w przedpokoju. Cisza byłaby całkowita, gdyby nie odległe pochrapywanie służącej Hanny, której kamiennego snu w służbówce nic nie mogło zburzyć, oraz tykanie dużego zegara dochodzące przez oszklone drzwi salonu.

Nagle stracił równowagę i opadł na czworaki, boleśnie uderzając kolanami o podłogę. A potem runął twarzą w parkiet. Po minucie – z ogromnym wysiłkiem woli – znalazł się znów w poprzedniej pozycji. Zaczął się poruszać. Sunął w stronę łazienki jak ranne zwierzę. Broczył łzami, lecz nie łkał i nie szlochał. Żaden dodatkowy dźwięk nie zburzył zatem ciszy tej nocnej pory.

Bonżurka zsunęła mu się z ramion. Na parkiecie pozostawiał za sobą niewielkie słone krople. W myślach budował zdania pieśni błagalnej – hymnu na cześć bogini Epilepsji. W cudacznej mieszaninie polskich, greckich i łacińskich słów, które zalewały teraz jego umysł czarnymi kaskadami, zaklinał ją, by nadeszła i odebrała mu świadomość. By swym nieuniknionym atakiem wyrwała go z chaosu świata, który w swej zbrodniczej przypadkowości był jak kapryśny i nieprzewidywalny tyran. Jak Kaligula, Kommodus i Heliogabal razem wzięci.

Lecz bogini na razie nie słuchała jego wezwań i zaklęć. Musiał ją przywołać w sposób sztuczny, ale niezawodny. Wiedział, jak to zrobić. Na szczęście nie zażył dodatkowej wieczornej dawki luminalu. Wystarczy zatem długi atak przerywanego światła, porażenie nim oczu, a straci świadomość i odejdzie na chwilę z tego miasta śmierci.

Zerwał z siebie koszulę i spodnie, nie dbając o trzask rozrywanego materiału. Wsparł swe silne przedramiona o krawędź wanny i podniósł się. Stał w ciemności w samych kalesonach, a jego twarz znajdowała się na wysokości lustra, w którym zawsze rano – gdy kładł się spać – spoglądał we własne zmęczone, przekrwione oczy.

Zapalił nad nim światło i zaraz zgasił. Zapalił i zgasił. W elektrycznym rozbłysku widział przez sekundę swoje ciemne oczodoły, czerwone oczy i mokre ślady łez. Zaraz usłyszy świst epileptycznego wiatru, zaraz jego mózg zadrży w elektrycznych wyładowaniach, a on sam ucieknie w świat majaków z tego padołu cierpienia. Epilepsja była dla niego jak wódka i morfina dla innych.

Zapalał i gasił. Zapalał i gasił.

Zadziałało. Prąd szarpnął jego głową. Zdołał zedrzeć z siebie kalesony i runął do wanny.

Bogini Epilepsja zabrała go z miasta śmierci, nie uwolniła jednak od cierpienia. W jego padaczkowej wizji pojawiła się wściekła jak Furia Leokadia, która machała rękami i wyrzucała potoki niezrozumiałych słów swymi krwawymi, bezzębnymi usty.

KILKA GODZIN PÓŹNIEJ EDWARDA OBUDZIŁY kojące strumyki ciepłej wody lejące mu się po ciele. Wróciwszy do rzeczywistości, najpierw usłyszał za drzwiami lament służącej Hanny. A zaraz potem ujrzał szczerą, szeroką twarz

Wilhelma Zaremby ozdobioną siwiejącymi wąsikami. Jego przyjaciel siedział na brzegu wanny. Kamizelka opinała mu się na sporym brzuchu, gdy kierował strumień wody w upatrzone miejsca. Rękawy koszuli miał podwinięte, kołnierzyk rozpięty, a krawat rozchełstany, co było zrozumiałe wobec pary wypełniającej pomieszczenie.

– No, wreszcie żeś się obudził, byku krasy! – krzyknął Zaremba i już chciał się uśmiechnąć, ale wesołość zastygła mu nagle na wargach. – Jest w śpiączce. Leży u szarytek. Tamtejszy lekarz doktor Berest powiedział, że to kwestia godzin...

– Aż się obudzi? – wydukał Edward z nagłą nadzieją.

– Nie, aż umrze...

Popielski po tych słowach poczuł się tak, jakby nagle swymi żelaznymi kleszczami ścisnął mu głowę potworny i złośliwy kac. Przełykał szybko ślinę.

Zaremba zakręcił wodę i potężnym kułakiem ocierał oczy z napływających łez. Poznał był kuzynkę swego przyjaciela z ławy szkolnej prawie czterdzieści lat wcześniej, gdy po raz pierwszy pojawił się w stanisławowskim domu państwa Tchórznickich, wujostwa Edzia, gdzie ten mieszkał przez osiem lat swej gimnazjalnej edukacji. W czasie lat szkolnych Lodzia była częstym obiektem westchnień Wilhelma, a nawet jego niespokojnych snów. Nigdy nikomu się nie zwierzył ze swych sztubackich miłosnych ciągot, ale i tak wiedzieli o nich wszyscy.

– A ten skurwysyn?! Wilek! Co z nim?

Zapytany otarł oczy. Pojawił się w nich zły blask, pod podkręconymi wąsikami błysnęły małe, ostre zęby.

– Niejaki Izydor Sigman, targowicz spod Częstochowy, zidentyfikował go – mówił szybko przyjaciel, widząc, że wraz z każdym jego słowem na poszarzałą twarz epileptyka wracają lekkie kolory. – Spotkał go był wcześniej na lotnisku w Skniłowie. Ściśle mówiąc, dzień wcześniej. O tej samej mniej więcej porze przyleciały do Lwowa dwa samoloty. Jeden z Warszawy, drugi z Bukaresztu. Wszyscy pasażerowie jednego i drugiego stali w kolejce po bagaż i do celnika. Ów Sigman przyleciał z Warszawy, a morderca – z Rumunii. Rzekomy Rumun był pierwszy w kolejce, a Sigman stał za nim i słyszał całą rozmowę. Celnik zapytał tego Rumuna po francusku o cel przybycia do Lwowa. Wymienił przy tym jego nazwisko. To było tak: „Czemuż to zawdzięczamy pańską wizytę, panie Paulescu, Romanescu czy inny Deską-po-kutasku?".

Edward nie zareagował, słysząc to zabawne przekręcenie, choć zwykle śmieszyły go dowcipy językowe w wykonaniu przyjaciela.

– Tamten czystą polszczyzną powiedział, że na targi – ciągnął Wilhelm. – To było wszystko. Niby nic ciekawego, ale ten Sigman zdziwił się, że Rumun odpowiada biegle po polsku, bez śladu akcentu, i że nie zna francuskiego. A jak wiadomo, każdy z nich od pacholęcia mówi jak paryżanin. To zdziwienie sprawiło, że gość z Częstochowy przyjrzał się dokładnie pseudo-Rumunowi.

Zaremba przerwał, by zaczerpnąć tchu.

– Mów dalej! Mów!

Edward zerwał się z wanny, rozbryzgując wokół wodę. Spodnie przyjaciela, który uskoczył nie w porę, stały się mokre. Podając Popielskiemu ręcznik i szlafrok, wyjął z kieszeni notatnik, oparł się o drzwi i kontynuował.

– Po jedenastej wieczór u „Żorża" pan Sigman usłyszał hałasy za ścianą. Poszedł do tego pokoju, skąd dobiegał hałas, by zwrócić uwagę sąsiadom. Wyskoczył jakiś drań w smokingu i zakrwawionej koszuli. – Spojrzał do notatek. – I znokautował go. Cios podbródkowy. Zanim Sigman stracił przytomność, rozpoznał napastnika właśnie jako tego rzekomego Rumuna z lotniska. Łotr uciekł z hotelu i tyle go widzieli. Sigman powiedział o wszystkim recepcjoniście, kiedy Pomykało – bo tak się ten recepcjonista nazywa – ocucił go i odkrył... No wiesz, co odkrył... Tam, na trzecim piętrze...

– Ciało Leokadii – rzekł Popielski głucho.

– Przyjechało pogotowie z lekarzem i zabrali Lodzię do szarytek na Teatyńską. – Wilhelm wstał i otworzył drzwi na oścież, wypuszczając parę z pomieszczenia. – Lekarz powiedział, że ona do kostnicy. A ja, zawiadomiony przez portiera, w te pędy do „Żorża"! I takem się dowiedział o wszystkim. Dzwonię z hotelu na lotnisko, a tam mi mówią: tak, rzeczywiście, dzisiaj przyleciało z Bukaresztu kilkunastu Rumunów i kilku Polaków. Pytam: który z nich mówił po polsku, a nie chciał po francusku? Celnik nie był pewien, ale wymienił trzy nazwiska. Kazałem mu je wolno sylabizować i powtarzałem osłupiałemu Sigmanowi. I ten je rozpoznał. Gheorghe Radeanu! Tak się nazywa ten skurwysyn! Nazwisko oczywiście fałszywe. Sprawdziliśmy na lotnisku. Z historii podróży zapisanej pieczątkami w paszporcie wynikało, że wyleciał z Berlina, przez Wiedeń do Bukaresztu. To być może jakiś szpieg...

Popielski zlustrował dokładnie wannę, szukając zanie-czyszczeń po wydzielinach, jakie często się pojawiały, gdy targał nim epileptyczny atak. Nie był to jednak główny po-wód jego pozornego braku zainteresowania dalszą rela-cją Zaremby. Chciał opóźnić złe wieści, które za chwilę do niego dotrą: nie złapaliśmy go! uciekł nam! Tego się spo-dziewał. Oderwał wzrok od powierzchni wanny i spojrzał na swego kolegę z ławy gimnazjalnej.

– Mamy go, Edziu! – krzyknął Wilhelm. – Mamy! Ra-deanu podał na lotnisku adres hotelu, w którym miał się zatrzymać. To Grand! Pojechałem tam z naszym Kacnel-sonem i ze Stefkiem Cyganem. Zrobiliśmy, co trzeba! Za łeb go!

– Gdzie on teraz? – szepnął Popielski.

– Jak to gdzie? – zdumiał się Zaremba. – W Pralni! Sam leży w zamkniętej piwnicy!

– W jakim stanie? Będzie żyć?

– Żyje, ale chyba już niedługo będzie dychał. – Szorst-kie wąsiki przyjaciela najeżyły się. – On mówił, że ciebie zna. A nawet bredził, że uratował ci życie. No to co? Chyba wkrótce odwiedzisz w Pralni swego znajomego. Prawda, drogi Edwardzie?

Zabrzmiało to uroczyście. Forma „Edwardzie" była rzadko używana przez przyjaciela. On lubił zdrobnienia „Edek" lub „Edzio", których z kolei Leokadia nie znosiła. Dystyngowana dama zwracała się do niego zawsze imie-niem w pełnym brzmieniu. Zawsze w wołaczu.

I właśnie teraz w słowach Zaremby Popielski usłyszał głos Leokadii.

Zalała go gorąca fala. Oparł brodę o kant umywalki i patrzył w jej odpływ. Dziura wsysająca strumień wody nagle się rozszerzyła. Stała się czarnym kołem, które w oczach Popielskiego rozrastało się szybko, zasłaniając całkiem białą porcelanę.

Wilhelm, widząc, że przyjaciel mdleje, porwał go za kołnierz szlafroka, wyciągnął z obudowy uchwyt prysznica i nie zważając na nic, lał mu zimną wodę na łysy łeb, chlapiąc się przy tym sam niemiłosiernie.

Edward spojrzał na niego przez zimne strugi, zamrugał oczami i odkaszlnął, bryzgając wodą zmieszaną ze śliną.

– Wiem, kto to. Obiecałem Leokadii, że go nigdy nawet nie tknę! Obiecałem!

LWÓW, WTOREK 18 WRZEŚNIA 1934 ROKU. POŁUDNIE

PRZEZ SZEŚĆ KOLEJNYCH DNI noga komisarza Popielskiego nie postała w gmachu komendy przy Łąckiego. Jego zwierzchnik podinspektor Marian Zubik sześć razy zaciskał w gniewie zęby, gdy późnym popołudniem – a więc wtedy gdy niezbyt przez niego lubiany podwładny zaczynał pracę – gabinet tegoż wciąż świecił pustkami. Tłumił jednak w sobie złe emocje. Mimo wszystko rozumiał doskonale, że dobrze zorganizowany świat Edwarda, którego fundamentem było harmonijne życie rodzinne, obraca się w ruinę wraz z agonią panny Leokadii. Sam Zubik szanował, a nawet na swój sposób lubił tę damę – choć krępowały go niekiedy jej drgnięcia powiek i warg, którymi to gestami mimowolnie komentowała nieokrzesane maniery podinspektora – chłopskiego syna i byłego feldfebla c.k. armii. Współczuł zatem Popielskiemu i jego nieobecność w pracy kwitował – odpędziwszy nerwy – obojętnym wzruszeniem ramion. Wiedział, że komisarz dzień i noc czuwa przy swej pogrążonej w śpiączce kuzynce i nie ma teraz głowy do aktualnych spraw, które – nawiasem mówiąc – nie były zbyt palące.

Przypuszczenie Zubika co do miejsca pobytu Popielskiego było jednak prawdziwe tylko w dużej mierze, lecz nie w zupełności. Edward, owszem, siedział najczęściej przy łóżku Leokadii i szeptał jej do ucha historie z ich wspólnych lat stanisławowskich, przypominał jej rodzinne wycieczki na plażę nad Bystrzycę Nadwórniańską oraz niedzielną kawę i szarlotkę w kawiarni Edison.

Owe opowieści, które zdaniem ordynatora Szpitala Świętego Wincentego à Paulo doktora Józefa Beresta mogły pomóc pannie Tchórznickiej w powrocie do przytomności, snuł jednak tylko popołudniami i wieczorami, wtedy to bowiem zachodził do szpitala. Wcześniej bywał zupełnie gdzie indziej.

Właśnie w to inne miejsce szedł teraz, w samo południe, dzierżąc pod pachą kartonową paczkę, z której dochodził intensywny zapach bigosu. Przeszedł przez Ogród Jezuicki i ulicą Brajerowską, zarośniętą młodymi drzewkami o rzadkim jeszcze listowiu, dotarł do przystanku tramwajowego przy ruchliwej ulicy Gródeckiej. Tam wsiadł w tramwaj linii 5 i pojechał na rogatkę Żółkiewską, skąd już były tylko dwa kroki do pralni pana Lifschütza.

Poprzez starą bramę w chwiejącym się, zardzewiałym parkanie wszedł na podwórko i udał się do zakładu. Wkroczył tam i pozdrowił praczki wieszające na poprzeczkach garnitury i spodnie. Jego wzrok spoczął nieco dłużej na roznegliżowanych prasowaczkach, które popuszczały i podciągały zwisające z sufitu łańcuchy z koszulami i bielizną. Układały następnie materiał na prasowalnicach i przyciskały go mocno żelazkami. Wśród pary kołysały się lekko ich piersi, których widok zawsze na chwilę zatrzymywał Popielskiego – o czym niewiasty doskonale wiedziały.

Brzęcząc dzwonkiem u drzwi, wszedł wprost do kantoru i przywitawszy się z właścicielem, starym i poczciwym, choć marudnym Żydem, skierował się za szafę z dokumentami, gdzie znajdowała się tajna klapa do piwnicy. Otworzył ją i zszedł na dół, słysząc narzekania właściciela na ceny, rząd i coś jeszcze.

Policjant puścił mimo uszu te utyskiwania. Znalazłszy się pod ziemią, myślał tylko o jednym: by wylać nieczystości z wiadra i w ten sposób oczyścić powietrze zatęchłej piwnicy. Zdjął marynarkę i kamizelkę. Powiesił je na haku, po czym rozpiął złote spinki od mankietów i włożył do kieszeni. Podwinął rękawy i sapiąc ze wstrętem jak parowóz, opróżnił pojemnik do kanalizacyjnego odpływu w rogu.

Zwykle ów odpływ służył przetrzymywanym tu aresztantom właśnie jako toaleta. Bolesław Arendarski był jednak zbyt cennym więźniem, by pozwolić mu na samodzielne poruszanie się po celi i ryzykować, że wymyśli jakiś sposób na wydostanie się z niewoli. Został więc sześć dni temu przykuty przez Zarembę kajdankami do jednego z łańcuchów – jak onegdaj gwałciciel Otto Adelhardt. Zostawiono mu tylko tyle swobody, aby mógł się położyć na pryczy i aby – z odrobiną gimnastycznych umiejętności – wypróżnić się do wiadra.

Popielski spłukał podłogę wodą z gumowego węża i spojrzał na Bolesława Arendarskiego, który pod wpływem tych hałasów właśnie się był obudził. Leżał on na pryczy i z drwiącym uśmieszkiem obserwował poczynania swojego cerbera.

– Dobrze mi tu sprzątaj, pachołku! – wołał, klaszcząc w dłonie, aż zabrzęczał łańcuch pomiędzy ścianą a kajdankami. – O, jeszcze tu jest brudno! I jeszcze tu tym wężem! No, dalej!

Jego wielkie czarne oczy błyszczały od wesołości, pełne, namiętne usta drżały jakby w erotycznym uniesieniu.

Na krześle, które stało obok pryczy, Popielski postawił kartonową paczkę. Wyjął z niej termos z herbatą i stary poobijany garnek, w którym wcześniej trzymał jakieś śruby, gwoździe i inne drobiazgi. Podniósł przykrywkę i po celi rozszedł się mocny zapach bigosu.

– Proszę! – wskazał ręką na jedzenie i stanął przy ścianie. – Nie jadł pan i nie pił od dwóch dni.

Nie spuszczając oka z więźnia, włożył kamizelkę i zaczął powoli zapinać jej guziki.

Arendarski nie jadł. Patrzył na Popielskiego, nie mrugnąwszy nawet powiekami. Przez jego oblicze, ocienione kilkudniowym zarostem, co kiedyś osobliwie dodawało mu w oczach dam szczególnej męskiej krasy, przemykały różne uczucia. Popielski rozpoznał dwa: podejrzliwość i rozbawienie.

– Ach, już wszystko rozumiem! – wykrzyknął Arendarski. – Jesteś dla mnie taki łaskaw, bo twoi zwierzchnicy wymienią mnie na jakiegoś dwójkarza, co? Po cichu, wbrew paktowi, wciąż trwa tajna wojna, wciąż następują wymiany na granicy, prawda?

Popielski nie odrzekł nic. Włożył marynarkę i odwrócił się ku schodom.

– Tak samo chciałeś wymienić Adelhardta na mojego stryja, co? Tu trzymałeś Niemca? Coś ci powiem. Jak o tym zameldowali Ukraińcy Reilemu, to wiesz, co on zrobił? Zapytał mnie o zdanie jako eksperta do spraw polskich. Chciał wiedzieć, czy moim zdaniem uda nam się wydostać stąd jurnego Ottona. A ja odpowiedziałem, że nie, po czym przekazałem Irenie wszystkie potrzebne informacje o Mykole Łopatiuku, o Żydówce Perli Milchman, agentce Abwehry, nawiasem mówiąc, zabitej gdzieś w Zagłębiu... Irena przyjęła tymczasowo jej tożsamość. Żal mi było Ireny, po tym, co jej zrobił ten zboczeniec... „Niech się zemści na nim, nieboże!", myślałem. A poza tym, co tu kryć, wcale nie chciałem, by mój stryj wyszedł ze Sztumu na wolność.

Popielski postawił nogę na pierwszym stopniu schodów i zatrzymał się w tej pozycji. Słuchał wszystkiego uważnie i głucho milczał. Ostatnie kamyki mozaiki wskakiwały na swoje miejsca.

– A ty gdzie?! – krzyknął nagle Arendarski. – Nie wychodź! Siadaj tu i porozmawiaj ze mną! Ze swoim wybawicielem!

Popielski poczuł, że mu płoną uszy i skronie.

– Wybawił mnie pan dla kaprysu – powiedział spokojnie. – Bo moja kuzynka nagle czymś pana ujęła. Może swoimi manierami, może swoją inteligencją i ironią? Spojrzał pan na nią, kiedy za mną prosiła, zajrzał pan w jej mądre oczy i pomyślał pan: „Czemu nie miałbym spełnić prośby tej damy?". Ale impulsy popychają do różnych rzeczy. Nagły bodziec, panie Arendarski, kazał panu pociąć brzytwą twarz pańskiej stryjenki oraz zmasakrować moją kuzynkę. Jest pan niewolnikiem impulsów.

Strzepnął z rękawów marynarki niewidzialny kurz i zaczął wchodzić po stopniach. Nagle się odwrócił.

– A teraz zadam panu pytanie, które być może pana uratuje: dlaczego pan tak potraktował Leokadię?

– Bo chciała mnie porzucić! – krzyknął Apollo. – A mnie się nie porzuca jak zużytej serwety, rozumiesz?! To ja porzucam. Ja! Marynarz, co to w każdym porcie ma kochankę!

Edward powoli wchodził. Jeden krok – przerwa, następny – przerwa. Liczył dziurki na noskach swoich wyglancowanych brązowych trzewików. To go uspokoiło.

– A jaka odpowiedź by mnie uratowała? – wrzasnął. – Jaka?

– Nie ma takiej odpowiedzi – odrzekł Edward i wyszedł na powierzchnię.

Zamknął starannie klapę do piwnicy, włożył głowę pod kran tryskający zimną wodą, po czym siedział dwa kwadranse w kantorze. Właściciel pralni, widząc jego kiepski humor, przestał się w ogóle odzywać.

Popielski wypalił w samotności jeszcze kilka papierosów i zszedł znów do piwnicy. Wszystko poszło zgodnie z planem. Potężna dawka sproszkowanego luminalu zawarta w bigosie ugotowanym przez Hannę zadziałała. Arendarski spał i chrapał.

Wtedy Edward zwalił go z pryczy. Patrzył przez chwilę na leżącego mężczyznę, a potem zrobił to, na co mu dzisiaj pośrednio pozwolił Żychoń w specjalnej depeszy.

LWÓW, WTOREK 18 WRZEŚNIA 1934 ROKU.

KWADRANS NA PIERWSZĄ PO POŁUDNIU

POPIELSKI WSZEDŁ POD WIADUKT KOLEJOWY za dworcem Lwów-Podzamcze i zaczął prawie biec. Stoki wzgórza Wysoki Zamek tu, przy ulicy Kąpielnej, wcale nie były zbyt strome i nikogo nie zmuszały do szybkiego zbiegania. Ale on ponaglał w myślach samego siebie. Chciał być przy Lodzi i chciał jej powiedzieć o wydarzeniach dzisiejszego dnia. Szedł szybkim krokiem pomiędzy drzewami porastającymi stok Wysokiego Zamku z prawej strony a ceglanymi murami Zakładu Wodoleczniczego „Kisielka" – z drugiej. Ruch na tej drodze prawie zamarł. Z rzadka przejechały jakiś automobil czy dorożka.

Szpital Sióstr Miłosierdzia od Świętego Wincentego à Paulo był brzydkim, pokracznym budynkiem stojącym na samym początku ulicy Teatyńskiej, pod kopcem Unii Lubelskiej. Oddzielony był od ulicy murem tak wysokim, że zasłaniał siostrzyczkom widok żołnierzy z położonych naprzeciwko koszar VI Dywizjonu Artylerii Przeciwlotniczej i nie narażał ich na niewybredne żarty wojaków, którzy czasami nie potrafili uszanować stanu duchownego.

Popielski pozdrowił szpitalnego portiera, wszedł na schody i natrafił na orszak kilku zakonnic, które – bardzo zaaferowane – zmierzały dokądś szybkim krokiem. Minął je, biegnąc slalomem wśród potężnych skrzydlatych kornetów na głowach sióstr, i wpadł do małej pojedynczej salki, gdzie umieszczono Lodzię. Potężny krucyfiks nad łóżkiem zdawał się – w imaginacji Edwarda – prorokować rychły koniec leżącej pod nim pacjentki.

Ta spoczywała na wznak z wyciągniętymi rękami i z obandażowaną głową. Skóra na jej twarzy z dnia na dzień przybierała coraz bardziej niepokojące odcienie żółci. Lekko zadarty nosek wyglądał jak złamany patyk. Delikatne żyłki układały się wzdłuż kostek dłoni i mocno odcinały się na niebiesko od ich białej, zwiotczałej nieco skóry. Wokół rozchodziła się chemiczna woń medykamentów oraz – a może tylko mu się tak zdawało? – jakaś zjełczała woń starości i kostnicy.

Nie wiedział, jaką historię opowiedzieć dzisiaj Leokadii. Wydawało mu się, że wyczerpał już wszelkie wspomnienia. Oprócz tych najsmutniejszych – najświeższych.

– Opowiem ci, Lodziu, o tym, co mnie ostatnio spotkało. O mojej rozpaczy. Kiedy się dowiedziałem, że nie żyjesz, dostałem ataku epilepsji. Po przebudzeniu z otchłani drgawek ujrzałem twarz Wilhelma, naszego przyjaciela z dzieciństwa, który się w tobie zawsze podkochiwał. A potem przyszedłem tutaj i dowiedziałem się od doktora Beresta... Tak. Powiedział mi, że pod wpływem uderzenia krew ci się wylała do głowy. Jak on to ujął? Krwotok podpajęczynowy, krwawienie do płynu mózgowo-rdzeniowego. Krew wokół twojej głowy na hotelowym dywanie pochodziła jednak z nosa, tak to stwierdził w szpitalu, a nie, jak wcześniej był sądził, z uszu. Wynikła stąd pomyłka... Gdyby w hotelu rzeczywiście poszła z uszu, to by oznaczało złamanie rdzenia kręgowego. I śmierć. I dlatego doktór, jak tylko cię ujrzał w „Żorżu", uznał, żeś martwa. Potem, kiedy go spotkałem, rzekł, że się pomylił. Że to krew nosowa, nie uszna, i że trochę pożyjesz. Ale już niedługo... Co on tam wie? Ja mu nie wierzę! On nie ma pojęcia, jakaś ty silna!

Urwał i patrzył na jej zamknięte powieki. Niewiele razy widział ją bez makijażu i ten widok zawsze napełniał go niepokojem: Lodzia nie umalowana – pewnie chora.

Mimo że całą siłą woli powstrzymywał się, aby już więcej nie mówić jej rzeczy nieprzyjemnych – takie było zalecenie doktora Beresta – nie mógł się pohamować, aby nie wrócić do przykrych spraw ostatnich dni.

– Pewnie ten drań błagał cię, prosił o spotkanie we Lwowie – powiedział cicho. – Może się widzieliście w jakiejś kawiarni? Tak cię usidlał, znów uwodził przy świecach, przy muzyce... Tak było, kochana Lodziu? To moja wina... To wszystko moja wina. Gdybym ci był powiedział, że jest niebezpiecznym niemieckim agentem, okrutnikiem, co rozorał brzytwą twarz nieszczęsnej Ireny... Ale ja milczałem, bo jestem uparty. Bo wciąż ci nie chcę mówić o mojej pracy...

Kiedy już wszedł głęboko w te przykre tematy, postanowił, że przeczyta jej teraz list od Żychonia, dostarczony mu wczoraj rano przez Szymona Ajzenfisza. Zaufany współpracownik kapitana przybył do Lwowa po dwóch dniach kolejowej podróży z Bydgoszczy, wręczył Popielskiemu zaszyfrowany dokument oraz klucz do deszyfracji. Edward przepisał treść listu i tę właśnie wersję miał teraz przed oczami.

Wielce Szanowny Panie!

Proszę ten list zniszczyć. Gdyby wpadł w niepowołane ręce, obaj mielibyśmy złamaną karierę. Gdyby płk T.F. dowiedział się, że spełniłem tę Pańską prośbę dotyczącą B.A. i zdobyłem ważną dla Pana informację, spotkałoby nas to samo i – kto wie? – może nawet sąd wojskowy. Dlaczego więc zgodziłem się znaleźć ową informację, na której Panu tak zależało?

Pierwsze wytłumaczenie jest takie, że nigdy nie lubiłem B.A. W częstych kłótniach pomiędzy stryjem a bratankiem, które mi relacjonowała I.A., nieodmiennie byłem po stronie stryja. Podobnie jak on uważałem B.A. za nałogowca – i w hazardzie, i w sprawach Amora – czyli za człowieka, któremu nie można ufać. Tym się różniłem od I.A., która miała do B.A. wielką słabość, zresztą jak wiele kobiet. Jak się okazuje, ta słabość doprowadziła do strasznych konsekwencyj, o których Pan wie – śpieszę donieść, że nieszczęsna I.A. jest w tej chwili otoczona nader troskliwą opieką w sanatorium Kudowa na Śląsku.

Ale wracam do B.A. Nie ufałem mu i z tego też powodu nie miałem zamiaru go odwracać, nawet po zdemaskowaniu go przez Pana jako rzeczywistego agenta, pracującego dla naszego gdańskiego przyjaciela O.R. Co powinienem był z nim zrobić? Płk T.F. wydał mi rozkaz: złapać go i doprowadzić do rozbicia siatki O.R. w Gdańsku!

Tymczasem ja, dowiedziawszy się od Pana, że B.A. jest w Pralni, nie tylko nie zameldowałem o tym płkowi

T.F., lecz spełniłem Pańską prośbę, o której poniżej. Dlaczego zataiłem ją przed moim szefem? Bo chciałem Pana uchronić od kary, jaka by na Pana niechybnie spadła za zamknięcie B.A. w Pralni. Przecież widać po Pańskiej prośbie jasno, że miał Pan zupełnie inne plany wobec B.A. niż płk T.F. Nasi ludzie w Bukareszcie wypatrzyli już B.A. i szykowali się do akcji – czyli do dostarczenia B.A. płkowi T.F. Nagle im zniknął – jak się okazuje, wyleciał okrężną drogą do Lwowa.

Pan i ja pokrzyżowaliśmy plany T.F. Czym ryzykowałem i ryzykuję? Końcem kariery. Dlaczego to robię? Bo chcę być z Panem szczery. Kara powinna spotkać nie Pana ani nie mnie, lecz B.A., za to, co zrobił I.A. oraz bliskiej Panu osobie. Jestem o tym najgłębiej przekonany. Ale *ad rem*. Informuję Pana, że B.A....

Popielski urwał. Tego, co było dalej, nie mógł już Leokadii przeczytać.

Przełknął ślinę. Nie wiedział już, o czym mówić, co czytać swojej kuzynce. Zaczął zatem powtarzać od nowa całą wcześniejszą kwestię – o epilepsji, o Wilhelmie Zarembie, o krwotoku...

I tak powtarzał, przysypiał, budził się, zmieniał słowa, drzemał, wstawał, potrząsał głową, zapadał w sen, majaczył. Przez godzinę. Dwie. Trzy. Pięć. Siedem.

„Zrobiłeś mu coś złego?" – pytała Lodzia w jego rojeniach.

Milczał.

„Obiecałeś mi, że nic mu złego nie zrobisz!" – wołała.

Wstał gwałtownie. Chrystus z krzyża patrzył na niego uważnie.

– Obiecałeś! – krzyknęła.

W zapadającym w szpitalu półmroku Leokadia patrzyła na niego rozszerzonymi źrenicami.

– Przebudziłaś się! – zawołał i padł przed łóżkiem na kolana. – Kochana Lodziu, ty żyjesz!

– Tak – szepnęła. – Daj mi pić, Edziu!

Pomyślał, że wciąż jeszcze śni. Nigdy się tak do niego nie zwracała.

– Edziu! – usłyszał jej jakby zdarty głos. – Daj mi pić, do jasnej cholery!

Nigdy nie słyszał w jej ustach takiego przekleństwa. Wstał. Zaczął się rozglądać po sali w poszukiwaniu wody. Znalazł karafkę i szklankę. Ukląkł i długo ją poił. Piła w sposób dystyngowany, małymi łykami. Nagle oderwała usta od krawędzi naczynia.

– Zrobiłeś mu coś złego? – zapytała, przebierając palcami po kołdrze, jakby grała ulubione sonaty Beethovena. – Co mu zrobiłeś?

Edward zawahał się.

– Jaa? Niic – odpowiedział wolno. – Coś złego... To nie ja. To wszy mu zrobiły coś złego.

KILOMETR DALEJ NA PÓŁNOC, za torami kolejowymi, w piwnicy pralni Lifschütza przy Żółkiewskiej 73, gdański donżuan i agent Abwehry Bolesław Arendarski obudził się z ciężkiego chemicznego snu. Na betonowej posadzce było mu twardo i niewygodnie. Z trudem wlazł na posłanie i zasnął.

Nawet nie usłyszał, jak pod nogami pryczy trzasnęły szklane fiolki. Na nie oheblowane drewno posłania zaczęły wpełzać małe owady – spragnione ludzkiej krwi. Uwolnione wczoraj z niewoli profesora Weigla przez portiera pana Rajmunda Huchlę, który – jak wielu ludzi tej profesji – był od dawna agentem Łyssego.

– WSZY, WSZY – powtarzała Leokadia.

– Dokonało się! – Edward uderzył się w pierś. – *Consummatum est!*

Pod dłonią poczuł złożony i schowany w wewnętrznej kieszeni marynarki list od Żychonia.

Nie ma żadnych informacyj, by B.A. chorował kiedykolwiek na tyfus. Gdy B.A. już będzie w wiadomym stanie, proszę mi zrobić jego zdjęcie. Wyślę je naszemu gdańskiemu przyjacielowi O.R.

Właśnie tego nie chciał Lodzi przeczytać.

– A zatem nie jest uodporniony na tyfus – powiedział Popielski ni to do Lodzi, ni to do siebie.

Pierwszy owad wpełzł za ucho leżącego w Pralni mężczyzny. Drugi znalazł schronienie pod kołnierzykiem. Następne też szukały swego miejsca w życiu.

– To dobrze! – powiedziała Leokadia i lekko się uśmiechnęła.

* * *

DWA TYGODNIE PÓŹNIEJ W NADMORSKIM MIEŚCIE oddalonym prawie o osiemset kilometrów Oskar Reile spacerował wraz z żoną i córką wzdłuż mola. Tam zaczepił go jakiś żebrak. Kiedy Reile pozbył się w końcu natręta i ten rozpłynął się wśród drzew, żona komisarza stwierdziła, że ma w torebce zaklejoną kopertę. Reile ją otworzył. Wypadło z niej zdjęcie martwego Bolesława Arendarskiego. Żona krzyknęła, córka zmieniła się na twarzy, a sam Reile szpetnie zaklął, wymieniając jakieś trudne do wymówienia polskie nazwisko.

Ów niedzielny spacer nie był dla tej rodziny miłym wspomnieniem.

KONIEC

POSŁOWIE

JEST GRUPA CZYTELNIKÓW, KTÓRZY – deklarując przywiązanie do mojej twórczości – chętnie by z niej usunęli makabryczne (może lepiej: naturalistyczne) wątki i sceny. Kiedy przedstawiam sytuacje tego typu, zawsze o takich wrażliwych osobach myślę i łagodzę nieco moje pedantyczne przywiązanie do szczegółu, również makabrycznego. Nie mnie oceniać, czy się to udaje, czy nie. Co ważniejsze jednak, staram się, by takie sceny miały swoje historyczne pierwowzory. Krótko mówiąc: detaliczność opisu – tak, wymyślanie makabrycznych zdarzeń – nie.

Trzymając się tej reguły, informuję, że bestialski motyw wyrżnięcia swastyki na piersi polskiego marynarza, pobicie polskich uczennic czy inne akty niemieckiej przemocy wobec polskich mieszkańców Wolnego Miasta Gdańska opisane w powieści są historycznymi – nie literackimi – faktami*. Do nich należy też paniczny strach niemieckich mieszkańców Gdańska przed aneksją, która w 1933 roku mogłaby być dokonana przez Rzeczpospolitą (czyli wykorzystany przeze mnie motyw *casus belli*). Wszystkie dodatkowe opisy zdarzeń oraz cech i działań bohaterów *Miasta szpiegów* są fikcyjnymi i swobodnymi artystycznymi wariacjami.

Napisanie tej powieści trwałoby o wiele dłużej, gdyby nie pomoc moich życzliwych ekspertów i współpracowników. Mikołaj Kołyszko, nieoceniony eksplorator, wyszukał

---

* Zob. znakomity artykuł *Wolne Miasto Gdańsk bez retuszu* autorstwa Marii Sadurskiej z odnośnikami bibliograficznymi (https://www.gdanskstrefa.com/wolne-miasto-gdansk-bez-retuszu/).

dla wiele mnóstwo zakamarkowych informacyj, bez których świat przedstawiony w książce byłby ubogi i niewiarygodny (w ustalaniu realiów życia codziennego w Wolnym Mieście Gdańsku *Anno Domini* 1933 pomagał mu Grzegorz Krzyżowski).

Ze swojej wiedzy pozwolili mi skorzystać następujący eksperci: medycy Krzysztof Cieszyński i Robert Krawczyk, entomolog Marcin Kadej oraz – jak zawsze – medyk sądowy Jerzy Kawecki. Zanim tekst tej powieści trafił na biurko moich świetnych redaktorek: Doroty Gruszki, Katarzyny Mach oraz – *last but not least* – Karoliny Macios, przeczytali go i zgłosili doń liczne i trafne uwagi trzej konsultanci. Wytknęli mi oni językowe manieryzmy (polonista Leszek Duszyński) oraz luki logiczne i sprzeczności narracyjne (pisarz Zbigniew Kowerczyk oraz znawca literatury sensacyjnej i historycznej Maciej Lamparski).

Wszystkim wymienionym powyżej bardzo dziękuję i jednocześnie oświadczam, iż za wszelkie błędy tylko ja ponoszę odpowiedzialność*.

W trakcie pisania tej książki, dnia 29 grudnia 2020 r., umarł mój ojciec Edward Krajewski. Jemu ją dedykuję.

Marek Krajewski

---

* Jeśliby Czytelnicy dostrzegli jakieś błędy, uprzejmie proszę o informowanie mnie o nich w listach wysyłanych na adres: mrkkrjwsk@gmail.com.

SPIS TREŚCI

Książki Marka Krajewskiego o Edwardzie Popielskim
(według chronologii wydarzeń)

Książki Marka Krajewskiego o Eberhardzie Mocku
(według chronologii wydarzeń)

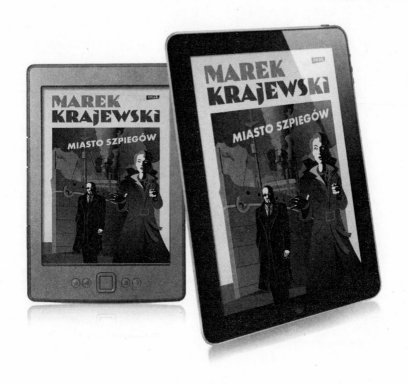

Przeczytaj, co o książce sądzą inni czytelnicy, i oceń ją na
lubimyczytać.pl